James Oswald

Nel nome del male

Traduzione di
Leonardo Taiuti

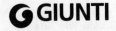

Titolo originale:
Natural Causes

http://narrativa.giunti.it

© 2014 Giunti Editore S.p.A.
Via Bolognese 165 – 50139 Firenze – Italia
Via Borgogna 5 – 20122 Milano – Italia
Prima edizione: marzo 2014

Ristampa	Anno				
6 5 4 3 2 1 0	2018	2017	2016	2015	2014

Ai miei genitori, David e Juliet.
Vorrei che foste qui a condividere questo momento.

1

Non avrebbe dovuto fermarsi. Non era il *suo* caso. Non era neppure in servizio. Ma c'era qualcosa nei lampeggianti blu, nel furgoncino della scientifica e negli agenti che mettevano i nastri a cui l'ispettore Anthony McLean non riusciva mai a resistere.

Era cresciuto in quel quartiere, la zona ricca della città, dove le villette a schiera avevano ampi giardini circondati da mura. C'erano parecchi soldi lì dentro, e andavano protetti. In quelle strade era improbabile perfino avvistare un vagabondo, figuriamoci se poteva consumarsi un crimine vero e proprio; eppure adesso c'erano due volanti davanti al cancello di una grande casa e un agente in divisa intento a srotolare il nastro bianco e blu. McLean estrasse il distintivo e si avvicinò.

«Che succede?»

«C'è stato un omicidio, signore. Mi hanno detto solo questo.» L'agente continuò a stendere il nastro. McLean osservò l'ampio vialetto che conduceva alla casa. Vi era parcheggiato un furgone della scientifica, con le portiere spalancate; una squadra di poliziotti scandagliava il prato, gli occhi puntati sull'erba alla ricerca di indizi. Non c'era alcun male a dare un'occhiata, magari poteva essere d'aiuto in qualche modo. Dopotutto, conosceva bene la zona. Passò sotto il nastro e percorse il vialetto.

Dietro al furgoncino bianco c'era una Bentley nera che luccicava nella luce del pomeriggio. Accanto, una vecchia Mondeo rugginosa, apparentemente fuori posto in quel contesto. McLean conosceva fin troppo bene quell'auto e il suo proprietario. L'ispettore capo Charles Duguid non era certo il suo superiore preferito. Se questa indagine era stata affidata a lui, allora il morto doveva essere una persona importante. Il che spiegava anche il folto numero di agenti presenti sul posto.

«Che cazzo ci fai tu qui?»

McLean si voltò al suono familiare di quella voce. Duguid era molto più vecchio di lui, aveva superato abbondantemente la cinquantina; i capelli, un tempo rossi, adesso erano radi e grigi, il viso rubicondo e rugoso. Con la tuta di carta bianca mezza abbassata e annodata sul ventre prominente, aveva l'aria di uno che fosse appena uscito per fumarsi una sigaretta di nascosto.

«Ero nei dintorni e ho visto le volanti.»

«E così hai pensato di venire a ficcare il naso, eh?»

«Non volevo intromettermi nella sua indagine, signore. Ho solo pensato che, be', dato che sono cresciuto in questa zona, avrei potuto esserle d'aiuto.»

Duguid emise un sonoro sospiro, abbandonando le spalle con fare teatrale.

«Oh, al diavolo. Ormai sei qui. Magari puoi renderti utile. Parla con quel tuo amico patologo. Senti che meravigliose intuizioni ha avuto stavolta.»

McLean si diresse verso la porta d'ingresso, ma Duguid lo afferrò per un braccio.

«E vedi di fare rapporto a me dopo. Non voglio che te la svigni prima che abbiamo finito.»

La luce nella casa era di un'intensità quasi dolorosa rispetto all'oscurità che stava calando su Edimburgo. McLean entrò in un ampio salone attraversando un piccolo ma elegante portico. All'interno, alcuni agenti della scientifica si affannavano nelle loro tute di carta bianca alla ricerca di impronte digitali, fotografando ogni cosa. Prima che potesse fare un altro passo, una giovane donna dall'aria esasperata gli mise in mano un involto bianco. Non la conosceva: una nuova recluta.

«Se vuole andare lì dentro deve indossare questo, signore.» Con il pollice indicò una porta aperta dietro di sé, dall'altra parte dell'atrio. «È un macello. Non vorrà certo rovinarsi l'abito.»

«O contaminare potenziali prove.» McLean la ringraziò, indossò la tuta di carta e si mise i copriscarpe di plastica prima di dirigersi verso la porta, percorrendo la passerella rialzata che i ragazzi della scientifica avevano posato sul pavimento in parquet. Dalla stanza provenivano delle voci.

Era una biblioteca. Libri rilegati in pelle erano allineati lungo le pareti, su scaffali in mogano. Tra due alte finestre c'era una scrivania antica, con sopra un rotolo di carta assorbente e un cellulare. Due poltrone in pelle dallo schienale alto, una su ogni lato del caminetto decorato, erano rivolte verso il fuoco spento. Sul bracciolo di quella a sinistra c'erano alcuni abiti piegati con cura. McLean attraversò la stanza e girò intorno all'altra poltrona, notando immediatamente il corpo che vi era seduto sopra. Il tanfo disgustoso gli penetrò nelle narici.

L'uomo, con le mani abbandonate sui braccioli, i piedi sul pavimento, in una posa quasi composta, aveva il volto cereo e lo sguardo rivolto in avanti, l'espressione gelida. Dalla bocca socchiusa gocciolava del sangue nero che gli imbrattava il mento. All'inizio McLean pensò che indossasse una sorta di cappotto di velluto scuro. Poi notò le viscere, luccicanti spirali grigio-bluastre che ricadevano sul tappeto persiano. Non era velluto scuro. E non era nemmeno un cappotto. Due figure in bianco si chinarono accanto al corpo, chiaramente riluttanti a posare le ginocchia sul tappeto intriso di sangue.

«Cristo santissimo.» McLean si coprì la bocca e il naso per non sentire l'odore metallico del sangue e quello più potente di escrementi umani. Uno dei due personaggi lo guardò e lui riconobbe il medico legale Angus Cadwallader.

«Ah, Tony. Sei venuto per unirti alla festa?» Si alzò, passando qualcosa di scivoloso alla sua assistente. «Tienimelo un attimo, Tracy, per cortesia.»

«Barnaby Smythe.» McLean si avvicinò.

«Non sapevo che lo conoscessi» disse Cadwallader.

«Oh, sì, lo conoscevo. Non bene, certo. Non ero mai stato qui. Ma, buon Dio, che gli è successo?»

«Poldo non ti ha informato?»

McLean sussultò all'udire il soprannome dell'ispettore capo e si guardò intorno, aspettandosi di vederlo spuntare alle spalle. Ma a parte l'assistente e il morto, erano soli.

«In realtà non sembrava troppo felice di vedermi. Crede che voglia rubargli tutta la gloria.»

«È così?»

«Assolutamente no. Ero passato a casa di mia nonna e ho visto le volanti…» McLean notò il sorriso del patologo e si zittì.

«Come sta Esther, a proposito? Qualche miglioramento?»

«Non proprio, no. Andrò a trovarla, più tardi. Se non rimango impantanato qui, è ovvio.»

«Be', mi chiedo cosa avrebbe pensato di questo casino.» Con la mano guantata coperta di sangue, Cadwallader indicò quello che restava dell'uomo.

«Non ne ho idea. Qualcosa di orribile, di sicuro. Ah, voi medici legali siete tutti uguali. Forza, dimmi che è successo, Angus.»

«Per quanto ne so, non è stato legato o trattenuto in alcun modo, il che porterebbe a pensare che fosse già morto quando gli hanno fatto tutto questo. Ma c'è troppo sangue, quindi il cuore batteva ancora quando l'hanno sventrato. Probabilmente è stato drogato. Lo sapremo solo quando arriveranno i risultati dell'esame tossicologico. In realtà, gran parte del sangue che vedi viene da qui.» Indicò un lembo di pelle attorno al collo del cadavere. «E giudicando dagli schizzi sulle gambe e sul lato della poltrona, questo squarcio è stato fatto dopo che gli sono state rimosse le budella. Suppongo che l'assassino abbia voluto toglierle di mezzo per curiosare meglio dentro il corpo. Tutti gli organi sono al loro posto, tranne un pezzo di milza che manca.»

«Ha qualcosa in bocca, signore» disse l'assistente. Cadwallader chiamò il fotografo, poi si chinò, infilò le dita tra le labbra del morto e gli aprì la bocca. Vi frugò dentro e ne estrasse un grumo viscido, rosso e liscio. McLean sentì la bile risalirgli in gola e cercò di non vomitare mentre il medico legale portava alla luce il pezzo di milza.

«Ah, eccolo qui. Ottimo.»

Quando McLean uscì dalla casa era ormai calata la sera. In città non era mai davvero buio; troppi lampioni illuminavano il sottile strato di smog, proiettando nel cielo uno spettrale bagliore arancione. Se non altro, però, la soffocante calura di agosto era svanita, lasciando il posto a una piacevole brezza fresca, dopo il fetore respirato in quella stanza. La ghiaia scricchiolò sotto il suo peso mentre osservava il cielo, cercando inutilmente qualche stella e un motivo qualsiasi per cui qualcuno avrebbe dovuto sventrare un vecchio e fargli mangiare la sua stessa milza.

«Allora?» Il tono era inconfondibile e accompagnato da un odore acre di fumo stantio. McLean si voltò verso l'ispettore capo Duguid. Si era tolto la tuta e indossava di nuovo il classico abito troppo largo, uno dei suoi marchi di fabbrica. Anche nella penombra, McLean riusciva a vedere le zone dove il tessuto si era logorato nel corso degli anni.

«La causa di morte più probabile è l'ingente perdita di sangue, gli hanno tagliato la gola da orecchio a orecchio. Angus… il dottor Cadwallader sostiene che il decesso è avvenuto nel tardo pomeriggio. Tra le quattro e le sette. La vittima non è stata legata, perciò devono averla drogata. Ne sapremo di più dopo l'esame tossicologico.»

«Questo lo so già, McLean. Ho anch'io gli occhi. Parlami di Barnaby Smythe. Chi avrebbe potuto ammazzarlo così?»

«Non conoscevo così bene il signor Smythe. Era un uomo riservato. Oggi è stata la prima volta che sono entrato in casa sua.»

«Ma di sicuro gli rubavi le mele dal giardino, da ragazzino.»

McLean si morse il labbro, trattenendo la risposta piccata che avrebbe voluto dargli. Era abituato al sarcasmo di Duguid, ma non capiva perché doveva sopportarlo quando stava solo cercando di dare una mano.

«Che cosa sai di quell'uomo?» chiese Duguid.

«Era un mediatore finanziario, ma doveva essere in pensione. Ho letto da qualche parte che ha donato diversi milioni di sterline per la nuova ala del museo nazionale.»

Duguid sospirò, grattandosi la punta del naso. «Speravo in qualcosa di più utile. Non sai niente sulla sua vita sociale? Amici e nemici?»

«Non proprio, signore. Come ho detto, era in pensione, doveva avere almeno ottant'anni. Non frequento molto quel giro. Mia nonna di sicuro lo conosceva, ma non è esattamente in grado di dare una mano. Ha avuto un infarto.»

Duguid grugnì con noncuranza. «Allora non mi servi a un accidente. Forza, levati dai piedi. Torna dai tuoi amici ricchi e goditi la serata libera.» Si voltò e si diresse verso un gruppo di agenti che fumavano. McLean fu felice di vederlo andare via, poi però si ricordò dell'avvertimento che gli aveva dato poche ore prima.

«Vuole che le prepari un rapporto, signore?» gli gridò dietro.

«No, non lo voglio il tuo rapporto del cavolo.» Duguid si voltò, il viso in ombra, gli occhi che brillavano nella luce riflessa dei lampioni. «Questo caso è mio, McLean. E ora sparisci dalla mia fottuta scena del crimine.»

2

Il Western General Hospital puzzava di malattia, un misto di disinfettante, aria calda e fluidi corporei che ti si appiccicava ai vestiti se restavi per più di dieci minuti. Le infermiere all'accettazione lo riconobbero, gli sorrisero e gli fecero cenno di entrare senza dire una parola. Una si chiamava Barbara, l'altra Heather, ma non si ricordava assolutamente chi fosse chi. Non le aveva mai viste separatamente e mettersi a fissare i minuscoli badge che portavano sul petto sarebbe stato imbarazzante.

McLean camminò in silenzio, per quanto glielo consentisse lo scricchiolante linoleum di quei corridoi senz'anima. Incrociò un uomo anziano, avvolto in uno striminzito camice ospedaliero, che reggeva la flebo con dita artritiche; infermiere indaffarate correvano da una stanza all'altra; giovani medici, pallidissimi, sembravano sul punto di svenire per la stanchezza. Da parecchio, ormai, tutto questo non gli faceva più effetto, frequentava quel luogo da troppo tempo.

Il reparto che cercava era in una zona tranquilla dell'ospedale, lontana dal trambusto. Era una stanza carina, con le finestre che davano sull'estuario del fiume Forth. Gli era sempre sembrata una cosa molto stupida, in realtà. Sarebbe stato meglio riservare quel posto a chi era stato appena operato, o a casi del genere. Invece, ospitava quei pazienti a cui non interessava certo il paesaggio o la quiete. Usò un estintore per tenere aperta la porta, in modo che il brusio dell'ospedale lo seguisse nella stanza, poi entrò nella semioscurità.

Lei giaceva con diversi cuscini dietro la schiena, gli occhi chiusi, come se dormisse. Alcuni fili le partivano dalla testa e finivano dietro al letto in un monitor che ticchettava a ritmo lento, costante. Un tubo le faceva gocciolare un liquido chiaro nel braccio rugoso e chiazzato, e al dito aveva un saturimetro bianco. McLean si accomodò su una sedia, prendendole la mano e osservandone il volto, un tempo fiero e vivace.

«Ho visto Angus, prima. Ha chiesto di te.» Parlava piano. Ormai non era più così sicuro che potesse sentirlo. La donna aveva la mano fresca, come l'aria della stanza. Escluso il movimento meccanico del petto, era immobile.

«Da quant'è che sei qui, adesso? Diciotto mesi, giusto?» Aveva le guance più scavate dall'ultima volta che le aveva fatto visita e qualcuno le aveva tagliato i capelli senza cura, rendendole la testa ancora più scheletrica.

«Ho sempre pensato che prima o poi ti saresti svegliata e tutto sarebbe tornato come prima. Ma ora non ne sono più tanto sicuro. Per quale motivo dovresti svegliarti?»

Lei non rispose; non sentiva la sua voce da più di un anno e mezzo, da quando gli aveva telefonato, quella sera, dicendogli che non si sentiva bene. Ricordava l'ambulanza, i paramedici, ricordava di aver chiuso la casa vuota. Ma non riusciva a ricordare il volto della nonna quando l'aveva trovata priva di conoscenza sulla poltrona davanti al fuoco. I mesi trascorsi l'avevano devastata e lui l'aveva guardata sfiorire, ridursi l'ombra della donna che l'aveva cresciuto dall'età di quattro anni.

«Chi l'ha messo qui? Roba da non credere…» McLean si voltò, spaventato dalla voce. C'era un'infermiera sulla porta, che lottava per sollevare l'estintore. La ragazza finalmente alzò lo sguardo e lo vide.

«Oh. Signor McLean, mi dispiace. Non l'avevo vista.»

Accento delle isole occidentali, viso pallido e chioma rosso fuoco. Indossava l'uniforme da caposala e McLean la conosceva. Si chiamava Jane o Jenny o qualcosa di simile. Si rese conto di sapere i nomi di quasi tutte le infermiere, li aveva imparati quando era in servizio o durante le visite alla nonna. Ma per quanto si sforzasse, non riusciva a ricordare come si chiamasse la ragazza che lo stava fissando in quel momento.

«Non si preoccupi» disse, alzandosi. «Stavo per andarmene.» Si voltò verso la nonna, lasciandole la mano fredda. «Tornerò a trovarti, nonna, te lo prometto.»

«Lo sa, lei è l'unico che viene regolarmente» disse l'infermiera. McLean si guardò intorno, facendo caso per la prima volta agli altri letti con i loro occupanti, silenziosi e immobili. Faceva venire i brividi: tutta quella gente in coda per l'obitorio, pazientemente in attesa che il Tristo Mietitore si presentasse a reclamarli.

«Non hanno famiglia?» chiese, indicando col mento il resto dei pazienti.

«Ce l'hanno, ma non viene nessuno a trovarli. Oh, all'inizio sì. Sono venuti anche ogni giorno, per una settimana o due. Perfino per un mese. Via via, però, tra una visita e l'altra ha cominciato a passare sempre più tempo. Il signor Smith, laggiù, non riceve visite da maggio. Lei invece viene qui ogni settimana.»

«Non ha nessun altro.»

«Be', è lo stesso. Non è da tutti fare quello che fa lei.»

McLean non sapeva cosa dire. Era vero, andava in ospedale

ogni volta che poteva, ma non restava mai a lungo, a differenza di sua nonna, condannata a trascorrere il resto dei suoi giorni in quel placido inferno.

«Devo andare» disse, dirigendosi verso la porta. «Scusi per l'estintore.» Lo riagganciò alla parete. «E grazie.»

«Di cosa?»

«Di prendersi cura di lei. Credo che le sarebbe piaciuta.»

Il taxi lo lasciò alla fine della strada e ripartì. McLean camminò un po' nel fresco della sera, mentre il fumo del tubo di scappamento svaniva nel nulla. Un gatto attraversò la strada a una decina di metri da lui e si fermò all'improvviso, come se si fosse accorto di essere osservato. Girò la testa e lo vide, poi si sedette in mezzo alla strada e cominciò a leccarsi una zampa.

McLean si appoggiò al primo degli alberi che spuntavano dal marciapiede, come fossero germogliati in fila nell'asfalto, e osservò i dintorni. La strada era quasi sempre tranquilla, ma a quell'ora era silenziosa. Solo il ronzio sommesso della città gli diceva che il tempo non si era fermato. Il verso di un animale interruppe le operazioni di pulizia del gatto. Lanciò uno sguardo a McLean e trotterellò via, scomparendo con un balzo in un giardino vicino.

Voltandosi, McLean vide l'edificio vuoto che era stato la casa della nonna, le finestre buie, inespressive come il suo volto rovinato. Occhi sbarrati dinanzi alla notte mai del tutto oscura. Farle visita in ospedale era un compito cui assolveva volentieri, ma venire qui non gli piaceva. La casa in cui era cresciuto era sparita da tempo, la vita era stata risucchiata via da quell'edificio come dal corpo di sua nonna. Erano rimaste solo ossa di pietra e ricordi sbiaditi. Quasi sperò che il gatto tornasse; in quel momento, qualsiasi compagnia sarebbe stata la benvenuta. Ma sarebbe stata solo una distrazione. Era venuto fin lì per portare a termine un lavoro; tanto valeva mettersi all'opera.

L'ingresso era ingombrato da un mucchio di posta inutile che giaceva lì da una settimana. McLean la raccolse e la portò in biblioteca. Quasi tutti i mobili erano coperti da lenzuoli bianchi, cosa che dava alla casa un aspetto ancora più spettrale. Solo la scrivania era scoperta. Controllò la segreteria telefonica, cancellando tutti i messaggi promozionali senza neanche ascoltarli. Avrebbe anche potuto spegnere tutto, ma c'era la possibilità che qualche vecchio amico di famiglia decidesse di farsi vivo. Buttò la posta nel cestino della spazzatura, che aveva bisogno di essere svuotato. C'erano due bollette che doveva ricordarsi di inoltrare all'avvocato che si occupava degli affari della nonna. Un ultimo giro, poi poteva andare a casa. Forse perfino dormire un po'.

McLean non aveva mai avuto paura del buio. Forse perché, quando aveva quattro anni, i mostri erano venuti veramente e si erano portati via i suoi genitori. Era capitato il peggio, e lui era sopravvissuto. Ormai sapeva che l'oscurità non nascondeva niente di spaventoso. Eppure era abituato ad accendere sempre la luce, per evitare di attraversare una stanza immersa nel buio. Quella casa era grande, troppo per una donna sola. Dalla maggior parte delle abitazioni dei dintorni erano stati ricavati almeno due appartamenti, ma quella resisteva ancora, con il suo immenso giardino circondato da mura. Dio solo sapeva quanto valesse; un'altra questione di cui avrebbe dovuto occuparsi, prima o poi. A meno che la nonna non avesse lasciato tutto a qualche rifugio per gatti abbandonati. Non ne sarebbe rimasto sorpreso; anzi, sarebbe stato proprio nel suo stile.

Si fermò, cercando l'interruttore a tentoni, e si rese conto che era la prima volta che pensava alle conseguenze della morte della nonna, che vagliava l'ipotesi che potesse anche non farcela. Certo, era una possibilità che era sempre stata lì, nel profondo della sua mente, ma per tutti i mesi in cui le aveva fatto visita in ospedale aveva sempre sperato che le sue condizioni migliorassero. Quel giorno, per qualche motivo, aveva finalmente accettato l'inevitabile. Era triste, ma anche stranamente liberatorio.

Poi vide dove si trovava.

La camera da letto della nonna non era la stanza più grande della casa, ma probabilmente era più ampia dell'intero appartamento di Newington dove McLean viveva. Vi entrò, facendo scorrere una mano sul letto, sulle stesse lenzuola sotto le quali lei aveva dormito la notte prima dell'infarto. Aprì l'armadio, pieno di abiti che non si sarebbe più messa, poi attraversò la stanza e si avvicinò alla sedia davanti al comò, dove era stata appoggiata una vestaglia di seta giapponese. In una spazzola c'erano ancora dei capelli; lunghi fili bianchi che luccicavano nella tagliente luce giallastra delle lampade, riflessa in un'antica specchiera. Accanto, su un vassoio d'argento, alcune boccette di profumo. Dall'altra parte, delle fotografie incorniciate. Quello era l'angolo più privato della nonna. C'era già stato prima, da ragazzino, ma non si era mai soffermato, non aveva mai davvero osservato quella stanza. Ora si sentiva un po' a disagio e, allo stesso tempo, affascinato.

La toeletta, più che il letto, era il punto focale della stanza. Era lì che la nonna si preparava per mostrarsi al mondo esterno e McLean notò con piacere che una delle foto lo ritraeva. Ricordava il giorno in cui era stata scattata, quando si era diplomato alla scuola di polizia di Tulliallan. La sua uniforme non era mai più stata così pulita. Agente di polizia McLean. Avrebbe fatto una bella carriera, certo, ma la gavetta non gliel'avrebbe tolta nessuno.

L'altra fotografia ritraeva i suoi genitori il giorno del matrimonio. A osservare le due foto sembrava chiaro che avesse ereditato l'aspetto del padre. Quando erano state scattate dovevano avere la stessa età e, nonostante la differenza nella qualità dell'immagine, avrebbero tranquillamente potuto essere foto di due fratelli. McLean le studiò per un po'. Conosceva a malapena quelle due persone, alle quali ormai non pensava quasi più.

Nella stanza c'erano altre cornici, alcune alle pareti, altre su una larga cassettiera che di sicuro conteneva biancheria. Alcune erano foto del nonno, il cupo, anziano signore il cui ritratto era appeso sopra il caminetto nella sala da pranzo al piano di sotto: ripercorrevano la sua vita in una serie di immagini in bianco e nero. C'erano altre foto, alcune di suo padre, altre di sua madre nel momento in cui era entrata a far parte della famiglia. C'erano anche un paio di fotografie della nonna, una splendida giovane con indosso gli abiti più alla moda degli anni Trenta. Una di queste la ritraeva in compagnia di due signori sorridenti, anche loro con abiti tipici dell'epoca, sullo sfondo delle familiari colonne del National Monument su Calton Hill. McLean fissò la foto per qualche istante, prima di rendersi conto che in quell'immagine c'era qualcosa che lo turbava. Alla sinistra di sua nonna c'era il marito, William McLean, che ovviamente era lo stesso uomo che compariva in molte foto. Eppure era l'altro, quello alla sua destra, che le cingeva la vita con il braccio e sulle labbra aveva un sorriso da re del mondo, a essere il ritratto sputato del novello sposo e del neodiplomato agente di polizia che apparivano nelle altre fotografie.

3

«Che cosa manca esattamente, signor Douglas?»

McLean tentò di sistemarsi sullo scomodo divano; nei cuscini c'erano protuberanze dure come mattoni. Si arrese e si guardò intorno mentre accanto a lui il sergente Bob Laird, il Burbero per gli amici, prendeva appunti con lunghi e arzigogolati scarabocchi.

Era una stanza ben arredata, malgrado il tremendo sofà. Su un lato c'era un caminetto, mentre le altre pareti erano quasi interamente coperte da una gradevole collezione di dipinti a olio. Altri due divani formavano un cordone attorno al camino. E l'unico ornamento possibile in quell'estate soffocante era un'ordinata composizione di fiori secchi. Il mogano era il materiale dominante e nella stanza si percepiva un odore di pulito, oltre che un debole sentore di gatto. Tutto era vecchio ma di valore, perfino l'uomo che sedeva di fronte a loro.

«Non è stato rubato niente.» Eric Douglas si toccò gli occhiali dalla montatura nera con un gesto nervoso, spingendoseli più in alto sul lungo naso. «Sono andati dritti alla cassaforte. Come se sapessero esattamente dove si trovava.»

«Potrebbe mostrarcela, signore?» McLean dovette alzarsi prima che gli si intorpidissero le gambe. Certo, avrebbe potuto ricavare qualche informazione utile osservando la cassaforte, ma più di ogni altra cosa aveva bisogno di muoversi. Douglas fece loro strada fino a un piccolo studio che sembrava essere stato investito da un tornado. Sull'ampia scrivania antica giacevano alcune pile di libri, tirati giù dagli scaffali in legno di quercia dietro i quali si nascondeva una cassaforte. Lo sportello era aperto.

«Più o meno l'ho trovata così.» Douglas si fermò sulla soglia, come se rimanendo fuori dalla stanza sperasse di farla tornare com'era prima. McLean gli passò accanto e aggirò con cautela la scrivania. La polvere biancastra che copriva gli scaffali e lo stipite della grande finestra era segno che la specialista delle impronte digitali aveva già concluso il suo lavoro. Al momento era impegnata nelle altre stanze ad analizzare porte e finestre. Ciò nonostante, McLean estrasse dalla tasca della giacca un paio di guanti di gomma e li indossò, prima di toccare la pila di carte che era rimasta nella cassaforte.

«Hanno preso i gioielli e lasciato i certificati di proprietà. Che sono inutili, perché oggigiorno è tutto in archivi informatici.»

«Come hanno fatto a entrare?» McLean rimise a posto le carte e si concentrò sulla finestra la cui vernice era intatta e non recava alcun segno visibile che ne indicasse l'apertura negli ultimi dieci anni – figurarsi nelle ultime ventiquattro ore.

«Quando sono tornato dal funerale tutte le porte erano chiuse. L'allarme era ancora in funzione. Non ho proprio idea di come abbiano fatto.»

«Funerale?»

«Mia madre.» Il signor Douglas si rabbuiò. «È venuta a mancare la scorsa settimana.»

McLean si maledisse in silenzio per averlo intuito. Il signor Douglas indossava un completo nero, con cravatta dello stesso colore e camicia bianca. Sull'intera casa gravava un senso di vuoto;

vi si percepiva l'indefinibile sensazione che qualcuno fosse morto di recente. Avrebbe dovuto essere informato sul lutto del signor Douglas prima di presentarsi e mettersi a fare domande. Richiamò alla mente la loro conversazione, cercando di ricordare se avesse detto qualcosa di sconveniente.

«Mi dispiace, signor Douglas. Mi dica, il funerale è stato molto pubblicizzato?»

«Non sono sicuro di seguirla. Abbiamo messo un avviso sul giornale; orario e luogo, questo genere di… Oh.»

«Ci sono brutte persone che non esitano a sfruttare il dolore altrui, signore. Gli uomini che hanno fatto questo probabilmente tengono d'occhio i giornali. Potrebbe mostrarmi il sistema d'allarme?»

Lasciarono lo studio e riattraversarono l'ingresso. Il signor Douglas aprì una porticina sotto la grande scalinata, rivelando una serie di gradini in pietra che scendevano nel seminterrato. Nel vano della porta c'era un piccolo pannello di controllo bianco, dove lampeggiavano alcune luci verdi. McLean lo studiò per un po', annotando il nome dell'azienda produttrice. Penstemmin Alarms, un marchio rinomato, garanzia di sistemi d'allarme piuttosto sofisticati.

«Sa come attivarlo correttamente?»

«Non sono uno sprovveduto, ispettore. Questa casa contiene molti oggetti di valore. Alcuni dei dipinti valgono cifre a sei zeri, ma per me non hanno prezzo. Ho attivato l'allarme io stesso prima di andare a Mortonhall.»

«Mi scusi, signore, ma dovevo sincerarmene.» McLean si infilò in tasca il bloc notes. Vide l'agente della scientifica scendere la scalinata e ne incrociò lo sguardo. La giovane tecnica scosse il capo, attraversò l'atrio e uscì.

«Non le faremo perdere altro tempo, ma se potesse fornirci un resoconto dettagliato di ciò che è stato rubato, le saremmo molto grati.»

«La mia compagnia assicurativa tiene un inventario completo. Dirò loro di inviarvene una copia.»

Fuori, McLean si avvicinò all'agente della scientifica, intenta a togliersi la tuta protettiva e a riporre l'attrezzatura nel bagagliaio dell'auto. Era la nuova recluta che aveva visto a casa di Smythe; non passava inosservata con quella carnagione chiara e la zazzera ribelle di capelli neri. Aveva gli occhi cerchiati di scuro: o portava un trucco molto pesante, o era reduce da una sbronza colossale.

«Trovato niente?»

«Non nello studio. Quella stanza è pulita come la coscienza di una suora. Nel resto della casa ci sono un sacco di impronte, ma niente di insolito. Probabilmente sono della proprietaria. Dovrò procurarmi una serie di impronte di riferimento.»

McLean imprecò. «L'hanno cremata stamattina.»

«Be', non c'è molto da fare, in ogni caso. Non ci sono segni di effrazione, impronte o indizi qualsiasi nella stanza della cassaforte.»

«Tienimi informato su quello che trovi, ok?» McLean ringraziò l'agente con un cenno del capo e la guardò allontanarsi a bordo della volante. Si voltò verso l'anonima auto che Bob il Burbero aveva noleggiato quella mattina, quando gli era stato affidato il caso. Il suo primo, vero caso da quando era diventato ispettore. Niente di che, in realtà; un topo d'appartamento che sarebbe stato difficilissimo da acchiappare, a meno che non fossero stati davvero fortunati. Purtroppo non era stato qualche tossico in cerca di soldi per pagarsi la dose. Un crimine del genere ovviamente sarebbe stato affidato a un semplice sergente. Il signor Douglas doveva avere una certa influenza se aveva ottenuto che un caso minore come quello venisse affidato a un ispettore, per quanto inesperto.

«Qual è la prossima mossa, signore?» Bob il Burbero lo guardò dal posto di guida mentre McLean gli si accomodava accanto.

«Torniamo alla centrale. Cominciamo col mettere in ordine questi appunti. Vediamo se troviamo qualcosa di simile nella lista dei casi irrisolti.»

Si sistemò sul sedile del passeggero e osservò la città scorrergli accanto mentre attraversavano le strade piene di traffico. Erano partiti da cinque minuti, quando il cellulare di Bob cominciò a suonare. Districandosi tra tasti poco familiari, McLean riuscì a rispondere.

«McLean.»

«Ah, ispettore. Ho provato a chiamarla sul cellulare, ma risultava spento.» McLean riconobbe la voce di Pete, il sergente di servizio. Tirò fuori il telefono dalla tasca e lo accese. Quando era uscito di casa, quella mattina, la batteria era carica; adesso, invece, era morta, proprio come la vecchia signora Douglas.

«Scusa, Pete. Ho la batteria scarica. Dimmi.»

«Ho un caso per lei, se non è troppo impegnato. Il capo ha detto che siete di strada.»

McLean gemette, chiedendosi quale altro insignificante reato gli avrebbero assegnato.

«Vai avanti, Pete. Dacci i dettagli.»

«Farquhar House, signore. Su a Sighthill. Ha chiamato un operaio, dice di aver scoperto un cadavere.»

4

Dal finestrino dell'auto, McLean fece vagare lo sguardo oltre i capannoni industriali, gli outlet, i negozi e i cadenti magazzini, osservando le torri che si stagliavano a breve distanza dietro una nube di smog grigiastro. Sighthill era una di quelle zone della città che non comparivano sulle guide turistiche, un agglomerato di caseggiati che si estendeva fino alla tangenziale lungo la vecchia strada per Kilmarnock, dominato dall'opprimente, brutale complesso dello Stevenson College.

«Sappiamo qualcosa di più su questo caso, signore? Ha detto che hanno ritrovato un corpo.»

McLean non era ancora riuscito ad abituarsi al fatto che Bob il Burbero lo chiamasse «signore». Il sergente aveva quindici anni più di lui e fino a poco tempo prima avevano avuto lo stesso grado. Ma dal momento in cui McLean era stato promosso ispettore, Bob aveva smesso di chiamarlo «Tony» ed era passato a «signore». Tecnicamente era giusto che lo facesse, ma era comunque strano.

«Neanch'io conosco bene i dettagli. So solo di un cadavere ritrovato in un cantiere. Evidentemente il sovrintendente capo pensava che questo caso fosse fatto apposta per me. Ma non sono sicuro che sia un complimento.»

Bob il Burbero non disse nulla per un po' e continuò a guidare lungo uno sconcertante labirinto di stradine secondarie fiancheggiate da case a schiera tutte uguali. Qualche sporadico tocco personale – una porta dipinta di un colore diverso o luci moderne sul tetto – permetteva di riconoscere le poche case che non appartenevano al Consiglio Cittadino. Svoltarono in un vicolo stretto fra due muri di ciottoli, che impedivano la vista sui giardini retrostanti. Al termine della stradina, incongruo in mezzo a quella profusione di alloggi popolari, si ergeva quello che un tempo doveva essere stato un maestoso cancello, i cui fregi erano coperti di edera e che ormai pendeva pericolosamente da due colonne di pietra crepate. Alle sbarre era appeso un cartello: UN'ALTRA PRESTIGIOSA OPERA DI SVILUPPO DELLA IMMOBILIARE MCALLISTER.

La casa era in perfetto stile baronale scozzese: quattro piani con finestre alte e strette, e una torre circolare costruita in un angolo. Un'impalcatura era stata eretta su un lato dell'edificio e, sparpagliati tra i resti di quello che un tempo era stato un enorme giardino, c'erano i furgoni degli operai, container e detriti vari. Due volanti della polizia attendevano al portone d'ingresso, sorvegliate da un'agente. La donna sfoggiò un ampio sorriso non appena McLean le mostrò il distintivo, poi fece loro strada nell'ingresso buio. Dopo il caldo della città, in casa faceva fresco e a McLean venne la pelle d'oca. Sentì un brivido corrergli lungo la schiena.

L'agente se ne accorse. «Eh, già, è proprio un posto inquietante.»

«Chi ha trovato il corpo?»

«Cosa? Oh.» L'agente spulciò il bloc notes. «Il signor McAllister ci ha chiamati di persona. Sembra che il suo capocantiere, il signor Donald Munro, di Bonnyrigg, fosse qui ieri sera, per ripulire un po' il seminterrato. Gli è preso un accidente quando… Be', insomma.»

«Ieri sera?» McLean si fermò di colpo e Bob il Burbero quasi lo urtò. «Quando hanno chiamato?»

«Verso le sei.»

«E il corpo è ancora qui?»

«Sì, be', la scientifica ha appena finito. Ieri sera erano impegnati e questo caso non è stato considerato prioritario.»

«Come fa un cadavere a non essere prioritario?»

L'agente gli lanciò uno sguardo strano, che poteva essere descritto adeguatamente solo usando l'espressione «disincantato».

«Il medico legale l'ha dichiarata morta alle diciannove e quindici di ieri. Abbiamo messo in sicurezza la scena del crimine e io sono qui a controllare da allora. Non è colpa mia se mezza scientifica ieri sera era a sbronzarsi e, francamente, ritengo che dalla centrale avrebbero potuto muoversi un po' prima. Ci sono posti decisamente migliori in cui trascorrere la notte.» Scese le scale con passo deciso, diretta nel seminterrato. McLean rimase così stupito da quello sfogo che non poté fare altro che seguirla.

Furono accolti da una scena che denotava una certa industriosità: spessi cavi serpeggiavano lungo il pavimento polveroso in direzione di alcune lampade ad arco; luccicanti casse di alluminio giacevano aperte e il loro contenuto era impilato ordinatamente; una stretta passerella portatile era stata posizionata al centro del corridoio principale, ma nessuno la utilizzava. Mezza dozzina di agenti della scientifica era indaffarata a mettere via le proprie attrezzature. Solo una persona si accorse del loro arrivo.

«Tony. Cos'hai fatto per fare incazzare Jayne McIntyre a carriera appena cominciata?»

McLean si fece largo tra polvere e attrezzature e raggiunse l'altro lato della cantina. Angus Cadwallader era in piedi accanto a un grosso buco nel muro, dal quale filtrava la luce di alcune lampade. Il medico legale sembrava a disagio, non era vispo e irriverente come al solito.

«Perché incazzare?» McLean si sporse verso il buco nel muro. «Che cos'hai per me stavolta, Angus?»

La stanza era ampia e circolare, con pareti lisce e bianche. Attorno al centro erano state sistemate quattro lampade, tutte puntate verso il basso, come a illuminare l'attrazione principale di uno spettacolo. Ma quel corpo, rinsecchito e brutalizzato, non avrebbe strappato nessun applauso.

«Non è un bel vedere, poveretta.» Cadwallader estrasse un paio di guanti in lattice dalla tasca della giacca e li passò a McLean. «Diamo un'occhiata da vicino.»

Entrarono dallo stretto varco nella parete di mattoni e McLean si accorse subito che la temperatura scendeva di colpo. Il brusio degli agenti della scientifica al lavoro giungeva attutito, come se si fossero chiusi una porta alle spalle. Guardandosi indietro, gli venne voglia di uscire da quella stanza; non tanto per la paura, quanto per una strana pressione alla testa che lo spingeva ad andarsene. Si riscosse non senza difficoltà e rivolse la propria attenzione al cadavere sul pavimento.

Era giovane. Non poteva saperlo con sicurezza, ma qualcosa nelle sue fattezze minute gli diceva che quella vita era stata spezzata prima ancora di cominciare davvero. Aveva le braccia spalancate, in una parodia della crocifissione; grossi chiodi di ferro nero le erano stati conficcati nei palmi delle mani ed erano stati piegati, per impedirle di liberarsi. Il tempo aveva ridotto la pelle a cuoio, le mani ad artigli, il volto a una maschera di profonda agonia. Indossava un semplice vestito di cotone dalla fantasia floreale che le era stato sollevato al di sopra del seno. McLean notò di sfuggita quanto sembrasse datato, ma dimenticò quel dettaglio via via che si accorgeva del resto.

Le avevano aperto la pancia con un taglio netto che partiva dal pube e finiva tra i seni. Pelle e muscoli erano stati scostati; aveva l'aspetto di un fiore appassito. Le costole bianche facevano capolino attraverso la cartilagine scura e rattrappita, ma degli organi interni non rimaneva nulla. Le gambe erano aperte, le anche lussate, le ginocchia schiacciate al suolo. I piedi le erano stati inchiodati al pavimento, come le mani.

«Cristo santissimo. Chi può aver fatto una roba simile?» McLean indietreggiò, spostando lo sguardo dal corpo alle pareti asettiche. Poi si mise a fissare la luce, come se così facendo potesse spazzare via quell'immagine dalla mente.

«Forse la domanda più giusta sarebbe: *quando* è stato fatto.» Cadwallader si chinò sul cadavere, tirò fuori una costosa stilografica e la usò per indicare le varie parti di quei poveri resti. «Come puoi vedere, qualcosa ha fatto sì che non si deteriorasse, permettendo una naturale mummificazione. Gli organi interni sono stati rimossi, presumibilmente conservati altrove. Devo portarla all'obitorio e fare qualche esame, ma posso affermare con sicurezza che l'hanno uccisa non meno di cinquant'anni fa.»

McLean si rialzò, tremando leggermente. Voleva distogliere lo sguardo, ma con gli occhi continuava a cercare il corpo ai suoi piedi. Poteva quasi percepire l'agonia e il terrore che doveva aver provato quella ragazza. Era viva quando quell'inferno era cominciato. Di questo era certo.

«Meglio far venire una squadra a spostarla» disse. «Non so se i ragazzi riusciranno a trovare qualcosa di utile sul pavimento sottostante, ma vale la pena provare.»

Cadwallader annuì e lasciò la stanza, superando il mucchietto di mattoni che era caduto all'interno quando gli operai avevano cominciato a buttare giù il muro. Rimasto solo col cadavere, McLean tentò di immaginare che aspetto avesse avuto quel posto all'epoca dell'omicidio. Le pareti erano di liscia malta bianca, così come bianco era il soffitto a volta, e l'apice della cupola si trovava proprio sopra la ragazza. Se fosse stata una cappella si sarebbe aspettato di trovare un altare dalla parte opposta dell'ingresso murato, ma nella stanza non c'era alcun ornamento.

Le lampade gettavano strane ombre sul pavimento di legno scuro, e sembravano quasi fluttuare mentre McLean, solo, attendeva che arrivasse qualcuno. Trovò quelle forme ipnotiche, bizzarri glifi che si avvolgevano a intervalli regolari disegnando un ampio cerchio, a circa un metro dalle pareti. Scuotendo la testa per scacciare l'illusione, fece un passo fuori dal fascio di luce, e si immobilizzò. La sua ombra si era spostata, scivolando sul pavimento in quattro direzioni diverse. Ma i motivi che aveva creduto di vedere sul legno erano rimasti al loro posto.

Chinandosi, osservò più da vicino il pavimento. Era composto da assi lisce e solo leggermente impolverate, come se la stanza fosse rimasta chiusa ermeticamente fino all'abbattimento della parete di mattoni. La luce delle lampade lo confondeva, perciò estrasse una torcia dalla tasca e la accese, puntandola direttamente su quei disegni. Erano scuri, quasi indistinguibili dalle venature del legno. Complicati grovigli di linee, che diventavano più spessi o più sottili man mano che si intrecciavano fra loro a formare complesse volute. Il bordo di un cerchio inciso sul pavimento correva in due direzioni. Lo seguì in senso antiorario, notando cinque segni più intricati, tutti equidistanti tra loro. La linea tra il primo e l'ultimo era nascosta dai mattoni caduti dalla parete demolita.

Estraendo il bloc notes, McLean tentò di riprodurre uno schizzo di quei segni, annotando anche la posizione del cadavere in relazione a essi. Erano perfettamente allineati con le mani e i piedi, la testa e il punto centrale tra le gambe della ragazza.

«È pronto, signore? Possiamo spostare il corpo?»

McLean ebbe un sussulto e si voltò. Bob il Burbero lo guardava dal buco nella parete.

«Dov'è il fotografo? Puoi dirgli di tornare un minuto qui?»

Bob si girò, gridò qualcosa che McLean non capì. Un istante dopo, un ometto minuto infilò la testa nella stanza. McLean non lo riconobbe; un'altra recluta della scientifica.

«Salve. Hai fotografato il corpo?»

«Certo.» Accento di Glasgow, tono un po' spazientito. Giustamente neanche lui faceva i salti di gioia per essere lì.

«E quei segni sul pavimento?» Indicò il più vicino, ma l'espressione confusa del fotografo rispose per lui.

«Guarda qui.» Guidò l'uomo nella stanza e puntò la torcia sul pavimento. Per un breve istante vide qualcosa, che scomparve quasi subito.

«Non vedo nulla.» Il giovane si chinò per guardare meglio. Il tecnico emanava un forte odore di sapone e McLean si rese conto che era lo stesso che aveva sentito quando era entrato nella stanza.

«Be', puoi fotografare comunque il pavimento? Tutto intorno al corpo. A circa un metro dal muro. Da vicino.»

Il fotografo annuì, lanciando sguardi nervosi alla figura silenziosa al centro della stanza, poi si mise al lavoro. Il flash della macchina fotografica scoppiettava e gemeva a ogni scatto, piccole lame di luce trafiggevano la stanza. McLean si raddrizzò, concentrandosi sulle pareti. *Parti dal corpo e risali lungo i muri.* Sentiva l'intonaco freddo sotto la sottile protezione dei guanti in lattice.

Ruotò il polso e picchiettò sulla parete con le nocche. Suonava solido, come la pietra. Avanzando leggermente, bussò di nuovo. Ancora solido. Guardò dietro di sé, spostandosi fino a trovarsi in linea con la testa della ragazza. Stavolta la parete suonò a vuoto.

Bussò di nuovo e, nella luce confusa del flash e tra le ombre gettate dalle lampade, sembrò quasi che il muro si ritraesse sotto la pressione della sua mano. Spinse delicatamente e sentì l'intonaco cedere sotto le dita. Poi, con uno scricchiolio, un pannello di circa trenta centimetri per quindici si staccò dalla parete e cadde al suolo.

McLean tirò fuori la torcia e diresse il fascio nella nicchia. Un piccolo anello d'argento giaceva su un pezzo di pergamena ripiegato. Dietro, conservato in un barattolo di vetro come quelli che si usano a lezione di biologia, c'era un cuore umano.

5

«È il meglio che possiamo fare?»

Bob il Burbero non si dava pace. Camminava a grandi falcate nello sgabuzzino delle scope, l'unica stanza che erano riusciti ad adibire a centrale operativa, lamentandosi di continuo. McLean taceva. Almeno c'era una finestra, anche se dava su altre parti dell'edificio. In fondo alla stanza, una lavagna bianca portava ancora i segni dell'ultima indagine, nomi ormai dimenticati, cerchiati e cancellati con una croce. Chiunque li avesse scritti si era portato via il pennarello e la spugna. C'erano anche due piccoli tavoli, uno sotto la finestra, l'altro al centro della stanza, ma le sedie erano sparite da un'eternità.

«A me piace.» McLean si pulì le scarpe sul tappeto macchiato e si appoggiò all'unico radiatore. Era acceso, anche se fuori c'era un sole che spaccava le pietre. Cercò di impostare il termostato sullo zero, ma la levetta di plastica sottile gli restò in mano. «Anche se dovrebbero fare qualcosa per le attrezzature.»

Bussarono alla porta. McLean si trovò davanti un giovanotto che, tentando di arrivare alla maniglia con una mano, teneva in equilibrio su un ginocchio un paio di scatoloni. Indossava un abito nuovo e aveva le scarpe lucide come specchi. Il viso ben rasato era rotondo come una luna piena e portava i capelli rossicci cortissimi.

«Ispettore McLean? Signore?»

McLean annuì, prendendogli una delle due scatole prima che ne rovesciasse il contenuto sul pavimento.

«Detective MacBride» disse il giovane. «Il sovrintendente capo McIntyre mi ha mandato ad aiutarla nella sua indagine, signore.»

«Quale?»

«Mmm… non l'ha specificato. Ha detto solo che un altro paio di mani le avrebbe fatto comodo.»

«Bene, non startene lì impalato a far uscire tutto il caldo.» McLean posò la scatola sul tavolo più vicino. MacBride entrò, sistemò l'altra accanto alla prima e si guardò attorno.

«Non ci sono sedie» constatò.

«Sembra che sua maestà ci abbia mandato un detective occhio di lince, signore» disse Bob il Burbero. «A questo qui non la si fa.»

«Non badare al sergente Laird. È geloso perché sei molto più giovane di lui.»

«Ehm… ok.» MacBride esitava.

«Hai un nome di battesimo, detective MacBride?»

«Ehm, Stuart, signore.»

«Bene, allora, Stuart, benvenuto nella squadra. Adesso siamo in tre.»

Il giovanotto guardò prima McLean poi Bob, con la bocca semiaperta.

«Forza, non startene lì come se ti avessero sculacciato. Vai a cercare qualche sedia, ragazzo.» Bob il Burbero quasi spinse il detective fuori dalla stanza, chiudendogli la porta alle spalle prima di scoppiare a ridere.

«Vacci piano con lui, Bob. Non credo ci manderanno altri aiuti per questi due casi. E poi è uno bravo. Almeno così dicono. Il primo del suo corso a diventare detective.»

McLean aprì una delle scatole, ne estrasse una spessa pila di fascicoli e li sparpagliò sul tavolo: tutti casi irrisolti di furto in appartamento risalenti agli ultimi cinque anni. Sospirò; l'ultima cosa che aveva voglia di fare era spulciare infiniti rapporti su beni rubati che non sarebbero mai stati ritrovati. Si guardò il polso e si ricordò che aveva scordato di caricare l'orologio, quella mattina. Se lo tolse e cominciò a girare la piccola rotella d'ottone.

«Che ore sono, Bob?»

«Le tre e mezza» rispose Bob il Burbero. «Ne hanno inventati di nuovi, sa? A batteria. E non hanno bisogno di essere caricati. Potrebbe farci un pensierino.»

«Questo era di mio padre.» McLean si riallacciò il cinturino, poi controllò il cellulare. Era spento. «Immagino che non ti andrebbe di fare una gita all'obitorio, vero?»

Bob scosse la testa. McLean sapeva quanto il vecchio sergente odiasse la vista dei cadaveri.

«Non importa. Allora tu e il giovane detective MacBride potreste cominciare con questi rapporti. Vedete se riuscite a trovare qualche collegamento sfuggito a decine e decine di altri detective. Io devo fare due chiacchiere con una persona a proposito di un certo corpo mummificato.»

L'aria del pomeriggio era densa e calda, mentre scendeva a piedi lungo la collina verso Cowgate. Il sudore gli appiccicava la camicia alla schiena e desiderò ardentemente un po' di vento. Di solito si poteva sempre contare su un po' di brezza che rendesse la vita più sopportabile, ma da diversi giorni in città non soffiava un alito di vento. Giù, nel dedalo delle strade, ombreggiate da alti edifici, il caldo era stagnante e senza vita. Fu un sollievo aprire la porta dell'obitorio ed entrare nei locali rinfrescati dall'aria condizionata.

Angus Cadwallader era già pronto e stava aspettando solo lui. Studiò l'ispettore con lo sguardo.

«Caldo, là fuori?»

McLean annuì. «Una fornace. Tutto pronto?»

«Cosa? Oh, certo.» Cadwallader si voltò, poi chiamò la sua assistente. «Tracy, ci sei?»

Una ragazza piccola, paffuta e dall'aria gioviale alzò lo sguardo da un bancone disordinato all'altro lato della stanza, scostò la sedia e si alzò. Indossava un camice verde da ospedale e si infilò un paio di guanti di lattice, mentre si avvicinava al tavolo dell'autopsia. Il corpo, pronto a rivelare tutti i suoi segreti, era coperto da un lenzuolo bianco.

«Bene, mettiamoci al lavoro.» Cadwallader si frugò in tasca e ne estrasse un vasetto. McLean riconobbe il contenuto, una mistura fatta di crema idratante e canfora pensata per coprire il tanfo della decomposizione. Il patologo lo osservò, poi guardò McLean, annusò l'intruglio e si rimise il vasetto in tasca.

«Mi sa proprio che oggi non ne avremo bisogno.»

McLean aveva assistito a fin troppe autopsie nel corso della carriera. Si sentiva sempre a disagio, ma non stava più male come prima. Fra tutte le vittime di omicidio, di incidenti stradali o semplicemente della sfortuna che aveva visto avvicendarsi su quel tavolo, il cadavere della giovane era probabilmente il più strano. Per cominciare, era già stato aperto, ma Cadwallader esaminò comunque ogni centimetro di quel corpo esile, bisbigliando alcune osservazioni in un microfono che pendeva dal soffitto. Infine, quando si convinse che la pelle non nascondesse altri indizi utili a stabilire la causa della morte, il medico passò alla parte che McLean odiava di più. Il ronzio acuto della sega da ossa gli faceva sempre venire i brividi, come il rumore delle unghie su una lavagna. L'operazione andò avanti per un lasso di tempo che gli parve infinito e si concluse con l'orribile suono della parte superiore del cranio che saltava via, come il guscio di un uovo sodo.

«Interessante. Sembra che il cervello sia stato rimosso. Guarda, Tony.»

Armandosi di coraggio, McLean si avvicinò. Con la testa aperta a metà, la ragazza sembrava più piccola. La cavità del cranio era come tante altre, con qualche striatura di sangue rappreso e schegge d'osso, ma innegabilmente vuota.

«Non potrebbe essersi decomposto?»

«No, assolutamente. Non se si considera lo stato di conservazione del resto del corpo. Mi aspettavo che si fosse un po' seccato, ma l'hanno proprio rimosso. Probabilmente dal naso, come facevano gli antichi egizi.»

«E dov'è?»

«Be', abbiamo questi, ma nessuno mi sembra un cervello.» Cadwallader indicò un carrello d'acciaio sul quale erano posati quattro vasetti di vetro. McLean riconobbe il cuore che aveva trovato il giorno prima, ma non si azzardò a tentare di indovinare cosa fossero gli altri organi. Altri due vasetti, rotti, erano stati inseriti in due contenitori di plastica, per impedire che il loro contenuto fuoriuscisse. Tutti erano stati scoperti in nicchie nascoste, scavate alla stessa distanza l'una dall'altra nelle pareti attorno al corpo della ragazza. Nelle nicchie c'erano anche altri oggetti, ma qualcosa ancora gli sfuggiva.

«E in quelli rotti?» McLean indicò la poltiglia grigiastra all'interno di uno dei vasi. «Potrebbe essere lì il cervello?»

«Difficile dirlo, considerato lo stato. Ma ritengo che siano più probabilmente un rene e un polmone. Farò qualche test per esserne sicuro. In ogni caso, il vasetto non è della forma giusta per contenere il cervello. Dovresti saperlo ormai, Tony, te ne ho fatti vedere parecchi. E poi, se gliel'hanno estratto dal naso, immaginati in che condizioni sarà stato. Non avrebbe avuto senso conservarlo in un vasetto.»

«Giusto. Da quanto credi che sia morta?»

«Domanda difficile. La mummificazione non avrebbe dovuto verificarsi affatto; la città è troppo umida, anche in una cantina sigillata. Avrebbe dovuto decomporsi. O, se non altro, essere divorata dai topi. Invece si è conservata alla perfezione e non credo proprio che troverò traccia delle sostanze chimiche che servirebbero per ottenere un risultato del genere. Tracy farà altri esami e manderemo un campione in laboratorio per la datazione al carbonio; potremmo anche essere fortunati. Altrimenti dovremo limitarci a giudicare dal vestito, e in tal caso direi da almeno cinquanta, sessant'anni. Per essere più preciso devi darmi una mano tu.»

McLean sollevò il brandello di tessuto che era stato posato sul carrello, accanto ai vasetti. La metà inferiore era macchiata di marrone e il delicato pizzo attorno al colletto e alle maniche era consumato, fino a diventare una sottilissima striscia che si perdeva nell'aria. Era un capo economico, un delicato abitino da cocktail, fatto per non essere portato tutti i giorni. La fantasia floreale sbiadita era piuttosto dozzinale; girò la stoffa e vide un paio di toppe cucite a mano sull'orlo. Non c'era traccia dell'etichetta dell'azienda produttrice. Era il vestito di una ragazza povera che tentava di fare colpo. Ma, posando di nuovo lo sguardo su quel corpo contorto e profanato, si rese conto di non sapere nient'altro di lei.

6

La porta d'ingresso del condominio era di nuovo socchiusa. McLean valutò l'idea di chiuderla, ma decise di non farlo. L'ultima cosa che voleva era essere svegliato alle quattro del mattino dagli studenti del primo piano che suonavano tutti i campanelli per farsi aprire. Faceva troppo caldo perché i vagabondi cercassero un posto dove trascorrere la notte e, anche se ne fossero entrati una dozzina, non avrebbero di certo reso le scale più puzzolenti di quanto già non fossero. Arricciando il naso all'odore dell'urina di tanti, troppi gatti, salì i gradini di pietra fino all'ultimo piano.

Nella segreteria telefonica c'era un messaggio. Chiuse la porta e lanciò le chiavi sul tavolo. Spinse il pulsante e ascoltò il suo vecchio coinquilino che lo invitava al pub. Se non fosse stato per la luce lampeggiante della segreteria avrebbe pensato che si trattasse di un messaggio vecchio: Phil chiamava almeno due volte la settimana per chiedergli sempre la stessa cosa. Accettava l'invito solo in rare occasioni. Sorridendo, andò in camera da letto e si spogliò, gettando i vestiti nel cesto dei panni sporchi prima di andare in bagno. Una lunga doccia fresca lavò via il sudore della giornata, ma non servì a schiarirgli le idee. Mentre si asciugava e si infilava una maglietta e un paio di pantaloni di cotone pensò di andare a correre, o magari in palestra. Un'ora di duro esercizio gli avrebbe fatto bene, ma non voleva stare in compagnia di manager fanatici del fitness. Voleva avere intorno gente rilassata che aveva solo voglia di divertirsi, anche se lui sarebbe rimasto a guardare. Forse l'idea di Phil non era poi così male, dopotutto. Si infilò un paio di scarpe, afferrò le chiavi, chiuse la porta e si diresse al pub.

Il Newington Arms non era il miglior posto in cui bere a Edimburgo, ma era il più vicino a casa sua. McLean spinse la porta girevole, pronto a difendersi dall'assalto del chiasso e del fumo. Poi si ricordò che in Parlamento, giù a Holyrood, avevano proibito di fumare nei locali. Che uomini saggi. Il chiasso era rimasto, anche se non c'era dubbio che entro breve avrebbero proibito anche quello. Ordinò una pinta di Deuchars e si guardò intorno, alla ricerca di facce familiari.

«Ehi, Tony! Quaggiù.» Il grido fu lanciato proprio quando il juke box stava passando da un brano all'altro e il rumore nel locale sembrava essersi affievolito. Proveniva da un gruppo di persone ammassate attorno a un tavolo vicino all'ampia vetrata che dava sulla strada. Sembravano studenti universitari. Su di loro troneggiava un uomo dal sorriso etilico: il professor Phillip Jenkins gli stava facendo segno di unirsi a lui.

«Come va, Phil? Vedo che stasera ti sei portato dietro l'harem.» Gli studenti gli fecero spazio sulla panca.

«Non mi posso lamentare» sorrise Phil. «Hanno confermato i fondi al laboratorio per i prossimi tre anni. E ce li hanno pure aumentati.»

«Congratulazioni.» McLean alzò il bicchiere per un brindisi, poi bevve mentre il suo vecchio amico lo intratteneva con aneddoti sulla biologia molecolare e sulla politica delle sovvenzioni private. Quindi la conversazione si spostò su una serie di argomenti del tutto sconnessi, le solite, pigre chiacchiere da pub. Lui interveniva di tanto in tanto, ma per lo più era felice di ascoltare. Almeno per un po' poteva tentare di dimenticare la follia, le mutilazioni, il lavoro. Non era come uscire con i ragazzi della centrale dopo il turno; quello era un modo di rilassarsi tutto diverso, che di solito gli garantiva un bel cerchio alla testa la mattina dopo.

«Su cosa stai lavorando adesso, Tony? Non ti abbiamo visto molto in giro ultimamente.»

McLean guardò la ragazza che aveva parlato. Era abbastanza sicuro che si chiamasse Rachel e che stesse scrivendo la tesi di dottorato su qualcosa che non riusciva neanche a pronunciare. Assomigliava un po' all'agente della scientifica che aveva incontrato da Douglas e a casa di Smythe, solo una decina d'anni più giovane e dai capelli di un rosso troppo vivo per essere naturali. Perfino gli studenti dei master sembravano intollerabilmente giovani, oggigiorno.

«Vacci piano, Rae. Non devi fare domande all'ispettore. Poi deve arrestarti. Ammanettarti addirittura.» Phil si portò alle labbra il bicchiere e sorrise, un ghigno malefico che McLean ricordava fin troppo bene dai molti anni in cui avevano condiviso l'appartamento.

«Non potrei comunque dire niente sulle indagini attuali» disse McLean. «E in ogni caso non vorresti conoscere i particolari, fidati.»

«Roba da far accapponare la pelle, eh?»

«Non particolarmente. Questo non è CSI o una di quelle cavolate che danno in televisione. Per lo più si tratta di noiosissimi furti in appartamento o crimini generici. E ce ne sono fin troppi. E comunque non è che indaghi più così tanto. È il problema di essere ispettore. Si aspettano che tu gestisca il personale, diriga le operazioni, organizzi gli straordinari e tenga in ordine il bilancio.

Bisogna guardare al quadro generale. Niente di così diverso da quello che fa Phil, suppongo.»

McLean non era certo del perché avesse mentito, anche se era solo una mezza bugia. Ora che era ispettore c'erano più scartoffie di prima, e molto meno movimento. Forse aveva mentito perché era venuto al pub per non pensare al lavoro. Ad ogni modo, quella domanda gli aveva rovinato la serata: non riusciva più a togliersi dalla testa la morte di Barnaby Smythe, o la smorfia stampata sul viso della ragazza.

«Mi faccio un altro giro.» Sollevò il bicchiere, tossicchiando leggermente per aver bevuto un sorso troppo abbondante. Nessuno parve accorgersi del suo imbarazzo quando si alzò in direzione del bancone.

«Per essere un poliziotto sai mentire davvero male, ispettore McLean.»

McLean si voltò per vedere chi aveva parlato e si rese conto di trovarsi proprio in mezzo alla calca e di non riuscire a spostarsi di un centimetro. La donna era alta all'incirca come lui, con i capelli di un biondo paglia tagliati all'altezza del collo – un carré, se ricordava bene il termine tecnico. Qualcosa nel suo viso gli sembrava familiare, ma era meno giovane dell'ammasso di studenti che strepitavano intorno a Phil.

«Mi scusi. La conosco?»

Lo sguardo disorientato che doveva averle rivolto le strappò un sorriso che brillò maliziosamente nei suoi occhi.

«Sono Jenny, ricordi? Jenny Spiers. La sorella di Rae? Ci siamo conosciuti alla festa di compleanno di Phil.»

La festa. Ora ricordava. Una folla di studenti che si ubriacavano da fare schifo con del vino da due soldi e Phil che teneva banco come un moderno re Artù. Aveva portato una bottiglia di whisky costoso, aveva bevuto un bicchiere di qualcosa che gli aveva fatto prudere le gengive e se n'era andato presto. Era stato il giorno in cui l'avevano chiamato da un appartamento di Leith. I vicini si erano lamentati perché un cane faceva un chiasso insopportabile. La povera bestia non era da biasimare, visto che la padrona giaceva morta nel proprio letto da due settimane e ormai non gli era rimasto più molto di lei che valesse la pena mangiare. Era possibile che l'avesse conosciuta alla festa, ma gli risultava difficile mettere da parte per un attimo l'immagine di carne masticata e ossa rosicchiate che si decomponevano su un materasso sudicio.

«Jenny, ma certo. Scusami, avevo la testa altrove.»

«E ce l'hai ancora. E non dev'essere un posto piacevole. Brutta giornata in ufficio?»

«Se così si può dire…» McLean incrociò gli occhi del barista e lo chiamò. «Posso offrirti qualcosa?»

Jenny lanciò uno sguardo verso la folla di studenti che ridevano alle battute del loro professore. Non ci volle molto per decidere dove avrebbe preferito stare.

«Certo. Vino bianco, grazie.»

Un silenzio imbarazzante calò tra loro mentre i drink venivano versati. McLean cercò di osservare meglio la sua inaspettata compagna senza farsi vedere. Era decisamente più grande della sorella. I capelli biondi erano striati di fili bianchi che non si dava la pena di nascondere, e non sembrava truccata. Indossava abiti semplici, forse anche un po' fuori moda. Non si era preparata per una serata in città come il gruppetto con cui era venuta. Niente artiglieria pesante né ammiccamenti.

«Quindi Rachel è tua sorella» disse, fin troppo consapevole di quanto fosse stupida come domanda.

«Croce e delizia di mamma e papà, già.» Jenny sorrise. «Sembra che abbia fatto colpo sul tuo amico Phil. Ho sentito che vivevate insieme.»

«Ai tempi dell'università. Una vita fa.» McLean bevve un sorso di birra, osservando Jenny fare lo stesso col vino.

«Devo cavarti le parole di bocca con le tenaglie?»

«Eh? Oh… no, scusami. Mi hai beccato in un brutto momento. Non sono la compagnia migliore che potesse capitarti, ora come ora.»

«Mmm, non ne sono convinta.» Jenny indicò col mento la rumorosa banda di studenti che aizzava il professore a comportarsi in modo sempre più stupido. «Vista l'alternativa, scelgo l'introverso di cattivo umore.»

«Io…» McLean tentò di ribattere ma fu interrotto da un'insolita vibrazione proveniente dalla tasca dei suoi pantaloni. Estrasse il telefono giusto in tempo per accorgersi che avevano chiamato dall'ospedale. Mentre fissava lo schermo in preda alla confusione, la luce si affievolì, poi si spense del tutto. Premette pulsanti a caso e ottenne in risposta solo qualche patetico pigolio. Rimise il telefono in tasca e si rivolse a Jenny.

«Potresti prestarmi il tuo telefono? La batteria del mio continua a scaricarsi.»

«Qualcuno fa pensieri negativi su di te, succhia via tutta l'energia dai tuoi apparecchi elettronici.» Jenny frugò nella borsetta, tirò fuori un sottile smartphone e glielo passò. «O almeno, questo è quello che avrebbe detto il mio ex. Ma lui è uno schizzato. Chiamata di lavoro?»

«No, era l'ospedale. Mia nonna.» McLean riuscì a trovare la pulsantiera e digitò il numero. Aveva chiamato così tante volte e conosceva così bene tutte le infermiere che ci volle pochissimo

45

per farsi passare il reparto giusto. Riattaccò dopo pochi secondi. «Devo andare.» McLean le restituì il telefono e si diresse verso la porta. Jenny fece per seguirlo, ma lui la fermò. «È tutto ok. Sta bene. Devo solo andare a trovarla. Rimani qui e finisci il vino. Di' a Phil che lo chiamo questo fine settimana.»

McLean si fece largo tra la folla festante e non si voltò. Dopotutto, era davvero un pessimo bugiardo.

Il retro della testa pelata del conducente era una serie di rotolini di grasso che poggiavano sulle spalle, senza che ci fosse una parvenza di collo. L'effetto era strano, come di gomma sciolta. McLean sedeva sul sedile posteriore del taxi e fissava quella pelle rosea attraverso l'apertura del poggiatesta, sperando che l'uomo non parlasse. Era mezzanotte. I lampioni lo accecavano a intermittenza con una luce arancione, mentre l'auto avanzava lungo le strade della città diretta all'ospedale, la visuale limitata dall'improvviso acquazzone arrivato dal Mare del Nord. McLean sentiva ancora sulla pelle la pioggia che aveva preso per raggiungere la fermata dei taxi. Si era infradiciato i capelli e il soprabito che ora puzzava di cane bagnato.

«Entrata principale o pronto soccorso?» chiese il tassista con un accento inglese, forse del sud di Londra. Era parecchio lontano da casa. Quella domanda lo scosse da qualcosa di molto simile al sonno. Mise a fuoco l'ospedale oltre il finestrino sporco, scorgendone la sagoma luccicante e bagnata.

«Qui va benissimo.» Gli allungò una banconota da dieci sterline e gli disse di tenere il resto. Il tragitto dalla strada all'ingresso, attraverso il parcheggio quasi deserto, fu sufficiente a svegliarlo, ma non a schiarirgli le idee. Era venuto a farle visita solo ieri, e adesso lei non c'era più. Non avrebbe dovuto sentirsi triste? Perché non provava nulla?

I corridoi sul retro dell'ospedale erano sempre tranquilli, ma a quell'ora della notte sembrava quasi che l'edificio fosse stato evacuato. McLean si sorprese a muoversi con cautela, per non fare troppo rumore, respirando piano e tenendo le orecchie bene aperte, pronte a cogliere il minimo rumore. Se avesse sentito qualcuno avvicinarsi, avrebbe benissimo potuto tentare di nascondersi in una delle stanze. Provò quasi una sensazione di sollievo quando giunse indisturbato al reparto. Chissà perché aveva così poca voglia di incontrare qualcuno. Spinse la porta ed entrò.

Sottili drappi separavano il letto della nonna dagli altri, una cosa che non aveva mai visto prima. I familiari *bip* dei macchinari si sentivano ancora, ma nella stanza c'era qualcosa di diverso. O era solo la sua immaginazione? Facendo un respiro profondo, come se dovesse tuffarsi in mare, McLean scostò la tenda e si avvicinò al letto.

Le infermiere avevano rimosso i tubi, i fili e le macchine, ma avevano lasciato lì sua nonna. Giaceva immobile, con gli occhi incavati chiusi, come se dormisse, le mani scoperte, incrociate all'altezza dello stomaco. Per la prima volta in diciotto mesi assomigliava alla donna dei suoi ricordi.

«Mi dispiace tanto.»

McLean si voltò e vide un'infermiera sulla soglia. Era la stessa con cui aveva parlato la sera precedente, quella che si era presa cura di sua nonna per tutti quei mesi. Jeannie, si chiamava così. Jeannie Robertson.

«Non dispiacerti» disse. «Non si sarebbe mai ripresa. È meglio così, davvero.» Si voltò verso il corpo disteso sul letto e per la prima volta in diciotto mesi vide veramente sua nonna. «Me lo sono ripetuto così tante volte che potrei anche finire per crederci.»

7

Già di prima mattina c'era una folla di agenti che sgomitava attorno all'ingresso di una delle centrali operative più grandi. McLean fece capolino nella stanza e vide il caos che ogni volta caratterizzava le fasi iniziali di ogni indagine importante. Un'enorme lavagna bianca era appesa a una parete e qualcuno ci aveva scritto sopra «Barnaby Smythe», in nero. Agenti in uniforme sistemavano sedie e scrivanie, mentre un tecnico era impegnato a mettere in rete i computer. Duguid non si vedeva.

«Può aiutarmi con queste, signore?» McLean si guardò attorno. Un agente dalle spalle ampie si fece largo tra la folla, con in mano una grossa scatola di cartone piena di nastro giallo e nero. Andrew Houseman, Big Andy per gli amici, era un agente e un pilone destro straordinario. Se non fosse stato per un grave infortunio, probabilmente a quest'ora sarebbe stato impegnato a rappresentare la sua nazione ai mondiali di rugby, invece di fare il galoppino di Poldo. A McLean piaceva; forse non era brillante, ma di certo era meticoloso.

«Non è il mio caso, Andy» rispose. «Lo sai anche tu quanto Poldo apprezzi il mio aiuto.»

«Ma era sulla scena del crimine. Me l'ha detto Em.»

«Em?»

«Emma. Emma Baird. Sa, la nuova agente della scientifica. Alta, capelli neri scompigliati, quella che sembra sempre troppo truccata intorno agli occhi…»

«Ah, sì. Di' un po', fra voi due c'è qualcosa, vero? Fossi in te non farei arrabbiare la mogliettina, Andy.»

«No, no. Vengo adesso dalla centrale con questi indizi presi dalla scena.» L'omone arrossì, mostrando lo scatolone come a voler confermare la sua versione dei fatti. «Emma ha detto di averla vista a casa di Smythe, spera che possa acchiapparlo, quel sadico bastardo che l'ha ucciso.»

«Io? Da solo?»

«Be', magari intendeva tutti noi.»

«Ne sono certo, Andy. Ma dovranno cavarsela senza di me. Questa è roba di Poldo. E comunque, anch'io ho il mio omicidio da risolvere.»

«Ah, sì, ho sentito. Inquietante.»

McLean stava per rispondere, quando una voce tuonò dal corridoio, annunciando l'arrivo dell'ispettore capo. Non aveva alcuna intenzione di farsi coinvolgere in un'altra indagine, specialmente se guidata da Charles Duguid.

«Devo andare, Andy. Il sovrintendente capo vuole vedermi e non è saggio farla aspettare.» Aggirò l'imponente poliziotto e si diresse verso la propria centrale operativa, mentre quella che sembrava la metà degli agenti di tutta la regione si metteva in fila per partecipare al briefing mattutino sul caso Smythe. Era bello vedere le risorse umane distribuite in modo così equo. D'altro canto, Smythe era un uomo importante, un benefattore, un membro di spicco della società. Al contrario, nessuno, in oltre cinquant'anni, si era accorto della sua ragazza, morta in quella cantina.

Bob il Burbero non si vedeva da nessuna parte quando McLean raggiunse la centrale operativa: era ancora troppo presto. Il detective MacBride, invece, era già al lavoro. Era riuscito a procurarsi tre sedie chissà dove e, miracolo, anche un computer portatile. All'ingresso di McLean alzò gli occhi dallo schermo.

«Come va, detective?» McLean si tolse la giacca e la appese alla porta. Il radiatore sotto la finestra funzionava ancora a pieno regime.

«Ho quasi finito di analizzare questi rapporti, signore. Credo di aver trovato qualcosa.»

McLean prese una sedia: mancava una rotella. «Fammi vedere.»

«Be', signore. Queste sono tutte effrazioni improvvisate, per quanto ne so. Non si tratta di professionisti, probabilmente qualche tossico che poi ha avuto fortuna in tribunale.» MacBride sollevò la pila di fascicoli posta su un lato della scrivania e la rimise nella scatola di cartone. «Queste, invece, credo siano in qualche modo collegate.» Prese quattro, forse cinque cartelline, e le fece ricadere sul tavolo.

«Continua.»

«Tutti questi furti sono stati organizzati da ladri molto abili. Non sono entrati lanciando un mattone contro la finestra; non c'erano segni di scasso e tutte le case erano dotate di sistemi di allarme che, senza un motivo apparente, hanno deciso di smettere di funzionare. Ogni volta, poi, il ladro ha portato via solo piccoli oggetti di grande valore.»

«Si trovavano in una cassaforte?»

«No, signore. La cassaforte scassinata è una novità del nostro caso. Ma c'è un altro elemento in comune. In tutti questi furti, il padrone di casa era morto di recente.»

«Quanto di recente?»

«Al massimo un mese.» MacBride fece una pausa, come se stesse decidendo se dire qualcosa o meno. McLean non aprì bocca.

«D'accordo, uno dei furti è avvenuto otto settimane dopo la morte dell'anziana proprietaria, ma gli altri quattro sono avvenuti tutti entro due settimane. Quello della scorsa settimana è avvenuto addirittura il giorno del funerale. Devo controllare le date di sepoltura per gli altri casi, ma non abbiamo queste informazioni in archivio.»

«Del funerale della signora Douglas si è parlato sui giornali e prima era stato pubblicato il necrologio.» McLean prese i fascicoli, leggendo i nomi e le date in copertina. Il più recente, oltre a quello sul quale stavano indagando, risaliva a quasi un anno prima, il più vecchio a cinque. Erano ancora tutti aperti, almeno in teoria, irrisolti. Tutti sotto l'attento sguardo del suo ispettore capo preferito. Dubitava che Duguid si ricordasse anche solo i nomi di quelle persone.

«Vediamo se riusciamo a trovare qualche altra tessera del puzzle.» Restituì i fascicoli a MacBride. «Scopri qualcosa di più su queste persone. Hanno avuto un necrologio? Sono state pubblicate data e ora dei funerali e, se sì, su quali giornali?»

«E gli allarmi?» chiese MacBride. «Non è facile aggirare sistemi del genere.»

«Giusto. Va bene, allora, dovremo controllare anche dove si trovava questa gente quando è morta. Erano a casa, ricoverati in ospedale, in clinica…?»

«Crede che il nostro ladro si sia avvicinato così tanto alle vittime? Avrebbe corso un bel rischio.»

«Non se la persona in questione era già morta. Pensaci. Poniamo che il nostro uomo lavori in una casa di cura, sarebbe riuscito tranquillamente a circuire l'anziano e a conquistarsi la sua fiducia. Poi, una volta saputo quello che gli serviva, non avrebbe dovuto fare altro che aspettare che morisse.»

Alle sue stesse orecchie sembrava un'ipotesi un po' forzata, ma dei colpetti alla porta interruppero le sue riflessioni. Si voltò e vide una donna in uniforme, col grado di sergente, fare capolino nella stanza, come se non volesse avanzare oltre per paura di restare invischiata in qualcosa che l'avrebbe condotta verso un orribile destino.

«Ah, signore, ero sicura che l'avrei trovata qui. Il sovrintendente capo vorrebbe parlarle.»

McLean si alzò stancamente, afferrando la giacca spiegazzata.

«Lavoriamo prima sulla pista dei necrologi. Indaga sui parenti. Cerca le persone interrogate durante le indagini successive al furto. Scopri quanto erano conosciute queste persone. Quando arriva Bob, cominciate a contattare i nomi elencati in quei rapporti per vedere se esiste uno schema comune. È meglio che io vada a sentire cosa desidera sua maestà. E... Stuart?» Il giovane detective alzò lo sguardo dai fascicoli. «Ottimo lavoro.»

McLean si ricordava di quando Jayne McIntyre era un ambizioso sergente in odore di promozione. Anche allora trovava sempre il tempo per occuparsi di quelli che le stavano sotto nella scala gerarchica. Non socializzava molto con i suoi pari grado, preferiva intrattenersi con gli ispettori e gli agenti e, se avevi bisogno d'aiuto, potevi contare su di lei. Era abbastanza saggia da non scavalcare nessuno, nel caso in futuro si fosse imbattuta nelle stesse persone facendo il percorso inverso. Tuttavia McLean non pensava che la McIntyre sarebbe mai caduta in disgrazia, sia perché era quasi universalmente rispettata, sia perché era destino che arrivasse in cima. Aveva solo otto anni più di lui, eppure eccola lì, sovrintendente capo, a gestire la centrale. Non c'erano dubbi che sarebbe stata lei a sostituire il comandante, quando si fosse ritirato di lì a diciotto mesi. Conosceva bene la politica, sapeva come fare colpo sulle persone importanti senza dire bugie inutili. Forse era quella la sua qualità migliore e McLean non le invidiava il successo che aveva avuto. Sperava solo di riuscire a tenersela sempre buona.

«Ah, Tony, grazie per essere passato.» La McIntyre balzò in piedi appena McLean bussò alla porta del suo ufficio. Brutto segno. Fece il giro della scrivania, tendendo la mano. Era bassa, il minimo richiesto a un ufficiale. Portava i lunghi capelli castani raccolti in un severo chignon e McLean notò qualche striatura grigia all'altezza delle tempie. Il fondotinta attorno agli occhi non bastava a nascondere le rughe che si formavano quando sorrideva.

«Mi spiace di non essere venuto prima. È stata una nottataccia.»

«Non importa. Siediti.» Indicò una delle due poltrone sistemate nell'angolo dell'ampio ufficio, poi si sedette sull'altra.

«Ho parlato con l'ispettore capo Duguid, stamattina. Mi ha detto che ronzavi attorno a casa di Barnaby Smythe, l'altra sera.»

Si trattava di questo, allora. La gelosia professionale era un sentimento orribile. «Mi trovavo nei paraggi, ho visto movimento e ho pensato che avrei potuto rendermi utile. Sono cresciuto in quella zona, conosco alcuni degli abitanti. L'ispettore capo Duguid mi ha chiesto di dare un'occhiata alla scena del delitto.»

La McIntyre annuiva mentre McLean parlava, senza mai distogliere lo sguardo dal suo viso. In sua presenza, McLean si sentiva sempre come uno scolaretto disobbediente di fronte alla preside. All'improvviso, il sovrintendente capo si alzò e attraversò la stanza, avvicinandosi a una credenza dove era posata una macchinetta del caffè.

«Caffè?» McLean annuì. La McIntyre caricò la polvere di caffè nel filtro, versò l'esatta quantità di acqua necessaria per due tazzine e premette il pulsante di accensione.

«Barnaby Smythe era un uomo molto importante in città, Tony. Il suo assassinio ha provocato grandi ansie ai piani alti. A Holyrood hanno cominciato a fare domande. Ci stanno facendo pressione. Servono risultati, e in fretta.»

«Sono certo che l'ispettore capo Duguid non lascerà nulla di intentato. Ho visto che ha già mobilitato una squadra numerosa per quest'indagine.»

«Non è sufficiente. Voglio i miei migliori detective su questo caso, e voglio che collaborino fra loro.» Il liquido marrone cominciò a riempire le tazzine di vetro.

«Vuole che partecipi a quest'indagine?»

La McIntyre tornò alla scrivania e aprì una cartellina. Conteneva due dozzine di grandi foto a colori scattate nella biblioteca di Barnaby Smythe. Alcuni primi piani mostravano il ventre squarciato dell'uomo, lo sguardo perso nel vuoto e il mento insanguinato; le mani posate sui braccioli della poltrona, le interiora aggrovigliate in grembo. McLean fu felice di non aver ancora mangiato.

«L'avevo già visto» precisò, mentre il sovrintendente capo portava il caffè, per poi tornare a sedersi sulla poltrona.

«Aveva ottantaquattro anni. Nel corso della sua vita, Barnaby Smythe ha dato a questa città più di chiunque altro. Eppure, qualcuno gli ha fatto questo. Voglio che tu scopra chi è stato, e perché. E voglio che tu lo faccia prima che questo qualcuno decida di tagliuzzare altri cittadini di spicco.»

«E Duguid? È contento di avermi in squadra?» McLean bevve un sorso di caffè e se ne pentì subito. Era caldo, ma sapeva solo di acqua sporca.

«"Contento" non è il termine adatto, Tony. Ma Charles è un detective esperto. Non permetterà che i dissapori personali intralcino un'indagine tanto importante. Vorrei essere sicura che valga lo stesso anche per te.»

«Naturalmente.»

La McIntyre sorrise. «Come stanno andando gli altri tuoi casi?»

«L'agente MacBride ha fiutato una pista interessante sul furto in appartamento. Secondo lui è collegato ad altri colpi del genere, risalenti addirittura a cinque anni fa. Non sappiamo ancora chi sia la ragazza morta, anche se il medico legale pensa che sia stata uccisa una sessantina d'anni fa. Più tardi interrogherò l'operaio.» McLean passò velocemente in rassegna il fascicolo, ma si accorse che la McIntyre era distratta. La solita recita: fingere di essere interessata, di essergli amica. Era un buon segno, comunque, perché voleva dire che pensava che potesse tornarle utile, prima o poi. Ma lui non era così stupido da non saper leggere tra le righe. L'avevano assegnato al caso Smythe perché avevano messo in conto la possibilità di fare fiasco. Potevano morire altre personalità importanti o, cosa ancora peggiore, l'assassino avrebbe potuto scomparire per sempre. Ma se ciò fosse accaduto, non sarebbe stata colpa del sovrintendente capo McIntyre. Né dell'ispettore capo Duguid. No, l'avevano assegnato al caso così che la polizia di Edimburgo avesse un capro espiatorio da gettare in pasto ai lupi, se necessario.

8

McLean decise che non gli piaceva Tommy McAllister due minuti dopo averlo conosciuto.

Era già indispettito di suo, perché nessuno dei suoi due agenti era nei paraggi quando era riuscito a liberarsi dalle grinfie del sovrintendente. Aveva sprecato diversi minuti a cercarli, prima di ricordarsi che aveva detto loro di interrogare le prime vittime dei furti. In centrale non c'era quasi nessuno: sembrava che tutti fossero stati assegnati al caso Smythe; alla fine, però, era riuscito a imbattersi in una giovane agente e l'aveva convinta a procurargli una volante e ad accompagnarlo. In quel momento lei si trovava in piedi in un angolo della stanza, bloc notes in mano, visibilmente nervosa: avrebbe dovuto lavorare su questo aspetto, se voleva diventare detective.

«Posso portarle del caffè, ispettore? Agente?» McAllister era abbandonato su una poltrona di pelle nera dallo schienale alto che, senza alcun dubbio, riteneva che lo facesse sembrare importante. Indossava un completo, ma aveva gettato la giacca su uno schedario lì vicino. Aveva la camicia stropicciata, macchiata di sudore sotto le ascelle. La cravatta allentata e le maniche arrotolate davano l'impressione che McAllister fosse rilassato, ma McLean vedeva come muoveva nervosamente gli occhi, come giocherellava con le dita e agitava i piedi.

«Grazie, ma no» disse «non ci metteremo molto. Volevo solo chiarire un paio di cose sulla casa di Sighthill. C'è per caso il signor Murdo?»

Per un attimo, McAllister si fece scuro in volto sentendo quel nome. Si chinò in avanti, premendo un pulsante del vecchio interfono sulla scrivania.

«Janette, chiama Donnie, per favore.» Sollevò il dito dal pulsante e riportò lo sguardo su McLean, indicando con la testa la finestra alle sue spalle. «È da qualche parte in cortile.»

Dall'altoparlante si udì una voce di donna che annunciava l'arrivo di Donnie. McLean si guardò intorno, senza notare nulla che sembrasse fuori posto. Era una stanza troppo piena, stipata di schedari. Fatture, ricevute, post-it e altri fogli di carta coprivano le pareti. In un angolo erano ammucchiati treppiedi, pali di segnalazione e altri strumenti di misurazione.

«Chi è il proprietario della casa?» chiese McLean.

«Io. L'ho comprata pagando in contanti.» McAllister si abbandonò contro lo schienale della poltrona, con un certo moto di orgoglio sul viso raggrinzito.

«Da quanto tempo ce l'ha?»

«Circa diciotto mesi, mi pare. Janette può darvi tutti i dettagli. C'è voluto un bel po' per sistemare ogni cosa, ma un tempo potevi fare praticamente quello che volevi, se sapevi con chi parlare. Oggi è tutto comitati, analisi e appelli. È sempre più dura per un uomo guadagnarsi da vivere, se capisce cosa intendo.»

«Naturalmente, signor McAllister.»

«Tommy, la prego, ispettore.»

«Da chi ha acquistato la casa?»

«Oh, da una nuova banca appena stabilitasi in città. La Mid Eastern Finance, mi pare si chiami così. Non ho idea del perché abbiano voluto vendere. Probabilmente hanno deciso che era tempo di disfarsi degli immobili e di tornare a giocare in borsa. Comunque penso che nemmeno loro la possedessero da molto tempo.» McAllister si sporse in avanti, premendo di nuovo il pulsante dell'interfono. «Janette, puoi trovarmi l'incartamento su Farquhar House?» Non attese una risposta.

«Per lei è un bel cambio di direzione, non è vero signor McAllister?» disse McLean. «Ristrutturare una vecchia casa, intendo. È diventato ricco tirando su tutti quei condomini a Bonnyrigg e Lasswade, giusto?»

«Esatto, sì. Bei tempi, quelli. Ma oggi è difficile trovare terra edificabile a basso prezzo, in città. La gente si lamenta che roviniamo il paesaggio, poi protesta perché i prezzi delle case salgono alle stelle. Ma non si possono avere entrambe le cose, giusto, ispettore? O costruiamo più case, o non ce ne sono abbastanza per tutti e i prezzi salgono.»

«E allora perché non buttare giù quel vecchio edificio e costruire al suo posto un condominio?»

McAllister sembrò sul punto di rispondere, ma rinunciò quando sentì bussare. La porta si aprì e apparve un uomo dallo sguardo torvo, che rimase sulla soglia, incerto sul da farsi.

«Vieni avanti, Donnie, accomodati. Non essere timido.» McAllister non si alzò. Donnie Murdo guardò prima McLean poi l'agente, con un'espressione combattuta. Si era sicuramente scontrato con la legge già diverse volte. Si teneva sulla difensiva, le spalle curve, le braccia abbandonate lungo i fianchi, le gambe leggermente piegate, come se fosse pronto a scappare via al minimo segno di pericolo. Aveva mani enormi e sulle nocche aveva tatuate le scritte, ormai sbiadite, LOVE e HATE.

«Ecco il fascicolo che volevi, Tommy.» La segretaria posò uno spesso faldone sulla scrivania. Guardò McLean con aria di disapprovazione, poi uscì dall'ufficio, chiudendosi la porta alle spalle.

«Mi dica Donnie, due notti fa stava lavorando alla vecchia casa di Sighthill?» McLean vide lo sguardo dell'operaio spostarsi di scatto sul suo capo. McAllister adesso sedeva eretto, con le braccia sulla scrivania. Il cenno di assenso che gli fece con la testa fu quasi impercettibile.

«Sì. Mi trovavo lì.»

«E che cosa stava facendo, esattamente?»

«Be', stavamo ripulendo il seminterrato. Dobbiamo costruirci una palestra.»

«Stavamo? Pensavo avesse detto che era da solo quando ha scoperto la stanza nascosta.»

«Già, be', sì, lo ero. Più o meno. Mi aiutano dei ragazzi di solito, ma a quell'ora li avevo rimandati a casa. Stavo solo dando una ripulita. Finivo il lavoro per iniziare a intonacare l'indomani.»

«Deve essere stato un bello shock trovare un cadavere in quello stato.»

«Non ho visto granché, in realtà. Solo una mano. E ho chiamato subito il signor McAllister.» Donnie si ispezionava le unghie, tenendo gli occhi bassi per non entrare in contatto visivo con nessuno.

«Be', grazie, Donnie. È stato molto utile.» McLean si alzò e porse la mano all'operaio, che sembrò per un attimo sorpreso. Poi la strinse.

«C'è qualcos'altro che posso fare per lei, ispettore?» chiese McAllister.

«Se potesse farmi una copia dell'atto di proprietà gliene sarei grato. Ho bisogno di rintracciare la persona che possedeva la casa quando quella povera ragazza è stata uccisa.»

«È tutto lì. Lo prenda pure, prego.» McAllister indicò il fascicolo, ma non si alzò dalla poltrona. «Se non è al sicuro nelle mani della polizia, dove altro dovrei tenerlo?»

McLean prese il fascicolo e lo passò all'agente.

«Bene, grazie per la sua collaborazione, signor McAllister. Le restituirò il fascicolo il prima possibile.»

Fece per andarsene e solo allora McAllister si alzò. «Ispettore?»

«Signor McAllister?»

«Non saprebbe dirmi quando potremo tornare al cantiere? Siamo già abbastanza in ritardo con i lavori. Ogni giorno che passa perdo denaro e non ci posso fare nulla.»

«Parlerò con quelli della scientifica e vedrò che posso fare. Non ci dovrebbe volere più di un altro paio di giorni, ne sono certo.»

Usciti dall'edificio, McLean salì sul sedile del passeggero della volante. Non disse nulla finché non furono lontani.

«Sta mentendo.»

«McAllister?»

«No. Be', sì. È un costruttore, gente come lui nasconde sempre qualcosa. Ma ora come ora rivuole solo indietro il suo cantiere. No, parlavo dell'operaio, Donnie Murdo. Sarà anche stato in quella cantina, l'altro ieri, ma di certo non stava lavorando. Non con un martello, almeno. Ha le mani troppo morbide. Credo che non svolga lavori manuali da anni.»

«Quindi è stato qualcun altro a scoprire il corpo. Ma chi?»

«Non lo so. E probabilmente non è neanche rilevante ai fini dell'omicidio.» McLean aprì il fascicolo e cominciò a sfogliare l'ammasso disordinato di carte e lettere. «Ma ho intenzione di scoprirlo.»

«Non lo accendi mai quel dannato cellulare?» Sulla tempia dell'ispettore capo Duguid pulsava una vena; brutto segno. McLean si frugò nella tasca della giacca, tirò fuori il telefonino e lo aprì: lo schermo era nero. Premere il pulsante d'accensione non servì a nulla.

«La batteria è ancora scarica. È la terza, questo mese.»

«Be', ora sei un ispettore. Hai uno stipendio. Comprati un telefono nuovo. Preferibilmente uno che funzioni.»

McLean si rimise in tasca l'inutile oggetto e passò il fascicolo all'agente Kydd, la ragazza che l'aveva accompagnato da McAllister e che adesso sembrava solo voler scappare, per non essere coinvolta in una lite tra due superiori.

«Portalo al detective MacBride. E digli di non perderlo. Non voglio essere in alcun modo in debito con Tommy McAllister.»

«Chi è McAllister? Un altro dei tuoi loschi informatori?» Duguid osservò l'agente mentre si allontanava, sicuramente chiedendosi come mai non stesse lavorando alla sua indagine.

«È il proprietario della casa dove hanno trovato il corpo della ragazza.»

«Ah, già. Il tuo vecchio sacrificio umano. Ho sentito. Be', quello è proprio il tuo campo, non è vero? Gente ricca con strane perversioni.»

McLean ignorò la provocazione. Ne aveva sentite di peggio.

«Per cosa voleva vedermi, signore?»

«Il caso Smythe. Hai parlato con Jayne, perciò sai quant'è importante arrivare a dei risultati, e arrivarci velocemente.»

McLean annuì, notando la disinvoltura con la quale Duguid aveva usato il nome di battesimo del sovrintendente capo.

«Bene, l'autopsia è tra mezz'ora e ti voglio presente. Raccogli tutte le informazioni possibili, comincia a indagare partendo da lì. Io, invece, interrogherò lo staff dell'azienda e cercherò di scoprire se qualcuno poteva covare del risentimento nei confronti di Smythe.»

Aveva senso dividersi l'indagine in quel modo. McLean si era rassegnato a dover lavorare con Duguid e decise che probabilmente sarebbe stato meglio provare a partire con il piede giusto.

«Senta, signore. A proposito dell'altra sera... mi dispiace di aver ficcato il naso; ero fuori servizio, lo so. Questo è il suo caso.»

«Non è una gara, McLean. Un uomo è morto e c'è un assassino a piede libero. È questa l'unica cosa che conta. Fintanto che mi porti dei risultati, ti tollererò nella mia squadra, d'accordo?»

E addio ai rapporti amichevoli. McLean annuì di nuovo: scelse di tacere, perché non era sicuro di riuscire a trattenere le parole che gli passavano per la testa in quel momento.

«Bene. Ora, fila all'obitorio e vedi un po' cosa ti racconta quel pazzo di Cadwallader.»

Tracy alzò gli occhi dallo schermo del computer all'arrivo di McLean. Gli sorrise e tornò al suo solitario.

«Non è ancora arrivato. Dovrà aspettare» gli disse, senza guardarlo. A lui non importava, in realtà. Osservare mentre venivano tagliuzzati dei cadaveri non era il massimo della vita, ma almeno c'era l'aria condizionata.

«Avete scoperto qualcosa dalle analisi della ragazza?» chiese. Sospirando, Tracy abbandonò il solitario e si girò verso uno schedario stracolmo.

«Vediamo...» Rovistò fra le scartoffie e ne estrasse un singolo foglio.

«Ecco qua. Mmm. Era morta da più di cinquant'anni.»

«Siete sicuri?»

«Be', no. Di sicuro è stata uccisa meno di trecento anni fa, ma siccome sono passati oltre cinquant'anni non possiamo essere più precisi, temo. Non con la datazione al carbonio.»

«Com'è possibile?»

«Ringrazi gli americani. Hanno cominciato a fare esperimenti nucleari negli anni Quaranta, ma la roba grossa risale agli anni Cinquanta. Hanno riempito l'atmosfera di isotopi innaturali. Ne siamo tutti saturi, anche lei e io. Chiunque abbia vissuto dopo il 1955 trabocca di quella roba. E, dopo la morte, gli isotopi iniziano a marcire. Possiamo usarli per datare la morte di una persona, ma solo fino alla metà degli anni Cinquanta. La sua povera ragazza è morta prima.»

«Capisco» mentì McLean. «E la conservazione? Cos'hanno usato per ottenerla?»

Tracy frugò nuovamente nello schedario e ne estrasse un altro foglio.

«Niente.»

«Niente?»

«Niente che sia stato possibile rilevare. Stando ai risultati degli esami, si è semplicemente… essiccata.»

«Può succedere, Tony. Specialmente se tutto il sangue e i fluidi corporei sono già stati rimossi.» McLean si voltò e vide Angus Cadwallader che entrava nella stanza. Passò un piccolo sacchetto marrone alla sua assistente. «Avocado e bacon. Avevano finito il pastrami.»

Tracy afferrò la busta e ne estrasse una lunga baguette. Alla vista del panino, lo stomaco di McLean brontolò. Si rese conto di non aver mangiato nulla, quel giorno. Poi si ricordò il motivo per cui era lì e decise che ingerire del cibo, probabilmente, non era una buona idea.

«Sei qui per un motivo particolare o sei solo passato per fare due chiacchiere con la mia assistente?» Cadwallader si tolse la giacca, la appese alla porta e si infilò un camice verde.

«Barnaby Smythe. Mi hanno detto che lo devi esaminare oggi.»

«Pensavo che fosse il caso di Poldo.»

«Smythe aveva un sacco di amici potenti. Pare che la McIntyre voglia impiegare fino all'ultimo uomo per risolvere il caso più velocemente. Pressioni dall'alto.»

«Ah, di sicuro, se è arrivata al punto di rimetterti insieme al vecchio brontolone. D'accordo, vediamo se nei suoi resti troviamo qualche indizio.»

Il corpo li attendeva nell'obitorio, disteso su un tavolo d'acciaio immacolato e coperto con un lenzuolo bianco. McLean rimase il più indietro possibile mentre Cadwallader si avvicinava a Barnaby Smythe, portando a termine il lavoro iniziato dall'assassino. Il patologo operava meticolosamente, esaminando prima la pelle e poi la ferita aperta.

«Il soggetto era in uno stato di salute straordinariamente buono per la sua età. Il tono muscolare fa pensare che conducesse regolare esercizio fisico. Nessun segno di corde o altro, se ne deduce che, quando l'hanno sventrato, non era legato. Il che è coerente con la posizione in cui è stato trovato. Sulle mani non ci sono tagli o abrasioni: non ha lottato, né ha cercato di difendersi dal suo assalitore.» Si spostò vicino alla testa e al collo di Smythe, allargando con le dita il taglio netto che andava da un orecchio all'altro. «La gola è stata incisa con una lama affilata, probabilmente non con un bisturi. Un trincetto, forse. In questo punto si notano degli strappi, il che porta a pensare che la direzione del taglio vada da sinistra a destra. Giudicando dall'angolazione di ingresso della lama, l'assassino si trovava in piedi dietro alla vittima seduta, reggeva la lama con la mano destra e…» Fece un gesto eloquente con la mano.

«È stato quello che l'ha ucciso?» chiese McLean, cercando di non immaginarsi cosa doveva aver provato il povero Smythe.

«Probabilmente. Ma avrebbe dovuto essere già morto, per via di tutto questo.» Cadwallader indicò lo squarcio dal petto all'inguine. «Per continuare a far battere un cuore dopo un taglio del genere serve un'anestesia.»

«Ma aveva gli occhi aperti.» McLean si ricordò di quello sguardo vacuo.

«Oh, si può anestetizzare completamente una persona e mantenerla lucida, Tony. Ma non è facile. Comunque, non potrò dirti esattamente cosa hanno usato, finché non vedrò i risultati delle analisi del sangue. Arriveranno stasera, al massimo domattina presto.»

Il medico legale tornò a occuparsi del corpo e cominciò a rimuovere gli organi. Uno per uno furono ispezionati, inseriti in piccoli contenitori di plastica che assomigliavano in maniera inquietante a quelli del gelato, e passati all'assistente, Tracy, che li pesava. McLean osservò con crescente malessere mentre Cadwallader esaminava da vicino un paio di polmoni color rosa brillante, toccandoli con le dita guantate, quasi accarezzandoli.

«Quanti anni aveva Barnaby Smythe?» chiese, tenendo in mano qualcosa di marrone e scivoloso. McLean sfogliò il suo bloc notes, poi si rese conto che non conteneva nulla di importante relativo a quel caso.

«Era vecchio. Mi hanno detto ottantaquattro.»

«Sì, era quello che pensavo.» Il medico mise il fegato in un secchiello di plastica e lo posò sulla bilancia. Mormorò qualcosa tra i denti. McLean conosceva bene quel mormorio e sentì una morsa allo stomaco che non aveva nulla a che vedere con la fame. Gli era fin troppo familiare quella sensazione, il terrore che, in quella che avrebbe dovuto essere una fase semplice dell'indagine, venissero fuori tante, troppe complicazioni. Duguid avrebbe dato la colpa a lui, anche se non c'entrava nulla. Con l'ispettore capo, ambasciator portava sempre pena…

«Ma c'è un problema.» Non era una domanda.

«Oh, probabilmente no. Sto solo lavorando di fantasia, vedrai.» Cadwallader fece un cenno noncurante della mano insanguinata, come a voler scacciare le preoccupazioni. «È solo un peccato. Uno lavora sodo tutta la vita per mantenersi in forma e in salute, poi arriva un bastardo squilibrato qualsiasi e lo apre in due.»

9

Nella centrale operativa del caso Smythe l'attività ferveva quando McLean vi sbirciò dentro, di ritorno dall'obitorio. Vide almeno una dozzina di agenti in uniforme che battevano al computer, facevano telefonate e cercavano in ogni modo di tenersi occupati. Non c'era traccia di Duguid. Ringraziando il cielo proseguì lungo il corridoio, cercò di convincere una macchinetta automatica a dargli una bottiglietta d'acqua e si diresse verso la centrale operativa dedicata al suo caso, quello della ragazza. Aprì la bottiglietta e ne bevve metà con tre lunghi sorsi. L'acqua gli fece gorgogliare lo stomaco.

Bob il Burbero sedeva dietro uno dei tavoli, la testa tra le mani, intento a leggere un giornale. Appena McLean entrò, guardò su aprendo rapidamente un fascicolo marrone con aria colpevole.

«Che cos'hai lì, Bob?»

«Ehm...» Il sergente guardò il fascicolo, poi lo ruotò di centottanta gradi per leggere cosa c'era scritto. A quel punto lo capovolse, accorgendosi di avere davanti l'ultima pagina. «È il rapporto su un'irruzione nell'appartamento di una certa Doris Squires. Giugno dell'anno scorso. Io e il ragazzo siamo stati a trovare suo figlio, stamani. Era piuttosto sorpreso di vederci. Ci ha chiesto se avevamo trovato i gioielli rubati alla madre.»

«Dov'è l'agente MacBride?» McLean si guardò intorno, come se lì dentro ci fossero posti dove nascondersi.

«L'ho mandato a comprare qualche ciambella. Sarà qui tra poco.»

«Ciambelle? Con questo caldo?» McLean si tolse la giacca e la appese alla porta. Scolò il resto dell'acqua, sentendosi la testa leggera mentre il liquido freddo gli scorreva giù per la gola. La mente gli tornò a Barnaby Smythe. Un coltello che gli apriva la carotide, il sangue che gli imbrattava il corpo martoriato. Scosse la testa cercando di scacciare quell'immagine. Tutto sommato, buttare giù un po' di cibo non era una cattiva idea.

«E quindi, avete scoperto qualcosa di utile parlando con il signor Squires?» chiese.

«Dipende cosa intende per utile. Credo che si possa affermare con sicurezza che la vecchia signora Squires non ha comunicato a nessuno il codice dell'allarme.»

«Allora ce l'avevano un allarme?»

«Oh, sì. Penstemmin Alarms, sistema remoto. E tutte le sirene e le campanelle che si potessero desiderare. Ma la signora Squires era quasi cieca e un po' tocca. Non ha mai saputo il codice. Gliel'ha sempre attivato il figlio. È morta a casa sua, nel sonno. L'infrazione è avvenuta un paio di settimane più tardi, il giorno del funerale. È comparso un annuncio sul giornale e un necrologio.»

«Allora possiamo escludere la pista dell'assistente sociale. Ma c'è sempre l'allarme. Era un Penstemmin, giusto? Dovremmo andare a fare due chiacchiere anche con loro. Scopri in centrale chi è l'ufficiale di collegamento.»

Bob il Burbero stava per lamentarsi per il troppo lavoro, quando qualcuno bussò alla porta. Prima che entrambi potessero reagire, la maniglia si abbassò e apparve un'enorme scatola di cartone che fluttuava a mezz'aria. A un'analisi più accurata si scoprì che la scatola aveva due gambe avvolte in pantaloni blu. Due mani minuscole ne stringevano i bordi e da dietro la scatola giunse una debole voce femminile.

«Ispettore McLean?»

McLean si alzò per prendere la scatola. Apparve il viso arrossato dell'agente Alison Kydd, a corto di fiato.

«Grazie, signore. Non credo che sarei riuscita a tenerla ancora a lungo.»

«Che cos'è, Alison?» chiese Bob, alzandosi in piedi mentre McLean posava la scatola sul tavolo, sopra il fascicolo di Doris Squires.

«L'ha mandata la scientifica. Dicono di aver fatto tutti gli esami possibili ma non sono arrivati a nulla.»

Nella scatola c'era una serie di sacchetti per le prove, tutti accuratamente etichettati. Contenevano gli oggetti trovati nelle nicchie, insieme agli spessi fascicoli dei rapporti forensi e alle fotografie della scena del crimine. Gli organi contenuti nei vasetti erano ancora all'obitorio, ma c'erano le foto e i risultati dei vari esami, la conferma che appartenessero tutti alla ragazza. McLean estrasse il primo sacchetto, contenente un fermacravatta dorato e un pezzetto di carta ripiegato. Scorse le fotografie fino a trovarne una che ritraeva i due oggetti *in situ*, posati dinanzi a un vasetto rotto.

«Abbiamo le altre foto della scena?» chiese. Bob il Burbero fece il giro del tavolo, si chinò e, con uno scricchiolio di articolazioni, si rialzò reggendo uno spesso faldone. Lo passò a McLean, che lo aprì: era pieno di stampe su carta lucida formato A4. «Bene, cerchiamo di mettere tutto in ordine. Agente... Alison, puoi darci una mano?»

L'agente sembrò imbarazzata. «Dovrei tornare a occuparmi del caso Smythe, signore.»

«E io dovrei mettere insieme i rapporti forensi, ma questo sarà sicuramente più divertente. Non preoccuparti, non permetterò che Poldo ti sgridi.»

Avevano appena finito di tirare fuori tutti i sacchetti dalla scatola sparpagliandoli sul pavimento, con le relative fotografie, quando il detective MacBride fece il suo ingresso nella stanza con un sacchetto di carta unta pieno di ciambelle. Nelle pareti di quella cantina c'erano sei nicchie, ognuna delle quali conteneva un organo, un oggetto e un pezzo di carta ripiegata, su cui appariva un'unica parola scritta con inchiostro nero. Il fermacravatta si trovava nella nicchia che conteneva i resti dei reni della ragazza, accompagnato dalla parola «Brocca». Posando il sacchettino con il fermacravatta sulla foto della relativa nicchia, McLean frugò nella scatola e ne estrasse altri due oggetti: la foto di un fegato perfettamente conservato e una scatolina portapillole contenente frammenti di aspirina, accompagnata dalla parola «Vombato». Poi fu la volta del vasetto rotto che conteneva i polmoni, un gemello con un rubino incastonato e la parola «Tromba». Dopo di che toccò alla milza, a una scatolina Netsuke giapponese con un po' di tabacco dentro e la parola «Professore». Al tutto si unirono un'altra foto con le ovaie e l'utero della ragazza, ritrovate insieme a un paio di occhiali dalla montatura metallica e la parola «Grebo». Infine, ritrovati in una nicchia in linea con la testa del cadavere, il cuore, la parola «Skipper» e un sottile portasigarette d'argento.

Nella stanza calò un silenzio carico di apprensione quando l'ultima tessera del puzzle andò a posto. Dei sei vasetti con gli organi, due erano misteriosamente danneggiati. Erano stati murati già rotti? Era voluto o no?

McLean si alzò, dolorante. «Ok, chi si butta per primo?»

Ci fu un lungo silenzio, come quando l'insegnante fa alla classe una domanda trabocchetto.

«Potrebbero essere dei soprannomi?» Fu la giovane agente Kydd a rompere gli indugi, con voce esitante.

«Vai avanti» la incoraggiò McLean.

«Be', sono sei. Sei oggetti personali. Sei organi estratti dalla vittima. Sei persone?»

McLean ebbe un brivido. Aveva senso pensare che fossero più di una le persone coinvolte in quell'omicidio. Una sola persona avrebbe avuto difficoltà a nascondere il corpo. Ma... sei?

«Potresti avere ragione. Deve esserci un qualche motivo contorto alla base di tutto questo, Dio solo sa quale. Ma ammesso che siano sei le persone coinvolte, e tutte dovessero partecipare in qualche modo al rituale, allora ciascuna avrà anche lasciato qualcosa di sé e portato via una parte della ragazza.»

«Ma è... disgustoso. Perché fare una cosa simile?» chiese Bob il Burbero.

«I fore di Papua Nuova Guinea mangiavano i propri morti.» Tutti gli sguardi si posarono sul detective MacBride, che arrossì per quell'improvvisa attenzione.

«E che diavolo c'entra, adesso?»

«Be', non saprei. Loro pensavano che, mangiando qualcuno, se ne acquisisse la forza e la potenza. Allestivano grandi banchetti funerari dove ognuno si mangiava un pezzo del morto. Al capo e alle personalità importanti spettavano le parti migliori, alle donne e ai bambini invece venivano lasciate le interiora e il cervello.»

«Com'è che sai queste cose, Stuart?» chiese McLean.

«Perché hanno cominciato a morire tutti di questa misteriosa malattia neurodegenerativa. Mi pare la chiamassero kuru. Li ha praticamente spazzati via. Gli scienziati sostengono che uno dei primi fore soffrisse di una forma di morbo della mucca pazza. Sapete, la malattia di Creutzfeldt-Jakob… Così, quando poi è stato mangiato, il morbo si è trasmesso alla generazione successiva.»

«Un ammasso di informazioni inutili. Cosa dovrebbe entrarci questo con la nostra povera ragazza, eh? Nessuno l'ha mangiata, o sbaglio?» disse Bob il Burbero.

«Be', ma se ognuno ne ha preso una parte, forse l'idea era quella di… non so… appropriarsi di parte della sua giovinezza, o qualcosa di simile.»

«Un po' inverosimile» commentò Bob.

«Vacci piano con lui, Bob. Ora come ora non abbiamo assolutamente idea del perché questa ragazza sia stata uccisa. Sono aperto a ogni suggerimento, per quanto assurdo. Credo, però, che dovremmo concentrarci prima sulle prove tangibili.» McLean estrasse l'ultimo sacchetto dalla scatola. Conteneva il vestito dalla fantasia floreale, piegato con cura come se dovesse essere riposto sugli scaffali di un grande magazzino.

«Vediamo se riusciamo a essere più precisi sulla data della morte.»

L'ispettore capo Charles Duguid se ne stava in piedi in mezzo alla centrale operativa, intento a dirigere le operazioni come un direttore che avesse a che fare con un'orchestra particolarmente incapace. Gli ufficiali, riluttanti, gli si avvicinavano per avere la sua approvazione. McLean osservò la scena dalla soglia, chiedendosi se le indagini non sarebbero state più veloci senza la presenza di Duguid.

«No, non perdere tempo con questa roba. Mi servono piste reali, non pigre speculazioni.» L'ispettore capo alzò lo sguardo e vide McLean. «Ah, ispettore.» Riuscì a far sembrare un insulto anche quelle due parole. «Gentile da parte sua unirsi a noi. E, agente Kydd, la prossima volta dovrebbe chiedere al suo ufficiale in comando, prima di sparire ad aiutare in un altro caso.»

McLean stava per prendere le sue difese, ma la ragazza chinò il capo in segno di pentimento e sgattaiolò via, confondendosi nella folla di colleghi intenti a lavorare ai computer. Tutti sapevano fin troppo bene come Duguid si rapportava con le proprie risorse umane. Prepotenze e grida erano il suo metodo gestionale preferito. Qualsiasi agente con un po' di sale in zucca imparava presto a farsene una ragione e a non ribattere mai.

«Allora? Com'è andata l'autopsia?»

«La morte è avvenuta molto probabilmente per dissanguamento, per via del taglio alla gola. Il dottor Cadwallader non ne è sicuro, ma pensa che Smythe sia stato anestetizzato prima di essere sventrato. Non ci sono segni di lotta e niente che induca a pensare che sia stato legato. Dato che è morto solo quando gli hanno rimosso la milza, deve essere stato in qualche modo sedato.»

«Il che significa che l'assassino possedeva un certo livello di conoscenze mediche» commentò Duguid. «Sappiamo che cosa ha usato?»

«I risultati degli esami del sangue dovrebbero essere pronti stasera, signore. Non c'è molto altro da fare prima di allora.»

«Stagli addosso. Non possiamo permetterci di perdere tempo, qui. Il commissario capo ha chiamato di continuo per sapere a che punto eravamo. La stampa comincerà a parlare della vicenda stasera, dobbiamo avere tutto sotto controllo.»

Quindi era importante risolvere velocemente il caso per evitare grattacapi al commissario capo, non perché là fuori c'era un pazzo a cui piaceva togliere gli organi alla gente, farli a pezzettini e infilarli nelle loro bocche. Interessante, come scelta delle priorità.

«Me ne occupo subito, signore» disse McLean, voltandosi per andarsene.

«Cos'hai lì? Qualcosa di importante?» Nella voce di Duguid si percepiva la speranza. McLean si chiese com'era possibile che un giorno intero di interrogatori avesse dato così pochi risultati. O forse, semplicemente l'ispettore capo non sapeva da dove cominciare.

«Il caso Sighthill, signore. È il vestito che la ragazza indossava quando è stata uccisa.» Gli allungò il sacchetto di plastica, ma Duguid non lo prese. «Voglio mostrarlo a qualcuno che sappia quando è stato fabbricato. Cerco di fare chiarezza sul periodo della morte.»

Per un attimo McLean pensò che Duguid stesse per gridargli contro, come faceva sempre quando era ancora sergente. Invece divenne solo paonazzo e cominciò a pulsargli una vena sulla fronte. Con palese sforzo, riuscì a calmarsi.

«Bene. Sì. Certo. Ma non dimenticare quanto è importante questo caso.» Indicò la stanza intorno a sé. «È probabile che il tuo assassino sia morto stecchito. Qui ne stiamo cercando uno vivo e vegeto.»

Non riusciva a ricordare quando il negozio avesse aperto. A metà degli anni Novanta, forse. Lo confondeva, perché aveva l'aria di uno di quei posti che esistono da sempre. Clerk Street era piena di negozi come quello. Fornivano gli studenti squattrinati, ovvero la metà degli abitanti della zona. Quello che gli interessava era specializzato in abiti di seconda mano, specialmente in vestiti da cocktail e da sera. McLean c'era già stato un paio di volte, alla ricerca di qualcosa di diverso dal solito abito scuro che indossava ogni giorno sin da quando era diventato detective. Ma nulla in particolare l'aveva colpito. Era tutto un po' troppo appariscente. Alla fine era andato da un sarto e si era fatto fare un paio di completi su misura. Uno giaceva ancora nell'armadio, mai utilizzato, mentre l'altro l'aveva gettato via dopo che una scena del crimine particolarmente cruenta aveva fatto desistere anche la più costosa delle lavanderie. Da allora indossava sempre abiti economici acquistati in grandi magazzini, e non gli stavano un granché.

La donna alla cassa indossava abiti anni Venti, con tanto di boa di piume che probabilmente la soffocava in quella calura estiva. Lo guardò avvicinarsi al banco con sospetto. McLean dubitava che in quel negozio entrassero molte persone della sua età. Sicuramente pochissimi uomini.

«È esperta di questo tipo di vestiti?» disse indicando gli appendiabiti allineati. «I diversi stili, quando andavano di moda e così via?»

«Che cosa vuole?» Il suo accento rovinò l'effetto creato dall'abbigliamento. A un esame più attento, si accorse che era molto giovane. Non poteva avere molto più di sedici anni, ma l'abito la invecchiava.

«Sapere quando è stato prodotto questo, se possibile. O, almeno, quando andava di moda.» McLean posò il sacchetto per le prove sul bancone. La ragazza lo prese e lo osservò.

«Sta cercando di venderlo? Non prendiamo cose del genere.»

McLean estrasse il distintivo. «Sto conducendo un'indagine. L'ho trovato sulla scena di un crimine.»

La ragazza lasciò cadere il sacchetto come se fosse un serpente velenoso. «Chiamo la mamma. Ne sa più di me.» Schizzò via nel retro del negozio, sparendo dietro gli appendiabiti. Pochi istanti dopo uscì un'altra donna, più attempata, anche se non quanto i vestiti che indossava. In lei c'era qualcosa di familiare.

«Sei Jenny. Jenny Spiers. Quasi non ti riconoscevo con quei vestiti.»

«Fa niente. Ci vestiamo tutti a seconda del decennio che preferiamo. Dovresti vedere Rae quando ha indosso uno dei suoi completi da hippy. Come sta tua nonna?»

McLean si guardò intorno nel negozio, riconoscendo le diverse epoche. Vecchi abiti, prodotti in un'epoca in cui la qualità era ancora importante. Non riusciva a immaginare capi così pregiati uscire dalle stesse sartorie indiane o bangladesi che, in pochi decenni, avevano mandato in rovina quelle precedenti.

«Non avevo capito che lavoravi qui.» Quell'osservazione suonò un po' patetica perfino alle sue orecchie. Aveva evitato la domanda come un abile politico.

«In realtà sono la proprietaria. Da dieci anni. Be', tecnicamente è della banca, ma…» Jenny si interruppe, imbarazzata. «Ma non sei venuto qui per fare due chiacchiere, vero, ispettore?»

«Tony va benissimo, davvero. E mi chiedevo se fossi in grado di dirmi qualcosa su questo vestito.» Riprese in mano il sacchetto di plastica.

«Posso aprire la busta?» chiese Jenny. McLean annuì e la osservò mentre tirava fuori con cura l'abito, stendendolo sul banco e ispezionandolo minuziosamente. Si fermò per un attimo e la mano le tremò leggermente quando vide le macchie di sangue sbiadite.

«È fatto a mano,» disse infine «cucito da un vero esperto, con ago e filo. Il merletto è stato probabilmente acquistato, ma è difficile da dire. Nel taglio è molto simile a un capo che ho già visto.

Vediamo.» Sparì nei meandri del negozio, facendosi spazio in uno stretto corridoio tra due file di vestiti, avvolti nella plastica e appesi a lunghi appendiabiti. Con mano sicura passò in rassegna i vari capi, prima di sceglierne uno e portarlo al bancone con un'espressione di trionfo.

«Questo è un vestitino da cocktail della fine degli anni Trenta. Lo indossavano le ragazze dell'alta società poco prima della guerra. Il vestito che mi hai portato è molto simile, quasi fosse stato copiato. Ma il tessuto è più economico e, come ho già detto, è stato cucito a mano. Non c'è neanche l'etichetta, il che mi porta a credere che sia stato fatto da qualcuno che non poteva permettersi di comprarlo.»

«Quindi quando potrebbe essere stato confezionato? Per quanto tempo credi che l'abbia indossato?»

«Con questo stile non può risalire a molto prima del 1935. Prima di allora gli orli erano più bassi, e la linea del colletto è tutta sbagliata. È stato usato molto; sulla schiena ci sono delle toppe e il tessuto è più consumato in alcune parti. Direi che potrebbe essere stato indossato anche per una decina d'anni. Durante la guerra si doveva riparare e riutilizzare.»

Metà degli anni Quaranta, allora, verso la fine della Seconda guerra mondiale. McLean si chiese che possibilità ci fossero di trovare qualcuno ancora vivo collegato a quell'omicidio.

10

Era appena entrato in centrale, quando il sergente di servizio lo
bloccò.

«Conosci un tizio di nome Jonas Carstairs?»

McLean ci pensò su. Quel nome gli era familiare.

«Non ha fatto altro che chiamare e ha lasciato diversi messaggi.»

«Ha detto che cosa voleva?»

«Riguardava tua nonna. A proposito, come sta la "ragazza"?
Qualche miglioramento?»

McLean impallidì. Non che avesse esattamente dimenticato,
ma aveva razionalizzato per così tanto tempo la malattia della
nonna che non aveva avuto il tempo di rendersi conto fino in
fondo che se n'era andata. Era riuscito a evitare la domanda con
Jenny Spiers, ma in una stazione di polizia non c'erano segreti –
non per molto, in ogni caso. E, ovviamente, il modo più rapido
per far sapere una cosa a tutti era dirla al sergente di servizio. La
notizia si sarebbe diffusa più rapidamente, poi, se avesse aggiunto
che era un segreto.

«È morta ieri notte.»

«Cristo, Tony. Che diavolo ci fai al lavoro, allora?»

«Non lo so. Penso che non ci fosse molto altro da fare… Non è che sia stata una cosa del tutto improvvisa.» Anche se, in un certo senso, lo era stata. Si era abituato al fatto che fosse lì, in coma, all'ospedale. Sapeva che sarebbe morta, prima o poi; c'erano state addirittura delle volte in cui aveva sperato che accadesse al più presto. Ma si era aspettato di ricevere dei segnali che lo preparassero a quella perdita.

«Ha lasciato un numero? Questo Carstairs, dico.»

«Sì e ha chiesto di essere richiamato il prima possibile. Sai, non ti farebbe male accendere il cellulare di tanto in tanto.»

McLean tirò fuori il telefono dalla tasca. Era ancora spento.

«Ma io lo accendo, è che finisce la batteria.»

«Perché non te ne compri un altro? Non capisco perché voi detective pensiate che non sia importante essere sempre raggiungibili.»

«Ne ho un altro, da qualche parte, Pete, ma funziona anche peggio. Con me nulla resta acceso a meno che non sia collegato alla presa elettrica.»

«Sì, sì, ho capito. Compratene uno che funzioni, d'accordo?» Il sergente passò a McLean un post-it con un nome e un numero, e si allontanò.

McLean aveva un ufficio tutto per sé: uno dei vantaggi di essere ispettore. Era una stanza tetra, con una piccola finestra, oscurata da un vicino condominio, che lasciava entrare pochissima luce. Gran parte dello spazio disponibile era occupato da schedari e archivi ancora pieni degli appunti presi dal suo predecessore, ma qualche genio del Tetris era riuscito a farci stare anche una scrivania. Su di essa giaceva una pila di fascicoli, in cima ai quali c'era un post-it con su scritto «Urgente!» sottolineato tre volte. Li ignorò, fece il giro della scrivania e si mise finalmente a sedere. Prese il telefono e digitò il numero guardando di sfuggita l'orologio. Non era proprio orario di lavoro, ma non aveva idea se stesse chiamando in un ufficio o meno.

«Carstairs Weddell, come posso aiutarla?» La pronta risposta e il tono educato della centralinista risvegliarono un ricordo: riconobbe il nome dell'ufficio legale che aveva curato gli affari della nonna prima che avesse l'infarto. Si sentì un po' stupido per essersene dimenticato.

«Oh, ehm, salve. Potrei parlare con il signor Jonas Carstairs, per favore?» In precedenza si era sempre rapportato solo con uno degli ultimi arrivati, tale Perkins o Peterson, o qualcosa di simile. Gli sembrava strano che il socio anziano l'avesse contattato personalmente.

«Posso chiedere chi lo cerca?»

«Sono McLean. Anthony McLean.»

«Un istante, ispettore. Glielo passo subito.» Ancora una volta si sorprese che sapessero più cose di lui di quante lui non ne sapesse di loro. Ma non ebbe il tempo di rifletterci su, perché la musica di attesa si interruppe immediatamente.

«Detective McLean, sono Jonas Carstairs. Ho appreso la notizia del decesso di sua nonna e sono veramente dispiaciuto. Esther era davvero una grande donna.»

«Questo mi fa presumere che la conoscesse, signor Carstairs.»

«Jonas, la prego. E, sì, la conoscevo da molto tempo. Da molto prima di essere il suo avvocato. Era di questo che volevo parlarle. Mi ha indicato come suo esecutore testamentario. Vorrei che facesse un salto nel mio studio al più presto per risolvere alcune questioni.»

«Va bene domani? Si sta facendo tardi e ieri notte non ho dormito.» McLean si strofinò gli occhi con il dorso della mano libera, rendendosi conto solo in quel momento di quanto fosse esausto.

«Naturalmente, capisco. E non si preoccupi di nulla, ho tutto sotto controllo. Domani uscirà un annuncio sullo *Scotsman* e probabilmente un necrologio. Esther non voleva un funerale in chiesa, perciò ci sarà un semplice servizio funebre a Mortonhall. Le farò sapere non appena riusciremo a prenotare uno spazio. Vuole che organizzi una veglia? So quanto siete impegnati, voi tutori della legge.»

McLean capì solo la metà di quello che gli disse. Aveva già pensato a tutte le piccole cose che avrebbe dovuto fare adesso che la nonna era morta, ma la sua mente era così affollata che spesso perdeva il filo. Il vestito da cocktail con la fantasia floreale, al sicuro nel sacchetto di plastica, giaceva sulla scrivania di fronte a lui e, per un attimo, non riuscì a ricordarsi che cosa ci facesse lì. Aveva bisogno di mangiare e di una bella dormita.

«Sì, la ringrazio.» Salutò l'avvocato fissando un appuntamento per le dieci del mattino seguente, poi riagganciò. Il sole del pomeriggio faceva sembrare i condomini di fronte dipinti di un caldo ocra, ma pochissima di quella luce penetrava nel suo ufficio. Faceva troppo caldo e McLean si allungò sulla sedia, appoggiando la testa alla parete dietro di lui. Chiuse gli occhi per un istante.

La ragazza è nuda, un esserino tutto pelle e ossa con braccia e gambe scheletriche. Ha i capelli lisci che le ricadono sulle spalle, gli occhi infossati. Mentre cammina verso di lui, allunga la mano, implorandolo di aiutarla. Poi inciampa e le si apre una ferita sul ventre, dall'inguine al petto. Si ferma, cerca di impedire alle proprie interiora di fuoriuscire, reinfilandosele in pancia con una mano, mentre con l'altra tenta sempre di raggiungerlo. Ricomincia a camminare, stavolta più lentamente, con uno sguardo di supplica negli occhi scuri.

Lui vuole distogliere lo sguardo, ma è intrappolato lì, immobile. Non può neanche chiudere gli occhi. Tutto quello che può fare è osservarla mentre cade in ginocchio, le interiora si spargono sul pavimento, eppure continua a strisciare verso di lui.

«Ispettore!»

La voce della ragazza è la quintessenza del dolore. Mentre parla, il viso inizia a trasformarsi. La pelle si secca e diventa ancora più sottile sugli zigomi. Gli occhi le si infossano ulteriormente e le labbra le si contorcono in una smorfia, la parodia di un sorriso.

«Ispettore!»

Adesso è proprio accanto a lui, gli posa la mano libera sulla spalla. Lo tocca, lo scuote. Con l'altra mano tenta di rimettersi gli intestini nella pancia. Parti di lei cadono a terra. Reni, fegato, milza.

«Tony, svegliati!»

McLean sussultò aprendo gli occhi e quasi cadde dalla sedia mentre tornava dal sogno alla realtà. Il sovrintendente capo McIntyre era in piedi accanto alla scrivania e lo guardava con un misto di irritazione e preoccupazione.

«Dormiamo sul lavoro, adesso? Non era il tipo di comportamento che mi aspettavo quando ho fatto il tuo nome per la promozione.»

«Chiedo scusa.» McLean scosse la testa, cercando di scacciare la terribile immagine della ragazza sventrata. «È questo caldo. Ho solo chiuso gli occhi per un istante. Io…» Si fermò quando si accorse che la McIntyre stava tentando di reprimere un sorriso.

«Sto scherzando, Tony. Sembri esausto. Dovresti andare a casa a riposarti.» Si sedette sulla scrivania. Nell'ufficio c'era spazio per un'altra sedia, ma era occupata da una pila di fascicoli. «Il sergente Murray mi ha detto di tua nonna. Mi dispiace molto.»

«In realtà è morta tanto tempo fa.» McLean si sentiva leggermente a disagio con il sovrintendente capo lì appollaiato. Sapeva che avrebbe dovuto alzarsi in piedi, ma farlo adesso sarebbe stato ancora più imbarazzante.

«Forse, ma devi affrontare la cosa adesso, Tony. E so che ti manca molto.»

«I miei sono morti quando avevo quattro anni. La nonna mi ha cresciuto come se fossi mio padre. Per lei deve essere stata dura avermi sempre intorno, a ricordarle continuamente il figlio perduto.»

«E per te, invece? Non oso immaginare come deve essere stato perdere entrambi i genitori a quell'età.»

McLean si piegò sulla scrivania, strofinandosi gli occhi. Erano vecchissime ferite, guarite ormai da tempo. Non aveva intenzione di andare a stuzzicare antiche cicatrici, ma era proprio ciò che aveva fatto la morte di sua nonna. Forse era proprio per questo che gli riusciva così difficile accettare di averla persa davvero.

Afferrò il sacchetto delle prove con il vestito floreale, tanto per tenere le mani occupate.

«Siamo riusciti a stabilire il periodo del decesso intorno alla metà degli anni Quaranta.»

«Scusa?»

«La ragazza morta a Sighthill. Il suo vestito aveva circa una decina d'anni e non poteva essere stato fatto prima del 1935. La datazione al carbonio ci dice che è morta prima degli anni Cinquanta. Si pensa che sia stata uccisa più o meno alla fine della Seconda guerra mondiale.»

«Perciò è probabile che chi l'ha ammazzata sia già morto.»

«Morti. Plurale. Pensiamo che fossero in sei.» McLean le riassunse l'indagine fino al punto cui erano arrivati. La McIntyre sedeva sul bordo della scrivania e lo ascoltava in silenzio mentre le elencava le varie ipotesi. Ma c'era veramente poco da dire.

«E Smythe?»

La domanda lo sorprese. «Crede che ci sia un collegamento?»

«No, no, scusami. Volevo sapere a che punto era l'indagine sul caso Smythe. Dove siamo arrivati?»

«Il medico legale ha confermato che è stato assassinato e che la causa di morte più probabile sia il dissanguamento. Sto ancora aspettando i risultati degli esami tossicologici. Chiunque sia stato deve aver usato anestetici potenti. Solo questo restringe parecchio la cerchia dei possibili sospettati. Duguid si è concentrato sugli interrogatori, ancora non ho avuto occasione di parlargli.»

«Ok. Metteremo tutto insieme domani in un briefing. Ma voglio che ti concentri il più possibile su Smythe. La pista della tua ragazza morta non si raffredderà di certo, ormai. Non dopo sessant'anni.»

Aveva ragione, ovviamente. Era molto più importante prendere un assassino che aveva colpito appena ventiquattro ore prima. Eppure, perché sentiva il bisogno di concentrarsi sull'omicidio della ragazza? Era solo perché non gli piaceva lavorare con Poldo? McLean soffocò uno sbadiglio, cercando di non guardare la pila di fogli che reclamavano urgentemente la sua attenzione. Assomigliavano fin troppo a moduli di straordinari e voci di spesa da vistare. Si allungò per prendere il primo foglio, ma la McIntyre lo fermò. Aveva la mano morbida e la presa salda.

«Torna a casa, Tony. Vai a letto presto. Riposati. Sarai più fresco domattina.»

«È un ordine, signora?»

«Sì, ispettore. Lo è.»

11

La sua mente è un inferno. Non conosce la città, non capisce l'aspra lingua che parla questa gente. Sta male, sin nel profondo del suo essere. Ha il respiro irregolare e ogni rantolo gli fa dolere la gola, bruciare il petto. Un tempo era forte. Lo sa, anche se non riesce nemmeno a ricordare il proprio nome. Una volta riusciva a trasportare una dozzina di fascine di grano per volta, a ripulire un intero campo in un pomeriggio, sotto il sole cocente. Adesso ha la schiena curva, le gambe molli e tremanti. Quand'è che era diventato vecchio come suo padre? Che cosa gli era successo?

Il rumore proviene da un edificio vicino. Le alte finestre di vetro sono congelate, ma lui riesce a vedere le ombre colorate della gente che si muove all'interno. La porta si apre e una giovane donna esce dal locale, subito seguita da altre due. Stanno ridendo, si scambiano parole che lui non capisce. Ubriache e felici, non lo vedono mentre le osserva dall'altro lato della strada. I loro tacchi alti ticchettano sul marciapiede mentre si allontanano, le gonne corte lasciano scoperte le gambe, i top rivelano una pelle bianca, flaccida.

Afferra un ricordo. Qualcuno che fa cose terribili. Altra pelle bianca, incisa da una lama affilata. Il sangue sgorga dalla ferita. Rabbia verso un'antica ingiustizia. Qualcosa di scuro, bagnato e viscido sotto la pelle. Questi non sono i suoi ricordi. O forse sì. Non riesce più a distinguere ciò che è reale.

L'aria è calda. Una pesante coperta umida avvolge la notte. Lampioni arancioni si riflettono sulle sottili nubi nel cielo, gettando una luce infernale sulla città. Lui è madido di sudore e la testa gli martella al ritmo del cuore. All'improvviso sente la gola secca. Adesso sa cos'è quell'edificio sull'altro lato della strada.

Il rumore lo trafigge appena apre la pesante porta. Si sente avviluppare dall'odore di corpi non lavati, deodorante, profumo, birra, cibo. Ci sono centinaia di persone in piedi, che gridano per farsi sentire sopra la musica priva di melodia che copre ogni cosa. Nessuno sembra notarlo mentre si fa largo tra la folla.

Si guarda le mani, così familiari. Sono mani che hanno costruito mura, accarezzato amanti, tenuto un neonato il cui nome ha ormai dimenticato, come il proprio. Sono mani incrostate di sangue secco, appiccicato alle pieghe della pelle e incollato sotto le unghie. Sono le mani che hanno brandito un coltello. Che hanno violato un altro uomo in modo profondo. Le mani che hanno vendicato tutti i torti commessi contro di lui e la gente come lui.

Vede il cartello, capisce una sola cosa di questo luogo estraneo. È la malattia che l'ha indebolito o sono state le tremende immagini che gli invadono la mente ad averlo portato fin lì? In un modo o nell'altro eccolo in bagno, piegato sulla tazza, a vomitare. O almeno a tentare di vomitare. È scosso solo da conati asciutti, ha lo stomaco vuoto.

Afferra un po' di carta, si sfrega viso e mani, tira lo sciacquone. Quando si alza, il mondo sembra girare pericolosamente. Gli manca il fiato, non sa più niente. Ci sono altre persone nel bagno, che ridono di lui. Gli girano intorno come dei bulli nel cortile di una scuola. Non riesce a concentrarsi, ricorda solo la terribile sensazione del coltello stretto in mano, della sensazione di potere che l'ha invaso quando l'ha usato, della furia che considerava moralmente giusta. Riesce ancora a sentire l'arma in mano, pesante.

Hanno smesso di ridere. È calato il silenzio. Perfino il monotono ritmo della musica, fuori, si è fermato. Si guarda intorno, notando per la prima volta il lungo specchio di fronte a lui. È difficile scorgere qualcosa oltre le immagini del massacro che gli riempiono la testa. Ma riesce a vedere un uomo che non riconosce, magro e macilento, coperto di vestiti luridi, con i capelli arruffati e grigi. Osserva affascinato, atterrito, l'uomo sollevare una mano. Le dita sono strette attorno a un coltello corto, la lama puntata verso l'interno, verso la gola esposta. L'ha già fatto prima, pensa, sentendo il piacevole tocco dell'acciaio freddo sulla pelle.

Il sangue schizza sullo specchio.

12

Quando McLean arrivò, la mattina dopo, la centrale era in sub-
buglio. Dopo un pollo al curry da asporto e una bella dormita si
sentiva molto meglio. Era in anticipo di mezz'ora per il briefing
mattutino sul caso Smythe e aveva sperato di sfruttare quel tempo
per iniziare a sbrigare un po' di pratiche. Passando davanti alla
centrale operativa sentì la caratteristica voce di Poldo tuonare da
dietro la porta aperta.

«… assolutamente fantastico, davvero. Ogni giorno arrivano
frotte di rompipalle, che puntualmente sparano un sacco di stronzate e ci fanno perdere tempo…»

Passò davanti alla stanza sperando di non essere visto. Proprio
in quel momento l'ispettore capo decise di interrompere la conversazione con un paio di sergenti in uniforme e si guardò intorno.

«Ah, McLean. Bene. Mi fa piacere vederti così presto. Puoi
aiutarci a sbaraccare.»

«Sbaraccare, signore?» McLean guardò all'interno della stanza
e vide agenti impegnati a riempire scatole di cartone, a staccare le
fotografie dalle pareti e a cancellare scritte dalle lavagne.

«Sì, Tony. L'abbiamo preso ieri notte. Non ci sono dubbi che
sia il colpevole, le sue impronte erano sparse per tutta la biblioteca
di Smythe.»

«Avete preso l'assassino?» McLean trovava difficile credere a quelle parole, visto il vicolo cieco in cui era finita l'indagine soltanto il pomeriggio del giorno prima. Sperava di non essere rimasto a bocca aperta. «Come?»

«Be', non direi esattamente "preso"» disse Duguid. «Quel tizio è entrato in un pub poco distante da St Andrews Square alle undici e mezza di ieri sera. È andato in bagno è si è tagliato la gola. Ha anche usato lo stesso coltello con cui ha ammazzato Smythe.»

«Ma sta bene?»

«No che non sta bene, idiota. È morto. Credi che avremmo tirato via tutto se fosse rinchiuso in cella in attesa di essere interrogato?»

«No, signore, certo che no.» McLean osservò lo smantellamento della centrale operativa che procedeva spedito. «Chi era?»

«Un immigrato clandestino. Si chiamava Akimbo, o roba del genere. Non si capisce mai come si pronunciano questi nomi stranieri.»

«Chi l'ha identificato?»

«Una tizia della scientifica, mi pare si chiamasse Baird. La ricerca delle impronte non ha dato risultati, ma la signorina ha avuto la brillante idea di provare col registro degli immigrati clandestini. Il nostro amico avrebbe dovuto essere in custodia, in attesa di essere rispedito in Bongolandia o nel posto da cui proviene.»

McLean tentò di ignorare il disinvolto razzismo di Duguid. L'ispettore capo era il perfetto esempio di tutto ciò che c'era di sbagliato nel corpo di polizia. Prima se ne fosse andato in pensione, meglio sarebbe stato, per tutti.

«Il sovrintendente sarà felice, e anche il commissario capo. So che avevano ricevuto delle pressioni per risolvere il caso in fretta.»

«Esatto. Ecco perché dobbiamo scrivere il rapporto e farlo trovare sulla scrivania di Jayne entro stasera. Non credo che il medico legale voglia fare il pignolo, ma dobbiamo comunque sentire il suo parere. Voglio che tu aspetti i risultati dell'autopsia per assicurarti che non ci siano brutte sorprese. Comunque, le prove sono piuttosto schiaccianti. Aveva il sangue di Smythe sui vestiti. Gli esami del DNA lo confermeranno, ne sono certo. È lui il nostro uomo.»

Fantastico. Un altro cadavere vivisezionato da ammirare, si disse McLean. «A che ora è l'autopsia, signore?» McLean guardò l'orologio. Le sette in punto.

«Alle dieci, penso. Faresti meglio a chiamare per controllare.»

«Alle dieci dovrei incontrarmi…» ma McLean si interruppe. Sapeva che non aveva senso lamentarsi con Duguid. Sarebbe servito solo a mandarlo in bestia. «Niente, sposterò.»

«Chiaro, McLean.»

La piccola centrale operativa era ancora vuota quando McLean riuscì finalmente a liberarsi di Duguid. Il giornale di Bob il Burbero giaceva su uno dei due tavoli; sull'altro, il detective MacBride aveva impilato ordinatamente una serie di fascicoli. Li scorse rapidamente: erano rapporti su furti in appartamento che risalivano fino a cinque anni prima. Tra le pagine trovò dei foglietti su cui erano state appuntate alcune domande. Be', almeno qualcuno si era dato da fare.

Le foto degli organi e degli altri oggetti trovati sulla scena del crimine erano appese a una parete, sistemate in circolo, proprio come erano stati ritrovati. Al centro, una fotografia formato A3 del corpo della ragazza, contorto, violato. Lo fissò per alcuni minuti, finché la porta non si aprì.

«Buongiorno, signore. Ha sentito le novità?» Il detective MacBride sembrava in gran forma. Aveva i capelli ancora umidi dopo la doccia e sul viso, liscio e rotondo, aveva un'espressione di innocente speranza ed eccitazione.

«Novità? Oh, sì, l'assassino di Smythe. Non credi sia un po' strano?»

«In che senso, signore?»

«Be', intanto perché l'avrebbe fatto? Perché irrompere nella casa di un vecchio e aprirgli la pancia? Perché infilargli la milza in bocca? E perché togliersi la vita pochi giorni dopo?»

«Era un immigrato clandestino, no?»

McLean sussultò. «Non cominciare, per favore. Non vengono tutti qui per stuprare le nostre donne e rubarci il lavoro, sai? È già dura sentire queste stupidaggini uscire dalla bocca di Poldo.»

«Non intendevo questo, signore.» MacBride arrossì, i lobi delle orecchie gli diventarono di un colore rosso acceso. «Intendevo che poteva covare del risentimento verso Smythe, essendo il presidente del consiglio territoriale per l'immigrazione.»

«Davvero? E tu come lo sai?»

«Me l'ha detto Alison… Ehm, l'agente Kydd, signore.»

Stavolta toccò a McLean sentirsi profondamente in imbarazzo.

«Scusami, Stuart, non volevo aggredirti. Che altro sai su Smythe che mi è sfuggito?»

«Dunque, signore. Aveva ottantaquattro anni ma andava ancora al lavoro ogni giorno. Presiedeva una dozzina di compagnie e controllava almeno due aziende di biotecnologie all'avanguardia. Aveva ereditato la banca d'affari del padre subito dopo la guerra e l'aveva trasformata in una delle più grandi istituzioni finanziarie della città, vendendo tutto appena prima che nel 2000 scoppiasse la bolla della società Dot-com. Da allora si era limitato per lo più a gestire una serie di fondi fiduciari per svariati enti benefici. Aveva tre impiegati fissi nella sua casa di città, ai quali aveva dato la serata libera il giorno in cui è stato ucciso. Pare che non fosse inusuale, li congedava spesso la sera per poter restare solo.»

McLean ascoltò tutti i dettagli, notando che il detective Mac-Bride sembrava essersi imparato tutto a memoria. Al di là del debole collegamento con la storia dell'immigrazione clandestina, comunque, non sembrava esserci assolutamente nulla in comune tra Smythe e l'uomo che l'aveva ucciso.

«Ripetimi il nome dell'assassino…?»

Stavolta MacBride estrasse il bloc notes, leccandosi la punta del dito prima di sfogliare le pagine.

«Jonathan Okolo. Pare che venisse dalla Nigeria. Aveva fatto domanda di asilo tre anni fa, ma era stata respinta. Da allora è stato tenuto in custodia fino allo scorso aprile, "in attesa di rimpatrio", stando al rapporto. Nessuno sa come sia riuscito a fuggire, ma da quel posto ne sono scomparsi altri nell'ultimo anno.»

«Hai i nomi?»

«No, signore, ma li posso trovare. Perché?»

«Non saprei, in realtà. Duguid vuole liberarsi di questo caso il prima possibile. Ed è probabile che il commissario capo e gli alti papaveri saranno felici di lavarsene le mani. Se avessi un po' di sale in zucca farei la stessa cosa anch'io. Ma ho la sgradevole sensazione che sentiremo ancora parlare di Jonathan Okolo. Non mi dispiacerebbe essere già pronto quando il suo nome rispunterà fuori.»

«Farò qualche ricerca, signore.» MacBride prese un appunto e ripose con attenzione il bloc notes. McLean si chiese che ne avesse fatto del suo blocco; probabilmente l'aveva lasciato in ufficio, al piano di sopra. In compagnia di tutte quelle pratiche che non si sarebbero certo sbrigate da sole.

«Che programmi hai per oggi, detective?»

«Dunque, io e il sergente Laird dobbiamo interrogare alcune delle vittime di questi furti, signore. Appena arriva ci muoveremo.»

«Be', Bob il Burbero è sempre stato un nottambulo.» Dallo sguardo, McLean si rese conto che MacBride non aveva mai sentito nessuno riferirsi al sergente come "Bob il Burbero". «Ascoltami, detective. Quando arriva digli che questi interrogatori li può fare per conto suo. Se si sente solo può portarsi dietro un agente. Voglio che tu trascorra le prossime ore a scoprire tutto quello che puoi su Okolo e i suoi amici. Poi tu e io andremo a farci una giratina giù a Cowgate, a osservare il bravo dottor Cadwallader lavorare un po' di bisturi.»

«Mmm. Devo proprio, signore?» MacBride diventò di un colore tendente al grigio.

«Hai già assistito a un'autopsia, detective?»

«Sì, signore. Un paio di volte. Ecco perché preferirei non ripetere l'esperienza.»

Trovò il bloc notes lì dove l'aveva lasciato, sotto il sacchetto con il vestito della ragazza, sulla scrivania. McLean se lo infilò in tasca, annotandosi mentalmente di riportare il vestito alla centrale operativa. Accanto al telefono c'era ancora il post-it con il numero di Carstairs. Chiamò per spostare l'appuntamento nel pomeriggio, poi accese il computer e avvicinò la pila di fogli. Conosceva l'importanza di seguire la procedura corretta, ma avrebbe preferito che fosse qualcun altro a farlo al posto suo.

Era un lavoro che intorpidiva la mente. Rimuginare su quelle pratiche era un processo che richiedeva troppa concentrazione per i suoi gusti. All'improvviso, gli cadde nuovamente l'occhio sul vestito. Era arrivato a buon punto, a metà della pila, perciò estrasse il bloc notes, spinse indietro la sedia e cominciò a sfogliarlo.

Si imbatté quasi subito negli strani motivi circolari che aveva visto sul pavimento della cantina, o che almeno credeva di aver visto. Avevano ipotizzato che l'omicidio fosse una sorta di sacrificio rituale, ma le nicchie nascoste contenevano indizi più espliciti e interessanti. Quindi che si era concentrato sui nomi, sugli organi e sugli oggetti personali. Ma, come diceva il suo vecchio mentore, la chiave si trovava sempre negli aspetti meno ovvi. McLean guardò l'orologio; le nove e mezza. Spense il computer, prese il vestito e si diresse verso la piccola centrale operativa. Bob il Burbero era intento a leggere il giornale. Il detective MacBride era concentrato sullo schermo del suo portatile e digitava furiosamente sulla tastiera.

«Buongiorno, signore.» Bob chiuse il giornale e lo buttò in una scatola sotto il tavolo.

«'Giorno, Bob. Hai le foto della scena del crimine?»

Bob il Burbero guardò MacBride, ma non ebbe risposta, perciò dovette andare di persona a prendere la scatola nell'angolo della stanza. Si sedette sul tavolo ed estrasse una manciata di stampe su carta lucida.

«Che cosa cercava, signore?»

«Dovrebbe esserci una serie di scatti del pavimento, a circa un metro dalla parete.»

«Sì, infatti mi sono chiesto come mai il fotografo le avesse scattate.» Bob frugò nella scatola e prese alcuni fogli. Cominciò a disporli sul tavolo.

«Gliel'ho chiesto io.» McLean studiò la prima foto, poi la seconda e la terza. Sembravano tutte uguali; schiarito dal flash, il pavimento di legno era liscio, privo di tratti distintivi. Estrasse il bloc notes e guardò le forme che aveva tracciato sulla carta. Le forme che era certo di aver visto.

«Sono tutte qui?» chiese a Bob quando ebbe studiato ogni immagine senza trovare nulla.

«Per quanto ne so, sì.»

«Chiedi alla scientifica di controllare, per favore, Bob. Sto cercando foto del pavimento che mostrino segni come questi.» Mostrò le immagini sul bloc notes al sergente.

«Non può farlo il detective MacBride?» si lamentò Bob. «Sa bene che in queste cose tecniche è molto più bravo di me.»

«Spiacente, Bob, lui viene con me.» Si rivolse al detective. «Hai finito?»

«Un secondo, signore. Ci sono quasi.» MacBride premette un altro paio di tasti, poi chiuse il portatile. «Passerò dalla stampante uscendo. A meno che non preferisca farsi accompagnare all'obitorio dal sergente Laird, signore.» Nella sua voce c'era tanta speranza.

McLean sorrise. «Credo che Bob abbia fatto colazione da poco, detective. E non ho alcuna voglia di sapere cos'ha mangiato.»

13

«È la terza volta in quarantott'ore, ispettore. Se non la conoscessi direi che mi sta perseguitando.» L'assistente del dottor Cadwallader, Tracy, li aspettava davanti alla porta dell'obitorio. «Chi è il fusto insieme a lei?»

«Questo è il detective MacBride. Vacci piano con lui, è la sua prima volta.» McLean ignorò il viso paonazzo di MacBride. «C'è il dottore?» chiese.

«Si sta preparando» rispose Tracy. «Andate pure.»

La camera mortuaria non era troppo cambiata dal giorno prima. Solo il corpo che giaceva sul ripiano era diverso. Il medico legale li accolse con un cenno di saluto.

«Ah, Tony. Vedo che non hai ancora imparato l'arte di delegare. Di solito, quando si manda una recluta a fare un lavoro al posto di qualcun altro, è perché non si ha intenzione di venire di persona. Perché pensi che Poldo ti abbia spedito qui?»

«Perché questo posto gli ricorda troppo casa sua?»

«Be', in effetti…» Cadwallader sorrise. «Passiamo alle cose serie?»

Come se avesse ricevuto un'imbeccata, Tracy apparve dalla piccola stanza che fungeva da ufficio. Si era messa un camice e un paio di guanti di gomma e spingeva un carrello d'acciaio dove erano posati i vari strumenti di tortura. McLean sentì il detective MacBride irrigidirsi e dondolarsi leggermente sui talloni.

«Il soggetto è maschio, africano, un metro e ottantasette. A occhio direi sulla cinquantina inoltrata.»

«Quarantaquattro.» La voce di MacBride era leggermente più acuta del solito, e ancora non avevano visto niente.

«Chiedo scusa…» Cadwallader mise la mano sul microfono che pendeva sopra il tavolo.

«Aveva quarantaquattro anni, signore. Il suo fascicolo dice così.» MacBride sollevò la pila di fogli che aveva preso dalla stampante.

«Be', non sembra. Tracy, abbiamo preso il corpo giusto?»

L'assistente controllò tra le sue carte, guardò il cartellino legato al piede del cadavere, poi aprì un paio di cassetti dello schedario e ci frugò dentro, prima di tornare dai tre uomini.

«Sì» disse. «Jonathan Okolo. Arrivato ieri notte. Identificato dalle impronte digitali contenute nel suo fascicolo all'ufficio immigrazione.»

«Che strano» commentò Cadwallader, tornando a concentrarsi sul suo paziente. «Se ha solo quarantaquattro anni, non oso immaginare che tipo di vita abbia avuto. Ok, continuiamo.» Andò avanti a esaminare minuziosamente il corpo.

«Ha le mani ruvide, le unghie corte e scheggiate. Un paio di cicatrici recenti su mani e dita, con alcune schegge. Lavoratore manuale di qualche tipo, ne deduco. Anche se immagino che non fosse molto bravo, visto il suo stato di salute. Ah, ci siamo.» Il medico passò ad analizzare la testa del morto, frugandogli con una forcipe tra i capelli radi, grigi e crespi. «Vasetto, per favore. Se non mi sbaglio, questo è intonaco. Ne ha i capelli pieni.»

McLean notò del movimento alle sue spalle e si voltò. Vide

il detective MacBride scribacchiare furiosamente sul bloc notes. Sorrise; tutti questi dati sarebbero stati riportati su un computer e gli sarebbero arrivati in via ufficiale entro poche ore, ma un po' di entusiasmo non guastava. Inoltre, prendere appunti l'avrebbe distratto da quello che stava per succedere.

C'era una certa eleganza nel modo con cui un patologo esperto apriva un cadavere. Cadwallader era forse il migliore che McLean avesse mai visto all'opera. Il suo tocco delicato e le parole pacate che scambiava con la sua assistente rendevano il processo, in un certo senso, più sopportabile. Eppure, anche in quel caso, fu contento quando tutto finì e Tracy cominciò a ricucire la ferita. Significava che potevano uscire dalla camera mortuaria e che presto avrebbero lasciato l'edificio.

«Qual è il verdetto, Angus? Se la caverà?» McLean vide l'ombra di un sorriso sulle labbra del medico, che tuttavia lasciò subito il posto a un'espressione accigliata.

«Mi sorprende che abbia vissuto abbastanza a lungo da uccidere Smythe, per non parlare di se stesso» disse Cadwallader.

«Che vuoi dire?»

«Aveva un enfisema in stadio avanzato, una cirrosi acuta del fegato e i reni praticamente non gli funzionavano. Solo Dio sa in che modo un cuore con così tanto tessuto cicatriziale potesse battere abbastanza regolarmente da permettergli di camminare.»

«Stai dicendo che non ha ucciso lui Smythe?» Un brivido freddo gli attraversò la schiena.

«Oh, è stato lui, di sicuro. Ha i vestiti impregnati del sangue di quel pover'uomo e ne ha tracce anche sotto le unghie. Quel coltello combacia alla perfezione con i tagli nelle vertebre del suo collo. È di sicuro il vostro uomo.»

«Poteva avere un complice?» McLean provava una strana sensazione nelle viscere. Sapeva che anche solo menzionando quell'eventualità si sarebbe conquistato le antipatie di molti, ma non poteva ignorare il suo istinto.

«Sei tu il detective, Tony. Dimmelo tu.»

14

La Carstairs Weddell occupava un'enorme villa georgiana al confine ovest della città. Gli uffici legali più moderni e progressisti si erano tutti trasferiti in edifici fatti costruire su misura in Lothian Road o più verso Gogarburn, ma questo studio aveva resistito alle correnti di cambiamento. McLean si ricordava che un tempo, non troppo lontano, tutte le più antiche e importanti famiglie di Edimburgo, gli avvocati e gli agenti di cambio, i banchieri e i commercianti, avevano i loro uffici nelle maestose dimore antiche del West End. Oggi gran parte di quelle famiglie si era trasferita e le strade erano piene di ristoranti, negozi di abbigliamento, palestre e appartamenti costosi. I tempi cambiavano, ma la città si adattava sempre.

Era in anticipo di un'ora per l'appuntamento, ma la segretaria gli disse che non era un problema. Lo lasciò ad attendere in un'elegante reception, decorata con ritratti di uomini dal volto austero e arredata con comode poltrone in pelle. Sembrava più un club per soli uomini che uno studio legale, ma almeno faceva fresco.

«Ispettore McLean. È bello rivederla.» McLean si guardò intorno. Non aveva sentito aprirsi la porta, dalla quale era spuntato un uomo dai capelli bianchi e occhiali rotondi con la montatura di metallo, che gli tendeva la mano. McLean la strinse.

«Signor Carstairs. Ci siamo già incontrati?» In lui c'era qualcosa di familiare. Era possibile che fosse in aula mentre McLean testimoniava per qualche caso, naturalmente. Forse l'avevano addirittura controinterrogato.

«Penso proprio di sì. È passato qualche anno, comunque. Esther dava delle feste magnifiche, ma ha smesso all'incirca quando lei è partito per l'università. Non ho mai capito perché.»

McLean pensò alla schiera di persone che aveva visto spesso a casa di sua nonna. Si ricordava soltanto che erano anziani. Come sua nonna, del resto, perciò non c'era nulla di strano. Jonas Carstairs, tuttavia, era anziano adesso. E quindi troppo giovane, all'epoca.

«Credo che le piacesse restare da sola, signor Carstairs. Pensava che mi avrebbe fatto bene conoscere gente e, quando mi sono trasferito a Newington, ha smesso.»

Carstairs annuì, come se fosse perfettamente d'accordo. «La prego, mi chiami Jonas.» Estrasse un orologio dal taschino del gilet, lo aprì per vedere l'ora, poi lo rimise al suo posto con un movimento fluido, esperto.

«Che ne direbbe di uscire a pranzo? Dietro l'angolo ha aperto un nuovo locale e ho sentito dire che si mangia molto bene.»

McLean pensò alla pila di fogli che lo attendeva sulla scrivania; la ragazza, dopotutto, era morta da così tanti anni che qualche ora in più non avrebbe fatto differenza. Bob il Burbero gestiva l'indagine sui furti in appartamento e MacBride era occupato a cercare informazioni su Jonathan Okolo. La sua presenza sarebbe stata solo d'impiccio.

«Mi sembra una buona idea, Jonas. Ma, visto che sono fuori servizio, mi faccia un favore, non mi chiami più ispettore.»

Non era il tipo di locale dove McLean era solito mangiare. Aveva aperto da poco ed era situato nel seminterrato di una casa a schiera piuttosto grande. Era affollato, pervaso dal pacato brusio di clienti soddisfatti che si godevano il pranzo senza fretta. Furono accompagnati a un piccolo tavolo in una nicchia, accanto a una finestra che dava su un cortile sotto il livello della strada. Guardando in alto, McLean si accorse che era in grado di sbirciare senza problemi sotto la gonna delle donne di passaggio e si concentrò sul menù.

«Mi hanno detto che il pesce qui è molto buono» disse Carstairs. «In questo periodo sono sicuro che il salmone sia squisito.»

McLean lo ordinò, riuscendo a trattenersi e a non chiedere le patatine come contorno. Da bere si limitò all'acqua gasata. Gliela portarono in una bottiglia blu a forma di goccia, con un'etichetta scritta in gallese.

«Ai vecchi tempi i farmacisti tenevano i loro veleni in bottiglie blu. In questo modo sapevano che non dovevano berli.» Si versò un bicchiere e servì anche l'avvocato.

«Edimburgo ha il suo bel numero di avvelenatori e sono certo che lo sappia bene. È stato al Pathology Museum, al Surgeon's Hall?»

«Mi ci ha portato Angus Cadwallader, un paio d'anni fa. Quando ero ancora sergente.»

«Ah, sì, Angus. Ha la fastidiosa abitudine di lasciare il teatro nel bel mezzo di uno spettacolo. Per lavoro, indubbiamente.»

Fino all'arrivo del cibo parlarono del mestiere di poliziotto, di questioni legali e di quei pochi amici e conoscenti in comune. McLean rimase un po' deluso dal fatto che il suo salmone fosse sbollentato, invece che fritto. Non che non apprezzasse il buon cibo, solo che non aveva il tempo di concederselo. Non ricordava l'ultima volta in cui era stato in un ristorante come quello.

«Lei non è sposato, Tony?» La domanda di Carstairs era abbastanza innocente, ma appena McLean realizzò che invece si ricordava l'ultima volta in cui era stato in un ristorante come quello, calò un silenzio imbarazzato. A fargli compagnia allora c'era una persona molto più giovane, carina e del tutto inconsapevole della domanda che stava per esserle rivolta e che per essere formulata aveva richiesto tutto il suo coraggio.

«No» rispose. Era consapevole di aver assunto un tono piatto, ma non poté farci nulla.

«Frequenta qualcuno?»

«No.»

«Un vero peccato. Un giovane come lei dovrebbe avere una donna che lo accudisce. Sono certo che Esther avrebbe…»

«C'è stato qualcuno. Diversi anni fa. Eravamo fidanzati. Lei… lei è morta.» McLean vedeva ancora il suo viso, gli occhi chiusi, la pelle liscia e bianca come alabastro. Le labbra blu e i lunghi capelli neri sparpagliati intorno alla testa, smossi dalla glaciale, lenta corrente del Water of Leith.

«Mi dispiace. Non lo sapevo.» La voce di Carstairs interruppe quel ricordo e McLean capì, in qualche modo, che il vecchio avvocato stava mentendo. In città erano in pochi a non conoscere quella storia.

«Ha detto che doveva vedermi per parlare del testamento di mia nonna» disse, passando al primo argomento che gli venne in mente.

«Sì, in effetti. Ma ho pensato che sarebbe stato gradevole fare due chiacchiere con un vecchio amico di famiglia, prima. Non la sorprenderà sapere che Esther ha lasciato tutto a lei, naturalmente. Non aveva nessun altro.»

«Non ci ho pensato poi molto, a essere sincero. Sto ancora

cercando di capacitarmi che sia morta. Una parte di me è ancora convinta di doversi fermare all'ospedale per farle visita oggi pomeriggio.»

Carstairs non disse nulla e continuò a mangiare in silenzio per un po'. Pulì il piatto e si strofinò la bocca con il soffice tovagliolo bianco. Poi parlò.

«Il funerale si terrà lunedì. Alle dieci del mattino, a Mortonhall. Uscirà un annuncio sullo *Scotsman* di oggi.»

McLean annuì e lasciò il cibo nel piatto. Era delizioso, ma lui aveva perso l'appetito.

Tornati in ufficio, Carstairs lo accompagnò fino a una grande sala sul retro dell'edificio, che dava su un giardino ben curato. Una scrivania antica occupava un angolo della stanza, ma Carstairs fece cenno a McLean di sedersi su una delle poltrone di pelle accanto al caminetto, prima di accomodarsi sull'altra. Quella situazione ricordò all'ispettore la chiacchierata che aveva fatto il giorno prima con il sovrintendente capo. Una formale informalità. Uno spesso fascicolo legato con nastro nero attendeva sul lungo tavolo di mogano tra le due poltrone. Carstairs lo prese e slacciò il nastro. McLean non poté fare a meno di notare che si muoveva con grazia e agilità notevoli per un uomo della sua età. Come un giovane attore che interpretasse la parte di un uomo anziano.

«Questo è un resoconto delle proprietà di sua nonna al momento del decesso. Abbiamo amministrato i suoi affari per molti anni, sin dalla morte di suo marito. Disponeva di un ampio portfolio azionario oltre che di proprietà immobiliari.»

«Davvero?» McLean era sinceramente sbalordito. Sapeva che sua nonna era benestante, ma non aveva mai mostrato alcun segno di opulenza. A lui sembrava solo una vecchia signora che aveva ereditato la casa di famiglia. Una dottoressa che aveva lavorato sodo e si era ritirata con una pensione consistente.

«Oh, sì. Esther era un'investitrice avveduta. Alcune sue scelte hanno sorpreso perfino il nostro dipartimento finanziario, ma quasi mai ha perso denaro.»

«Com'è che non so nulla di tutto questo?» McLean non sapeva se essere scioccato o arrabbiato.

«Sua nonna mi ha assunto come suo legale ben prima di avere l'infarto, Anthony.» Il tono di Carstairs era pacato, rassicurante, come se sapesse che quello che diceva poteva avere un effetto negativo. «Mi ha anche specificamente chiesto di non rivelarle il vero ammontare delle sue finanze prima che fosse morta. Aveva una mentalità un po' all'antica, Esther. Sospetto che pensasse che, se avesse saputo che avrebbe ereditato una fortuna, la sua carriera ne avrebbe risentito.»

McLean non seppe cosa ribattere. Era proprio da lei e quasi se la immaginava, seduta sulla sua poltrona preferita vicino al fuoco, mentre lo istruiva sull'importanza del lavoro duro. Aveva anche uno spiccato senso dell'umorismo ed era certo che da qualche parte, in quel preciso momento, stesse ridendo a crepapelle. Si sorprese nel sorridere pensando a lei. Era la prima volta dopo mesi e mesi che se la ricordava come una persona vibrante, vivace, e non come il vegetale che era diventata.

«Ha un'idea di quanto possa valere tutto?» La domanda gli sembrò venale, ma non riuscì a pensare ad altro da dire.

«La valutazione della casa è una stima fatta dal nostro dipartimento sui trasferimenti di proprietà. Il valore delle azioni, invece, è quello che avevano sul mercato il giorno dopo la morte di Esther. Ovviamente ci sono svariati altri oggetti; suppongo che solo la mobilia e i quadri valgano parecchio, poi ci sono diversi altri beni mobili. Esther ha sempre avuto buon occhio.» Carstairs prese un foglio dal fascicolo e lo mise sul tavolo, girandolo così che McLean potesse leggerlo. Lo sollevò con dita tremanti, cercando di capirci qualcosa tra le varie colonne e grafici, finché il suo sguardo si posò su un totale scritto in grassetto, sottolineato alla fine della pagina.

«Cristo santissimo.»

Sua nonna gli aveva lasciato un'enorme casa e un portfolio azionario che valeva ben oltre i cinque milioni di sterline.

15

Il quartier generale della scientifica era di strada tra lo studio di Carstairs e la centrale. McLean si sentiva quasi legittimato a fare quella deviazione. Il fatto che, così facendo, aveva più possibilità di non imbattersi nell'ispettore capo Duguid non aveva niente a che fare con la sua scelta, naturalmente. Aveva bisogno di parlare con qualcuno delle fotografie scattate sulla scena del crimine. Almeno, così si era detto.

Come sempre, alla scientifica non c'era praticamente nessuno. La ragazza annoiata che sedeva all'ingresso lo guidò lungo corridoi deserti rinfrescati dall'aria condizionata. Giù nel seminterrato, illuminato da strette finestre, trovò il laboratorio fotografico, la cui porta era tenuta aperta con un paletto di metallo. Bussò, disse «Salve» ed entrò. La stanza era piena di macchinari in funzione, nessuno sapeva a cosa servisse. Un bancone di legno correva lungo tutta la parete più lontana, sotto le alte finestre, e una fila di computer con enormi monitor piatti mormorava e baluginava. In lontananza, una figura solitaria sedeva ingobbita di fronte a un'immagine sfocata. Sembrava completamente assorbita nel proprio lavoro.

«Salve» ripeté McLean, poi notò gli auricolari bianchi. Si avvicinò lentamente, cercando di attirare l'attenzione dell'agente. Ma, più si avvicinava, più forte gli arrivava la musica proveniente dalle cuffie. Non c'era modo di farsi notare senza…

«Cristo! Mi ha fatto quasi prendere un colpo.» La donna si portò una mano al petto, si tolse gli auricolari e li gettò sulla scrivania. Il cavo serpeggiava fino al computer di fronte a lei. McLean la riconobbe: era la stessa donna che cercava impronte digitali sulla scena del furto in appartamento, e l'aveva vista anche a casa di Smythe.

«Mi scusi. Ho cercato di farmi sentire ma…»

«Va bene, va bene. Il volume era un po' alto. Che posso fare per lei, ispettore? Non capita spesso che i pezzi grossi scendano quaggiù, nel seminterrato.»

«Fa più fresco che nella mia centrale operativa.» McLean non si lamentò per quella frecciatina: era il più inesperto ispettore del corpo e molto spesso veniva trattato da novellino, perciò non gli dispiacque che qualcuno sottolineasse il suo alto grado. «Comunque, mi stavo chiedendo se avessi gli originali di quelle foto scattate sulla scena del crimine a Sighthill.»

«Il sergente Laird mi ha accennato qualcosa.» Afferrò il mouse e chiuse diverse finestre in rapida successione. A McLean parve di vedere alcune immagini della scena del caso Smythe tra le altre foto, ma erano già scomparse prima che potesse esserne certo. Poi lo schermo si riempì di una serie di foto apparentemente identiche.

«Quarantacinque immagini in alta risoluzione di una porzione di pavimento. Mi ricordo che Malky si è lamentato che l'ha fatto rientrare nella stanza dove c'era il cadavere. Strano, ne avrà fotografati a dozzine nel corso degli anni, forse centinaia. Scusi, sto divagando. Cosa voleva vedere?»

McLean estrasse il bloc notes e scorse le pagine finché non trovò il primo schizzo. Con la mente tornò a quella sera, cercando di ricordare quale fotografia aveva chiesto di scattare per prima.

«Ho visto alcuni segni sul pavimento, vicino al punto in cui il muro era stato abbattuto. Assomigliavano a questo.» Le mostrò il disegno. La donna cliccò sulla prima immagine e zoomò a tutto schermo. Si vedeva il pavimento di legno, una traccia di calcinacci all'estremità, ma niente segni.

«È proprio lì che li ho visti. Forse il flash li ha cancellati?»

«Vediamo.» L'agente aprì vari menù e cliccò più volte, a velocità sorprendente. Qualsiasi programma stesse usando, lo conosceva come le sue tasche. L'immagine divenne grigia, sfocata, luminosa, perse contrasto poi divenne seppia. Eppure, era sempre la stessa. Non c'erano particolari in più rispetto all'originale.

«Niente, temo. È sicuro che non fossero solo ombre? Le lampade possono giocare brutti scherzi, specialmente in uno spazio così ristretto.»

«Be', è possibile, suppongo. Ma la posizione dei disegni mi ha fatto pensare a una specie di circolo, con sei punti in evidenza. E sa bene cosa abbiamo trovato nascosto nelle pareti, in prossimità di quei punti.»

«Mmm. Be', allora, c'è ancora un'operazione da tentare. Si sieda. Ci vorranno un paio di minuti.»

«Grazie… ehm, signora Baird, giusto?» McLean si sedette, notando che la sedia era di gran lunga più comoda di quelle del suo ufficio. A confronto, quelle della sua centrale operativa sembravano pezzi di legno coperti di schegge. Era chiaro che la scientifica avesse un budget più ampio da dedicare all'attrezzatura. O un contabile più creativo.

«Signorina, in realtà. Ma sì, mi chiamo così. Come lo sa?»

«Sono un detective. Scoprire cose del genere è il mio lavoro.» Vide la donna arrossire leggermente dietro le ciocche disordinate.

Si grattò il naso con un gesto inconsapevole, quasi istintivo, riportando lo sguardo sullo schermo dove una clessidra si svuotava e si capovolgeva, svuotava e capovolgeva.

«Bene, allora. Mi dica questo, Sherlock: se è così bravo, com'è che non ha notato il cartello sulla porta? Quello che dice "Vietato l'accesso al personale non autorizzato"?»

McLean si voltò. La porta era tenuta spalancata da una sedia incastrata sotto la maniglia. Non c'era alcun cartello, a parte quello che indicava il numero della stanza – B12. Si voltò di nuovo, confuso. Lei stava sorridendo.

«Fregato! Ah, ecco qua.» Si girò verso lo schermo e con il mouse ingrandì un angolo dell'immagine elaborata. «Proviamo a migliorare qui… Sì, eccolo. Aveva ragione.»

McLean osservò lo schermo, socchiudendo gli occhi per il bagliore. Qualsiasi cosa avesse fatto l'agente della scientifica, aveva reso l'immagine quasi del tutto bianca. I calcinacci della parete abbattuta sembravano galleggiare sul pavimento, incisi sull'immagine con sottili e marcate linee nere. E subito dietro, una leggerissima ombra grigia sullo sfondo bianco, una traccia di quei segni circolari.

«Che cosa ha fatto?»

«Capirebbe, se glielo dicessi?»

«Probabilmente no.» McLean osservò il suo bloc notes, poi di nuovo lo schermo. Aveva cominciato a dubitare di ciò che aveva visto e non aveva idea di dove l'avrebbe portato quella pista.

«Può fare la stessa cosa con le altre fotografie?»

«Certo. Comincio adesso, poi farò proseguire Malky quando rientrerà. Sarà contento di non aver scattato foto invano.»

«Grazie. È stata di grande aiuto. Per un attimo ho creduto di essere impazzito.»

«Be', forse lo è davvero. Non avrebbe dovuto essere in grado di vedere quei segni, di qualsiasi cosa siano fatti.»

«Mi farò controllare meglio dall'oculista, la prossima volta.» McLean si alzò, si mise il blocco in tasca e fece per andarsene.

«Invierò le foto alla sua stampante. Le troverà lì quando arriverà in ufficio.»

«Si può fare?» Le sorprese non finivano mai.

«Sì, non si preoccupi. Si possono mandare in tutta la città. Comunque ci rivedremo presto. Sarà anche lei al pub con gli altri, no?»

«Pub?»

«Duguid offre da bere a tutti quelli che hanno collaborato al caso Smythe. Mi hanno detto che non mette mano al portafoglio spesso, perciò credo che ci sarà un bel po' di gente.»

«Poldo che offre da bere?» McLean scosse il capo, incredulo. «Questa la devo proprio vedere.»

16

Proprio come aveva detto la signorina, e non-signora, Baird, una pila di foto stampate di fresco attendeva McLean in ufficio. Le portò nella piccola centrale operativa, deserta in quel tardo pomeriggio. Dalla parete, la ragazza uccisa lo fissava ancora, con il suo grido silenzioso vecchio di sessant'anni che lo accusava di non fare abbastanza per scoprire chi fosse e chi l'avesse uccisa. Lui la guardò, poi osservò le foto, tutte quasi completamente bianche. Sottili linee nere indicavano i bordi delle assi e circondavano i pochi nodi del legno del pavimento. A malapena distinguibile sotto quella luce fluorescente, una sinuosa serie di linee grigie serpeggiava in ogni fotografia.

McLean trovò un pennarello indelebile a punta fine e tentò di evidenziare il disegno sulla prima fotografia. Era quasi impossibile distinguerlo interamente ma, passando di foto in foto, i motivi che si ripetevano diventarono più evidenti, facilitandogli il compito. Spinse il tavolo contro la parete, cercando di ritagliarsi più spazio possibile, poi trascorse la successiva mezz'ora a ordinare le fotografie in un cerchio al centro della stanza. Dopo aver sistemato l'ultimo pezzo al suo posto e avere osservato il risultato, una nube improvvisa coprì il sole e l'aria si raffreddò.

McLean si trovò in piedi al centro di un complesso cerchio,

fatto di sei corde intrecciate tra loro. In sei punti, equidistanti lungo la circonferenza, si formavano straordinari nodi, forme impossibili che sembravano quasi contorcersi come serpenti sotto il suo sguardo. Gli parve di essere in trappola e si sentiva il petto pesante, come se fosse avvolto in uno stretto bendaggio. La luce si indebolì, l'onnipresente frastuono della città si affievolì fino a tacere quasi del tutto. Sentiva il respiro uscirgli dal naso, il cuore che gli batteva piano, ritmicamente. Tentò di muovere i piedi, ma sembravano incollati al pavimento. Riusciva a muovere solo la testa.

Fu preso dal panico, da una paura primordiale. Quelle corde cominciarono a srotolarsi lentamente dinanzi a lui. A un tratto, però, la porta si aprì, spostando alcune fotografie. La luce tornò vivida. Il peso che gli gravava sul petto scomparve e si sentì la testa improvvisamente leggera. Da qualche parte, in lontananza, si udì qualcosa di simile a un ululato di rabbia. Le catene invisibili si ruppero e McLean barcollò in avanti, in equilibrio precario, mentre il sovrintendente capo McIntyre entrava nella stanza.

«Cos'è stato?» La McIntyre inclinò leggermente la testa, come se aspettasse di udire un'eco che non arrivava mai. McLean non rispose. Era troppo impegnato a tentare di riprendere il controllo del proprio respiro.

«Stai bene, Tony? Hai la faccia di uno che ha appena visto un fantasma.»

McLean si chinò e raccolse le fotografie, cominciando da quella con il simbolo intrecciato che era sembrato srotolarsi. Adesso la carta lucida mostrava solo qualche linea tracciata con il pennarello indelebile verde, ma se la guardava aveva ancora i brividi.

«Mi sono solo alzato troppo velocemente» rispose.

«Ma che ci fai quaggiù?»

McLean le spiegò delle fotografie, dei segni che aveva visto e di come l'avevano guidato alle nicchie nascoste. Non disse nulla delle strane allucinazioni che aveva appena avuto. Qualcosa gli diceva che il sovrintendente capo non sarebbe stato comprensivo. Inoltre se ne stava già dimenticando e il terrore appena provato stava lasciando il posto a una vaga sensazione di turbamento.

«Diamo un'occhiata.» La McIntyre prese le foto, le sfogliò e si fermò a quella che mostrava i sei punti evidenziati.

«Hanno qualche significato, per lei?»

«Non ne ho idea.»

«Pensavo che potessero essere una sorta di circolo di protezione.»

«Che cosa?»

«Sì, un circolo di protezione. Sa, stelle a cinque punte, candele, roba per intrappolare il demone quando lo si evoca, cose del genere.»

«Lo so cos'è un circolo di protezione, solo che non saprei come fare ad arrestare un demone. C'è il problema non trascurabile che non esistono, al di fuori dell'immaginazione degli scrittori di romanzi pulp e degli amanti del trash metal.»

«Questo lo so, signora. Il nostro lavoro è già abbastanza difficile senza l'intervento di forze sovrannaturali. Ma solo perché i demoni non esistono, non significa che qualcuno non possa crederci abbastanza da uccidere per loro.»

«Anche questo è vero.»

«Questo non semplifica affatto il compito di scoprire a che categoria di pazzi appartenga chi ha fatto tutto questo.» McLean si strofinò gli occhi e il viso, tentando invano di alleviare la stanchezza.

«Se vuoi saperne di più su circoli magici e adoratori di demoni, la persona con cui devi parlare è Madame Rose, giù a Leith Walk.»

«Ah sì?»

«Fidati. Non sono in molti a saperne più di Madame Rose, quando si tratta di occulto.»

Dal modo in cui parlava, McLean non riusciva a capire se il sovrintendente capo lo stesse prendendo in giro. In quel caso, doveva ricordarsi di non giocare mai a poker con lei. Decise che se stava dicendo la verità, allora l'avrebbe fatto anche lui.

«Farei meglio a farle visita, allora. Magari mi faccio anche leggere la mano.»

«Bravo, Tony. Ma dovrai aspettare.» La McIntyre rimise in ordine le fotografie e le appoggiò sul tavolo. «Non sono venuta a parlarti di demoni. Non di questo tipo, almeno. Charles mi sta assillando con il caso Smythe. Hai autorizzato tu il detective MacBride a raccogliere informazioni al servizio immigrazione?»

McLean non era stato così specifico, ma non avrebbe certo punito il ragazzo per la sua iniziativa.

«Sì, sono stato io. Ho pensato fosse importante stabilire un movente e magari farcelo confermare da alcuni dei compagni di prigionia di Okolo. L'autopsia ha sollevato alcune domande importanti.»

«Il che è precisamente il motivo per il quale dovresti limitarti a fare come ti ha chiesto l'ispettore capo Duguid, ossia lasciare perdere. Okolo è rimasto in attesa di rimpatrio per più di due anni. Non è bello starsene rinchiusi, specialmente se si pensa di non aver fatto niente di male. Smythe era una figura familiare nella struttura, tutti lo conoscevano. Okolo è fuggito, ha rintracciato l'uomo che riteneva responsabile della sua tortura e l'ha assassinato. Fine della storia.»

«Ma sono fuggiti altri uomini. E se avessero avuto la stessa idea? Che ne sarà degli altri membri del consiglio per l'immigrazione?»

«Gli altri fuggiaschi sono stati catturati e riconsegnati alla struttura. Due di loro sono già stati rimpatriati. Okolo era un pazzo solitario. Forse siamo stati noi a farlo impazzire, ma non è questo il punto. Non c'è alcuna prova diretta che induca a credere che ci sia stata un'altra persona coinvolta in questo omicidio. Non mi posso permettere di impiegare altri uomini e, francamente, ritengo sia una perdita di tempo proseguire nell'indagine.»

«Ma...»

«Lascia. Perdere. Tony.» La McIntyre guardò l'orologio. «E perché non sei al pub? Non capita spesso che Charles offra da bere a tutti.»

«L'ispettore capo Duguid ha trascurato di informarmi dei suoi programmi.» Era patetico, ma lo disse comunque.

«Oh, adesso non fare l'offeso. Ho visto il detective MacBride e il sergente Laird uscire prima, oggi, e loro non erano neanche stati assegnati al caso. È probabile che in centrale non ci sia più nessuno. Cosa credi che penseranno di te gli agenti più giovani, sapendoti chiuso qui con le tue strane fotografie? Che sei troppo bravo per farti vedere in giro con loro, adesso che sei diventato ispettore?»

Messa in quel modo, McLean capì quanto fosse stato irragionevole.

«Mi dispiace. È solo che a volte mi faccio prendere troppo dai casi. Non mi piacciono proprio i finali incerti...»

«Ed è per questo che sei un ispettore detective, Tony. Ma non per più di venti ore al giorno, almeno non nella mia centrale. E di sicuro non il giorno dopo la morte di tua nonna. Adesso fila al pub. O vai a casa. Non mi interessa. Ma dimenticati di Barnaby Smythe e di Jonathan Okolo. Ci penseremo domani.»

Al pub sembrava di essere a una patetica convention della polizia. McLean provò compassione per i normali clienti che non avevano niente a che vedere con i suoi colleghi, anche se guardandosi intorno non riuscì a scorgere nessuno che non avesse già visto in centrale durante la giornata. La festa era ovviamente iniziata da un bel po'; si erano formati piccoli gruppi che avevano occupato tutti i tavoli disponibili, le amicizie e le alleanze erano ben chiare, e ancora di più lo erano le avversioni e le inimicizie. Duguid era al bar e McLean si trovò di fronte a un bivio: non voleva trovarsi nella posizione di permettere all'ispettore capo di rifiutarsi di offrirgli da bere, ma neanche aveva voglia di accettare, qualora avesse voluto davvero pagargli qualcosa. Ma entrare in un pub senza bersi una pinta era un po' da stupidi.

«Eccola qua. Avevo cominciato a credere che ci avrebbe dato buca.» McLean vide Bob il Burbero tornare dal bagno. Indicò un tavolo in un angolo buio, circondato da una folla di persone dall'aria sospetta. «Ci siamo messi lì. Quel taccagno di Poldo ha sbattuto solo un cinquantone sul banco. Non è bastato neanche per mezza pinta a testa.»

«Non so perché ti lamenti, Bob. Non eri neanche assegnato al suo caso.»

«Non è questo il punto. Non si promette di offrire un drink a tutti per poi pagarne solo metà.»

Raggiunsero il tavolo prima che McLean avesse il tempo di ribattere. Il detective MacBride sedeva nell'angolo più lontano, accanto all'agente Kydd. Bob scivolò dietro la possente figura di Andy Houseman e si accomodò su una sedia, costringendo McLean a scorrere su una stretta panca accanto alla signorina Baird.

«Ha conosciuto Emma? Si è unita a noi dalle vertiginose vette di Aberdeen.» Bob il Burbero pronunciò il nome della città con una ridicola parodia dell'accento di quelle parti.

«Sì, ci siamo visti.» McLean scivolò sulla panca.

«Ce l'ha fatta, alla fine» disse Emma. Bob afferrò una pinta di birra e la passò a McLean, tenendosi per sé l'unico altro bicchiere presente sul tavolo.

«Ci dia dentro, signore.»

«Salute.» McLean alzò il bicchiere, poi bevve un sorso. Era fredda e frizzante. Gli unici aggettivi che gli venivano in mente, visto che non aveva praticamente alcun sapore.

«Ho ricevuto le foto, grazie.» Si voltò verso l'agente della scientifica.

«Fa parte del servizio. Le sono state utili? Io vedevo solo bianco…»

«Sì, sì… andavano bene.» McLean ebbe un brivido, ricordandosi la strana sensazione di impotenza, il curioso ululato di rabbia in lontananza. Era stato come in un sogno, o l'immaginazione gli aveva giocato un brutto scherzo? No, in verità si era solo alzato troppo velocemente dopo essere stato un sacco di tempo chino sul pavimento.

«Non state mica parlando di lavoro, vero?» Bob il Burbero ghignò di trionfo, con il bicchiere ormai vuoto. Diede una pacca a MacBride sul petto. «Mi devi dieci sterline, amico mio. Te l'avevo detto che l'ispettore sarebbe stato l'ultimo ad arrivare e il primo a offrire.»

«Di che sta parlando?» chiese Emma, corrugando la fronte nel tentativo di capire. McLean annuì ed estrasse il portafoglio dalla tasca della giacca. Avrebbe offerto il prossimo giro comunque. Ormai se lo poteva permettere.

«Parlare di lavoro al pub non è permesso. Chi trasgredisce offre un giro a tutti. È una vecchia tradizione che risale ai tempi in cui Bob era solo un agente, ossia in un periodo imprecisato tra le due guerre. Non è così, Bob?» Estrasse una banconota da venti sterline e la sbatté sul tavolo, ignorando le proteste del Burbero. «Stuart, pensaci tu, ti dispiace?»

«Cosa? Perché proprio io?»

«Perché sei il più giovane.»

Mugugnando, il detective MacBride sgusciò fuori dal suo angolino, prese i soldi e si diresse al banco.

«E ordina della birra decente, stavolta.»

Era passato parecchio tempo, quando McLean si ritrovò in strada a salutare un taxi pieno di agenti e tecnici un po' brilli. Big Andy se n'era andato presto per raggiungere a casa la moglie e il figlio. Era rimasto solo Bob il Burbero ad accompagnarlo a casa a piedi e, a giudicare dal suo stato, probabilmente avrebbe passato la notte nella stanza degli ospiti. Non sarebbe stata certo la prima volta e non c'era neanche una signora Bob ad aspettarlo: se n'era andata molti anni fa.

«È carina quella Emma, non credi?»

«E tu non credi di essere un po' troppo vecchio per un'altra cotta, Bob?» McLean si aspettava di ricevere un pugno sulla spalla e non restò deluso.

«Mica per me, idiota. Per te.»

«Lo so, Bob, e sì, è carina. Strani gusti in fatto di musica, ma è un problema minore. Sai niente di lei?»

«Solo che è arrivata da qualche mese. È di Aberdeen.» Bob il Burbero sfoggiò di nuovo il terribile accento di quella città.

«Sì, l'hai già detto.»

«Non so molto altro. I ragazzi della scientifica ne parlano bene, perciò deve essere brava in quello che fa. Ed è bello avere un viso gentile intorno invece della solita schiera di musoni.»

Rimasero in silenzio per un po', camminando affiancati lungo il marciapiede, come un brizzolato, vecchio sergente e il suo non più così giovane agente impegnati nella ronda notturna. L'aria era fresca, il cielo buio con riflessi arancioni; ormai non si vedevano più le stelle; troppo inquinamento luminoso. Senza preavviso, Bob si fermò di botto.

«Ho saputo di tua nonna, Tony. Mi dispiace. Era una gran donna.»

«Grazie, Bob. Sai, trovo difficile credere che se ne sia andata davvero. Forse dovrei vestirmi a lutto e strapparmi i capelli… o forse piangere e digrignare i denti potrebbe bastare. Ma è strano. Mi sento quasi più sollevato che triste. È rimasta in coma per così tanto tempo…»

«Hai ragione. In realtà è un bene.» Ripresero a camminare, svoltando l'angolo della via dove abitava McLean.

«Ho visto il suo avvocato, oggi. Mi ha lasciato tutto. È una bella somma.»

«Cristo, Tony, non lascerai mica la polizia, vero?»

Il pensiero non l'aveva neanche sfiorato fino a quel momento, ma impiegò cinque secondi interi a rispondere.

«Assolutamente no, Bob. Che altro farei? Inoltre, se me ne andassi, chi ti coprirebbe mentre leggi il giornale tutto il giorno?»

Raggiunsero l'ingresso del condominio e McLean vide sempre la stessa pietra, posizionata strategicamente per tenere aperta la porta.

«Ce la fai a tornare a casa o vuoi dormire qui?»

«No, devo camminare un bel po', prenderò aria. Chissà che non mi passi la sbronza.»

«Ok, allora, buonanotte.»

Bob il Burbero salutò senza voltarsi mentre si allontanava lungo la strada. McLean si chiese quanto avrebbe resistito prima di decidere di chiamare un taxi.

17

La sede della Penstemmin Security Systems occupava un'ampia area di terreno bonificato sulle sponde del Firth of Forth, tra Leith e Trinity. L'edificio era un magazzino moderno e anonimo. Avrebbe potuto essere benissimo un centro commerciale o un call center, anche se di solito quei luoghi non erano circondati da recinzioni elettrificate, sensori di movimento e telecamere a circuito chiuso più che nella prigione di stato. Le pareti erano di color grigio corazzata e una striscia di vetro oscurato correva attorno all'intero edificio, appena sotto i cornicioni del basso tetto. Nell'angolo più vicino il tetto scendeva fino a terra, a coprire un piccolo foyer.

Il detective MacBride parcheggiò la volante nell'unico posto riservato ai "visitatori". La Vauxhall Vectra bianca sembrava decisamente fuori posto accanto alle BMW e alle Mercedes 4x4 luccicanti. Il direttore, notò McLean, poteva addirittura permettersi di venire al lavoro a bordo di una Ferrari nuova di zecca.

«Sembra proprio che abbiamo scelto il lavoro sbagliato.» Seguì il detective attraverso il parcheggio, godendosi la fresca brezza mattutina che soffiava dalla baia. Il viso di MacBride era pallido, gli occhi cerchiati dopo la nottata di eccessi. Indubbiamente, la gara di shot di tequila che aveva fatto con l'agente Kydd l'avevano privato di qualche milione di cellule cerebrali. All'inizio apparve disorientato, poi notò la collezione di macchine di lusso.

«Non ce la vedo nei panni del petroliere, signore. Dicono che non abbia neanche una macchina.»

McLean ignorò il desiderio di scoprire da chi arrivassero queste voci. Si dicevano cose ben peggiori alle spalle della gente. «No, è vero, ma questo non significa che non le conosca.»

Si erano già identificati all'ingresso dell'area recintata, ma dovettero confermare nuovamente le loro identità attraverso un interfono prima di poter entrare nell'edificio. Alla fine furono accolti da una giovane donna ben vestita, con un taglio di capelli aggressivo e un paio di occhiali rettangolari così sottili che probabilmente vedeva il mondo come se sbirciasse da una buca delle lettere.

«Detective MacBride?» Tese la mano a McLean.

«Ehm, no, io sono l'ispettore McLean. Lui è il mio collega, il detective MacBride.»

«Oh, mi scusi. Courtney Rayne.» Si strinsero la mano e la donna li condusse attraverso una serie di porte di sicurezza fino al cuore dell'edificio. Era un locale cavernoso, il cui soffitto era supportato da una ragnatela di travi a graticola. Potenti condizionatori industriali pompavano aria gelata nell'enorme stanza. McLean rabbrividì.

Il locale era diviso in piccoli spazi quadrati mediante pareti divisorie da ufficio. In ogni cubicolo, una dozzina di persone sedeva di fronte a uno schermo, auricolari in testa, e parlava a un piccolo microfono che sembrava librarsi davanti alle loro labbra come una vespa. Il baccano era continuo, scandito da occasionali grida emesse da un caposquadra che cercava di comunicare da un settore all'altro.

«Il nostro centro monitora più di ventimila sistemi d'allarme in tutta la cintura centrale» disse la signorina Rayne. McLean decise di chiamarla signorina, anche se fosse stata sposata.

«Non avevo idea che la Penstemmin fosse un'organizzazione così vasta.»

«Oh, non sono tutti sistemi Penstemmin. Monitoriamo gli allarmi di un paio di dozzine di altre compagnie. Le capsule in fondo alla sala sono dedicate alla zona della polizia di Strathclyde, mentre queste due monitorano tutti i sistemi di allarme di Lothian e Borders.»

«Capsule?»

«È così che chiamiamo le nostre squadre, ispettore. Ogni gruppo è una capsula. Non mi chieda come mai, perché non ne ho idea.»

La signorina Rayne li guidò nella sala, attraverso un largo corridoio che segnava il confine tra le due grandi regioni della Scozia, una sorta di epitome della loro antica inimicizia. McLean osservò i pallidi centralinisti alle loro console. Al passaggio della donna chinavano la testa, fingendo di essere indaffaratissimi anche se pochi secondi prima erano con le mani in mano. Non aveva l'aria di un posto di lavoro piacevole; si chiese a quale ritmo si rinnovasse lo staff e se gli ex dipendenti covassero del risentimento verso l'azienda, o fossero a conoscenza di informazioni riservate.

In fondo alla sala, una scalinata conduceva a una lunga balconata. Alcuni uffici con le pareti in vetro occupavano il primo piano in tutta la sua lunghezza. Le persone all'interno erano senza dubbio i proprietari delle lussuose auto parcheggiate fuori. I poveri pezzenti del pianoterra sicuramente venivano al lavoro in autobus o dovevano parcheggiare in strada, fuori dal complesso.

Dopo aver attraversato l'intera sala per raggiungere le scale, la loro guida li stava facendo tornare indietro. McLean sospettò che ci fosse una via più veloce per arrivare all'ufficio dove si stavano dirigendo, ma per qualche motivo la signorina Rayne aveva voluto mostrare loro la grande sala. Forse l'aveva fatto solo per impressionare la polizia; in quel caso, però, aveva fallito. McLean ne aveva già abbastanza della Penstemmin Security Systems e non aveva neppure cominciato l'interrogatorio.

Raggiunsero una grande porta a vetri al centro di una parete, a sua volta di vetro, che intersecava l'angolo dell'edificio. La loro guida fece una brevissima pausa per bussare delicatamente, poi aprì la porta e annunciò il loro arrivo.

«Doug? Ho qui l'ispettore McLean della polizia di Edimburgo. Hai presente? Il detective che ha telefonato?» Quando McLean attraversò la soglia vide l'uomo cui la ragazza si era rivolta, in piedi dietro un'enorme scrivania. Aveva già cominciato ad andare loro incontro attraverso l'ampio ufficio. Altro che capsule, avrebbero potuto riempire quel posto d'acqua e ospitarci comodamente una mezza dozzina di balene.

«Doug Fairbairn. Piacere di conoscerla, ispettore. Detective…» Era tutto un sorriso; denti bianchissimi incorniciati da un volto abbronzato. Indossava una camicia ampia con pesanti gemelli d'oro, la cravatta perfettamente annodata. La giacca era appesa allo schienale della sedia e i pantaloni del completo erano costosi, confezionati a mano, studiati per nascondere il ventre prominente.

«Signor Fairbairn…» McLean strinse la mano dell'uomo, che ricambiò la stretta con fermezza. Fairbairn trasudava fiducia in se stesso. O arroganza. Era troppo presto per dirlo con certezza. «È sua la Ferrari parcheggiata qui fuori?»

«F430 Spider. Le piacciono le auto, ispettore?»

«Da ragazzino andavo alle corse a Knockhill. Adesso non ne ho più il tempo.»

«Ah, quella è troppo potente per Knockhill. Devo andare verso sud quando la porto a fare un giro. L'anno scorso l'ho guidata nel circuito. Prego, si sieda.» Fairbairn indicò un basso divano di pelle e alcune poltrone dallo stile minimalista. «Che posso fare per lei, ispettore?»

Nessuna offerta di tè e biscotti. Solo chiacchiere egocentriche.

«Sto investigando su una serie di furti in appartamento. L'opera di un professionista, diciamo. Lavoretti puliti, senza segni di effrazione. Al momento abbiamo un sottile collegamento tra i vari episodi ma, in ciascuno degli ultimi tre furti, nelle case era installato un sistema d'allarme Penstemmin. E ogni volta è stato aggirato senza che nessuno se ne accorgesse.»

«Courtney, il fascicolo, per favore.» Fairbairn rivolse un cenno del capo alla severa donna d'affari che era rimasta in piedi, immobile, vicino alla porta. Lei uscì e tornò poco dopo stringendo una cartellina rigida.

«Presumo che si tratti della recente irruzione nell'abitazione del signor Douglas. Un deplorevole incidente, naturalmente, ispettore. Ma abbiamo condotto un test approfondito del sistema d'allarme e non abbiamo trovato nulla che faccia pensare a un'eventuale manomissione.»

«Il vostro sistema si collega all'allarme quando quest'ultimo viene inserito, signore?» chiese il detective MacBride, con il blocnotes in mano e la matita sollevata.

«Sì, detective. Il signor Douglas disponeva di un apparecchio della migliore qualità. Il nostro sistema computerizzato ha rilevato l'inserimento dell'allarme alle...» Fairbairn aprì la cartellina e ne estrasse un foglio stampato «... dieci e trenta del mattino del giorno in questione. È stato disinserito nuovamente alle quindici meno un quarto. Il monitoraggio ha rilevato alcuni picchi elettrici durante questo periodo di tempo, ma niente di insolito. La riserva energetica della città, purtroppo, è notoriamente impura.»

«Qualcuno potrebbe aver eluso l'allarme in qualche modo? Che so, resettando il monitor?»

«Tecnicamente è possibile, suppongo. Ma occorrerebbe avere accesso all'elaboratore centrale, che si trova nel nostro seminterrato, dietro una porta d'acciaio spessa trenta centimetri. Il che significa che prima occorre arrivarci, e vi assicuro che non è affatto facile. Inoltre occorrerebbe conoscere a menadito il nostro sistema, e l'ultima password. Anche supponendo che tutto ciò fosse possibile, si lascerebbe una traccia. Abbiamo fatto testare l'intero sistema da esperti di sicurezza informatica, i migliori del settore. È virtualmente a prova di bomba.»

«Quindi, se il sistema è stato aggirato, significa che il lavoro è stato fatto dall'interno?» McLean si godette il panico che spuntò sul viso di Fairbairn.

«Impossibile. Il nostro staff è soggetto a controlli accurati. E nessuno ha accesso a tutte le parti del sistema. Andiamo fieri della nostra integrità.»

«Naturalmente, signore. Può dirmi chi ha installato il sistema del signor Douglas?»

Fairbairn rovistò nella cartellina, sfogliando nervosamente le pagine. Adesso non sembrava più così sicuro di sé.

«Carpenter» disse dopo un po'. «Geoff Carpenter. È uno dei nostri migliori tecnici. Courtney, puoi sentire se Geoff è fuori? Se è in azienda, fallo venire qui. Grazie.»

La signorina Rayne uscì nuovamente dalla stanza. Una conversazione telefonica giunse attutita dalla porta lasciata aperta.

«Presumo che vogliate parlarci» disse Fairbairn.

«Sarebbe utile, sì» replicò McLean, fissando l'uomo negli occhi. «Mi dica, signor Fairbairn, la signorina Rayne ci ha informato che la sua compagnia offre servizi di monitoraggio per gli allarmi di diverse altre compagnie della cintura centrale. Potrebbe fornirmi una lista di queste compagnie?»

«È un'informazione riservata, ispettore.» Fairbairn esitò un istante, tormentandosi le dita più o meno come faceva sempre Bob il Burbero. Infine si passò il palmo delle mani sui costosi pantaloni di seta. «Ma oserei dire che sì, posso fornirvela. Dopotutto, il nostro lavoro prevede di collaborare con tutte le forze di polizia della Scozia.»

«Le renderò il compito più semplice. Le dicono nulla i nomi Secure Home, Lothian Alarm Systems e Subsisto Raptor?»

Lo sguardo di Fairbairn si fece ancora più allarmato. «Be'… ehm, sì, ispettore. Monitoriamo gli allarmi cittadini di queste tre compagnie.»

«Da quanto tempo avete questo accordo, signor Fairbairn?» Il detective MacBride girò pagina sul suo blocco e leccò la punta della matita. Quel ragazzo aveva visto troppi polizieschi, ma l'effetto era divertentissimo.

«Oh, mmm. Vediamo… Abbiamo acquistato la Lothian un paio di mesi fa, ma gestiamo i loro allarmi da circa cinque anni. La Secure Home si è rivolta a noi per la prima volta due anni fa, mentre la Subsisto Raptor è salita a bordo diciotto mesi fa, all'incirca. Posso trovare le date esatte, se volete. È questo il collegamento tra i furti di cui mi parlava?»

«Esatto, signor Fairbairn.»

«Spero che non stia cercando di insinuare…»

«Non insinuo niente, signor Fairbairn. Sto solo seguendo una pista nella mia indagine. Non credo certo che la sua compagnia stia sistematicamente derubando i propri clienti, sarebbe una mossa stupida. Ma da qualche parte, nel vostro sistema, c'è una falla, e io intendo trovarla.»

«Naturalmente, ispettore. Non mi aspetto niente di diverso. Ma la prego di capire che per noi la reputazione è tutto. Se si diffondesse la notizia che il nostro sistema non funziona a dovere, falliremmo entro la fine dell'anno.»

«Sa bene che non è nel mio interesse che questo avvenga, signor Fairbairn. Le compagnie come la sua ci facilitano il lavoro, per così dire. Ma voglio prendere il colpevole.»

«C'è qualcosa che mi sfugge, detective.»

«Signore?»

«Qualcosa di ovvio. Qualcosa che avrei dovuto capire sin dall'inizio.»

«Be', Fairbairn non ci sta dicendo tutta la verità, questo è sicuro.»

«Come? Oh, no. Scusa. Stavo pensando alla ragazza assassinata.»

Stavano guidando lungo Leith Walk, diretti alla centrale. Lontani dalla costa, il caldo della giornata intrappolato tra le file di alti edifici rendeva l'abitacolo dell'auto soffocante. McLean aveva aperto il finestrino, ma avanzavano troppo lentamente perché entrasse aria. C'era qualcosa che bloccava il traffico.

«Prendi la prossima a sinistra.» McLean indicò una stradina laterale.

«Ma la centrale è più avanti, signore.»

«Non voglio rientrare, ancora. Voglio dare un'altra occhiata in quel seminterrato.»

«A Sighthill?»

«Faremmo molto prima se la smettessi di fare domande inutili.»

«Sì, signore. Scusi, signore.» MacBride imboccò la corsia preferenziale e svoltò a sinistra. McLean si pentì di averlo aggredito. Non sapeva perché d'un tratto fosse così di cattivo umore.

«Che cosa sappiamo di questa ragazza?»

«Mmm, che intende, signore?»

«Be', pensaci. È giovane, povera, vestita al meglio delle sue possibilità. Che cosa stava facendo quando è stata uccisa?»

«Andava a una festa?»

«D'accordo, supponiamo che sia così. Andava a una festa. Adesso poniamo che la festa si tenesse nella casa dove l'abbiamo trovata. Che cosa ti suggerisce, questo?»

Calò il silenzio mentre guidavano attraverso il dedalo di strade attorno a Holyrood Palace.

«Che il proprietario della casa era a conoscenza dell'omicidio?»

«E chi era il proprietario?»

«La casa era di proprietà della banca Farquhar. Sugli atti c'è scritto che era stata acquistata nel 1920 e più tardi venduta alla Mid Eastern Finance, per la precisione diciotto mesi fa.»

«Ok, fammi riformulare la domanda. Chi viveva in quella casa? E chi gestiva la Farquhar prima che fosse venduta?»

«Non saprei, signore. Un tizio di nome Farquhar?»

McLean sospirò. C'era senza dubbio qualcosa che gli sfuggiva.

«Dobbiamo parlare con quelli della Mid Eastern Finance. Nel loro staff ci deve essere qualche ex impiegato della vecchia banca. O se non altro, dovrebbero ancora avere i registri di chi ci lavorava. Vedi se riesci a trovare qualcosa quando torniamo alla centrale.»

«Vuole tornarci adesso, signore?»

«No. Voglio tornare in quella casa. Prima o poi dovrò far riprendere i lavori a McAllister. So che la scientifica ha rivoltato quel posto come un calzino, ma voglio rivederlo con i miei occhi.»

Al loro arrivo si trovarono di fronte un edificio deserto e container chiusi. Pesanti assi di compensato sbarravano le finestre del pianoterra e una grossa catena con lucchetto bloccava la porta. McLean ordinò al detective MacBride di attaccarsi al telefono e trovare la chiave, poi fece un giro intorno alla casa per vedere se trovava qualcosa.

Stranamente, per una casa di quel tipo, la colonna ornamentale si trovava sul retro. Dalla quantità di lastre di ardesia rotte e dall'abbondante intonaco che giaceva nel giardino, McLean immaginò che non ci vivesse nessuno da anni. I rovi risalivano lungo le pareti rovinate fino alle finestre rotte del primo piano e, quello che un tempo doveva essere un prato ben curato, adesso era pieno di giovani sicomori. Tutto era circondato da un alto muro di pietra, in cima al quale c'erano vetri rotti incastonati nella malta grezza. Un sentiero conduceva fino a un piccolo gazebo. La vecchia porta di legno giaceva tra la vegetazione, marcia, e al suo posto erano state fissate altre assi di compensato. Tommy McAllister era meno permissivo nei confronti dei vandali e degli amanti di Sighthill, rispetto alla banca Farquhar.

Ci vollero solo dieci minuti perché arrivasse un agente con le chiavi; era la giovane che era rimasta a guardia del corpo la notte in cui era stato scoperto.

«Pensa di finire presto qui, signore? Tommy McAllister chiama tre volte al giorno e non fa che ripetermi che paga degli operai per stare con le mani in mano.» Aprì il lucchetto e si mise la chiave in tasca.

«Me lo ricorderò, agente, ma non sto conducendo quest'indagine per i comodi del signor McAllister.»

«Sì, certo, lo so, signore. Ma non telefona a lei.»

«Be', se continua a lamentarsi, digli di venire da me» rispose McLean.

«Lo farò, signore. La lascio, chiuda lei quando ha finito.» L'agente si voltò e si diresse verso la macchina. McLean scosse il capo ed entrò nella vecchia casa, rendendosi conto solo in quell'istante che non conosceva il nome della ragazza.

Un nastro della polizia impediva l'ingresso nella cantina, ma quando ci passò sotto e scese le scale, McLean ebbe la sensazione che qualcun altro fosse stato lì. Tutti i calcinacci sparpagliati attorno al buco nel muro erano spariti. Erano rimaste solo alcune pietre. Forse la scientifica aveva pulito tutto prima di andarsene, ma sarebbe stata la prima volta in assoluto.

Tirò fuori la torcia, entrò nel buco e mise piede nella stanza. Aveva un'aria molto diversa, ora che il povero corpo torturato era stato rimosso. C'erano sei buchi, scavati a distanza regolare lungo la liscia parete intonacata. Guardò in ciascuno, senza aspettarsi di trovare granché. Erano semplici nicchie create rimuovendo alcuni mattoni. Dentro c'erano un po' di intonaco e i pezzi di legno usati per chiudere il buco.

«È stata trovata qui?» McLean si voltò e vide il detective MacBride all'ingresso della cantina. La sua figura bloccava la luce che arrivava dalle lampadine all'esterno. McLean si rese conto che non era mai stato sulla scena di quel crimine.

«Esatto, detective. Vieni a dare un'occhiata. Dimmi cosa vedi.»

MacBride aveva una torcia più grande della sua. Forse faceva parte dell'attrezzatura standard della volante, anche se ne dubitava. Il detective camminò lentamente per la stanza, proiettando il fascio di luce sul soffitto, sul pavimento e nei quattro piccoli fori che indicavano il punto in cui erano stati piantati i chiodi. Infine guardò le pareti, passando la mano sull'intonaco.

«È un incubo intonacare una stanza circolare» commentò. «Chiunque l'abbia fatto era uno che sapeva il fatto suo.»

McLean lo fissò. Poi riguardò le nicchie e l'arco dell'ingresso originario, murato per nascondere quell'orribile crimine. Come aveva fatto a essere così stupido?

«Ho capito!»

«Che cosa?»

«Cos'hanno fatto. Nascondere le nicchie, murare l'ingresso. Serve un operaio per fare una cosa simile.»

«Be', sì.»

«E se continuiamo con la teoria del rituale, dobbiamo pensare a uomini colti. Ma se venivano a fare le loro feste in posti del genere, allora erano anche ricchi.»

«Quindi?»

«Quindi, sessant'anni fa gli uomini ricchi non ricorrevano al fai da te. Non avrebbero saputo distinguere una cazzuola da un piccone.»

«Non capisco…»

«Pensaci, detective. Gli organi sono stati nascosti nelle nicchie, il che significa che hanno intonacato tutto dopo la morte della ragazza. Chiunque sia stato, ha dovuto assumere qualcuno per il lavoro di muratura. E quella persona avrà per forza visto cosa c'era qui dentro. Ora, come credi che gli assassini gli abbiano impedito di parlare di ciò che aveva visto?»

«Uccidendolo a lavoro finito?»

«Esattamente. Non potevano certo lasciarlo in vita.»

«Ma... questo come ci aiuterebbe? Voglio dire, se è morto, be'... è fatta. E se hanno fatto sparire il cadavere?»

«Dimentichi qualcosa, detective. Non siamo in grado di cercare la ragazza tra le persone scomparse perché non sappiamo niente di lei. Avrebbe potuto essere una vagabonda, una straniera, qualsiasi cosa. Ma chi ha intonacato questa stanza e chiuso le nicchie era un artigiano, probabilmente locale.»

«Non può essere stato uno di loro? Uno dei sei, intendo.»

McLean fece una pausa: la logica schiacciante di MacBride aveva condotto il suo processo deduttivo a un vicolo cieco. Poi si ricordò degli oggetti ritrovati nelle nicchie. Un gemello d'oro, il portasigarette d'argento, la scatola Netsuke, il portapillole, il fermacravatta. Solo gli occhiali avrebbero potuto appartenere a un operaio, negli anni Quaranta. Ma era improbabile.

«È possibile» ammise. «Ma ne dubito. E, per ora, è la pista migliore che abbiamo. Dovremo spulciare vent'anni di rapporti, ma deve esserci qualcosa a proposito di un muratore scomparso. Troviamolo, e scopriremo per chi lavorava.»

18

«Oh, signor McLean. Aspetti un attimo, c'è un pacco per lei.»

McLean si fermò in fondo alle scale, cercando di trattenere il respiro per non sentire la puzza di piscio di gatto. La signora Mc-Cutcheon doveva averlo aspettato seduta nell'atrio. Lasciò la porta aperta e scomparve nei recessi dell'appartamento. Poco dopo, un elegante gatto nero uscì dalla porta, annusando l'aria a testa alta. Per un attimo McLean fantasticò che la donna fosse una strega e si fosse appena trasformata. Forse, di notte, vagava per le strade di Newington, sbirciando dalle finestre delle case e osservando le persone all'interno. Forse era per quello che sapeva così tanto di tutti.

«Mi è dispiaciuto molto per sua nonna. Era una brava donna.» La signora McCutcheon uscì di casa stringendo un grosso pacco tra le mani rugose e tremanti. Il gatto le si strofinò attorno alla gamba, rischiando quasi di farla cadere. Addio alla teoria della strega.

«Grazie, signora. È molto gentile da parte sua.» McLean prese il pacco prima che la signora lo facesse cadere.

«Si figuri. Non avevo idea che avesse avuto una vita simile. E perdere il figlio in quel modo e... Oh.» Lo sguardo della signora McCutcheon incontrò il suo per un attimo, poi l'anziana donna abbassò gli occhi verso il pavimento. «Perdonatemi. Certo. Doveva essere suo padre.»

«La prego, signora, non si preoccupi» disse McLean. «È stato tanto tempo fa, dopotutto. Ma come ha scoperto tutte queste cose?»

«Be', è sul giornale.» Scomparve nuovamente nell'appartamento e riapparve pochi istanti dopo con una copia dello *Scotsman*. «Ecco, lo tenga. Io l'ho già letto.»

McLean la ringraziò nuovamente, poi salì le tortuose scale di pietra fino al suo appartamento all'ultimo piano. Sulla segreteria telefonica lampeggiava in rosso un grosso numero due; premette il pulsante, posando il pacco e il giornale mentre il nastro si riavvolgeva.

«Ciao, Tony, sono Phil. Metti via le manette e vieni al pub, alle otto. Jenny mi ha detto che sei passato dal negozio con un vestito e voglio sapere tutti i dettagli.»

Seguì un *bip*, poi partì il secondo messaggio.

«Ispettore McLean? Sono Jonas Carstairs. La chiamo per confermarle che il funerale si terrà a mezzogiorno di lunedì. Una macchina verrà a prenderla alle undici. Mi chiami se le serve qualcos'altro. Ha i miei numeri di casa e cellulare. Ah, dovrebbe ricevere un pacco nel fine settimana. Sono le copie degli atti legali relativi alla proprietà di sua nonna. Ho pensato che avrebbe voluto dargli un'occhiata. Possiamo parlare dei dettagli più avanti.»

McLean guardò il pacco. Recava il timbro postale dello studio legale Carstairs Weddell. Lo aprì ed estrasse una spessa pila di fogli, che odoravano ancora di fotocopiatrice. Sulla prima pagina si leggeva «Ultime volontà e testamento» a caratteri svolazzanti. Stava per cominciare a sfogliarli, quando la segreteria emise un secondo *bip*.

«La prego mi aiuti. La prego mi trovi. La prego mi salvi. La prego. La prego.»

Quella voce gli fece venire un brivido. Sembrava una donna giovane, forse una ragazza. Aveva uno strano accento. Scozzese, della costa est, ma non di Edimburgo. Guardò la segreteria telefonica: il display diceva «due». Due messaggi. Premette di nuovo «play», aspettando con impazienza che il nastro si riavvolgesse. Sentì la voce allegra di Phil, poi quella di Jonas Carstairs. Poi, più nulla. La segreteria rimase muta.

Riavvolse il nastro e riascoltò per la seconda volta i messaggi. Erano ancora due. Andò nello studio e frugò nella scrivania alla ricerca di un vecchio registratore portatile, poi passò dieci minuti buoni a cercare le batterie adatte. Inserì la cassetta della segreteria e premette «play». Ascoltò il messaggio di risposta automatica: aveva davvero una voce così triste e annoiata? Poi, dopo un breve silenzio, il messaggio di Phil. Un altro breve silenzio, poi Jonas. Qualche vecchio messaggio che non era stato ancora sovrascritto, ma niente che assomigliasse anche solo lontanamente a quello che aveva sentito. O a quello che pensava di aver sentito. Dopodiché silenzio. Rimase in ascolto per un po', poi mandò avanti veloce. Così facendo, avrebbe sentito quello che era stato registrato sul nastro, ma a velocità accelerata. Avrebbe dovuto esserci anche la voce della ragazza. Ma per qualche minuto non udì altro che una successione di vecchi messaggi. Di nuovo silenzio.

Se l'era immaginato? Se così fosse stato, era un'allucinazione molto strana. Il nastro raggiunse la fine. Lo estrasse, lo girò e premette di nuovo «play».

«Salve, siamo Tony e Kirsty. Siamo troppo impegnati a raddrizzare i torti del mondo e a combattere il crimine per rispondere al telefono. Lasciate un messaggio dopo il *bip*.»

Lentamente, McLean si lasciò cadere in ginocchio, le gambe non riuscivano più a sorreggerlo. Era consapevole della stanza intorno a lui, ma ora era più buia, sfocata. La sua voce. Quanti anni erano passati dall'ultima volta che aveva sentito la sua voce? Quell'ultimo, fatidico, falso «Ci vediamo dopo?» e per tutto quel tempo era rimasta incisa su quella cassetta, in quella stupida segreteria.

Senza pensare, tornò indietro e riascoltò il messaggio. Le parole di lei riecheggiavano nell'appartamento vuoto e, per un po', fu come se i rumori della città svanissero. Si guardò intorno, osservando i soliti, vecchi quadri alle pareti; la moquette, un po' consunta, copriva i chiari pavimenti smerigliati; lo stretto tavolino accanto alla porta, sul quale c'erano il telefono e le chiavi. L'avevano acquistato in quel mercatino di seconda mano a Duddingston. Il loro nido, l'aveva chiamato Phil. Da quando Kirsty era morta, nell'appartamento non era cambiato quasi niente. Se n'era andata così all'improvviso che si era lasciata alle spalle perfino la voce.

Il campanello lo riscosse da quei pensieri malinconici. Per un attimo pensò di non rispondere, di fingere di non essere in casa. Avrebbe potuto passare un intero pomeriggio ad ascoltare la sua voce, magari sarebbe tornata da lui. Ma sapeva che era impossibile. Rivide il suo corpo, freddo, privo di vita, disteso sul tavolo dell'obitorio. Vide la sua bara scivolare dietro l'ultimo, eterno sipario. Prese il citofono.

«Sì?»

Era Phil. McLean aprì il portone, rendendosi conto che gli studenti al primo piano avevano smesso di lasciarlo aperto con le pietre. Aprì la porta dell'appartamento e ascoltò i passi di Phil salire le scale. Non sembrava solo. Doveva essersi portato dietro

Rachel. Cattivo presagio: di solito il suo vecchio coinquilino veniva a trovarlo da solo.

Entrarono nell'appartamento, Phil, Rachel e Jenny, ridendo di qualcosa che dovevano aver detto mentre salivano. Smisero subito.

«Cristo santo, Tony. Sembri uno che ha visto un fantasma.» Phil entrò come se vivesse ancora lì. Le due donne, invece, rimasero sulla soglia, incerte. Per un attimo, McLean provò rancore nei loro confronti. Voleva restare da solo con la sua tristezza. Poi si rese conto di quanto fosse stupido. Kirsty non c'era più. Se n'era fatto una ragione molto tempo fa. Sentire la sua voce l'aveva solo colto di sorpresa.

«Mi hai beccato in un brutto momento, scusa. Signore, entrate. Fate come se foste a casa vostra. Prendete esempio da Phil.» Si infilò il registratore in tasca, poi indicò il soggiorno, sperando che fosse in ordine. Non riusciva a ricordarsi l'ultima volta che vi era entrato. «Qualcosa da bere?»

Era strano avere ospiti di sesso femminile. McLean era abituato alla discutibile compagnia di Bob il Burbero, che andava a trovarlo per festeggiare la fine di un'indagine particolarmente difficile. A volte passava anche Phil, di solito dopo che aveva rotto con una delle sue studentesse e doveva annegare il dolore in una bottiglia di whisky di malto. Ma non si ricordava l'ultima volta che aveva avuto delle vere ospiti. Gli piaceva vivere da solo e preferiva socializzare al pub. Era per quello che la cucina era del tutto priva di generi alimentari. Trovò un grosso pacchetto di arachidi, ma si stava avvicinando alla data della scadenza ed era sinistramente gonfio, come lo stomaco di un cadavere.

«Che succede, Tony? Se non ti conoscessi, direi che stai cercando di evitarci.» McLean si voltò e vide Phil in piedi sulla porta.

«Sto cercando qualcosa da mangiare, Phil.» Aprì la credenza, come a volerglielo dimostrare.

«Sono io, Tony. Il tuo ex coinquilino, ricordi? Puoi anche prendere per il culo lo psicologo della centrale, ma io ti conosco da troppo tempo. C'è qualcosa che non va. È per tua nonna?»

McLean guardò la pila di fogli. Li aveva buttati sul tavolo della cucina, insieme ai rapporti sui furti in appartamento e al fascicolo sulla ragazza morta. Un altro motivo per il quale preferiva non avere ospiti: non si poteva mai sapere cosa avrebbero potuto trovare.

«Non è per mia nonna, Phil, no. L'ho persa diciotto mesi fa. Ho avuto un bel po' di tempo per farmene una ragione.»

«Allora che c'è che non va?»

«Ho trovato questo. Appena prima che arrivaste.» McLean estrasse il registratore dalla tasca, lo mise sul ripiano della cucina e premette «play». Phil sbiancò.

«Cristo, Tony. Mi dispiace.» Si lasciò cadere pesantemente su una delle sedie della cucina. «Mi ricordo quel messaggio. Diavolo, sarà di dieci anni fa. Come accidenti…?»

McLean cominciò a spiegare e solo allora si ricordò della strana voce che l'aveva spinto ad analizzare il nastro della segreteria. Doveva essersela immaginata, ma adesso si fondeva con le parole di Kirsty in una disperata preghiera, formulata da una persona morta da tempo, ben al di fuori della sua portata, irraggiungibile. A quel pensiero rabbrividì.

«Mi sa che ti serve un po' di compagnia, amico mio.» Phil prese il sacchetto di arachidi dall'aria sospetta e ne tastò la tumescenza, prima di gettarlo nella pattumiera. «Se Rachel e io dobbiamo aiutarti a bere la tua bella collezione di vino, ci servirà della pizza.»

«Allora è una cosa seria, tra te e lei?»

«Non lo so. Forse. Di certo io non sto ringiovanendo. E stiamo insieme da un sacco di tempo, ormai.» Phil si dondolò nervosamente e infilò le mani in tasca riuscendo ad assomigliare in modo convincente a uno scolaretto imbarazzato. McLean non riuscì a trattenere una risata e si sentì subito meglio. Quasi nello stesso istante, dal soggiorno provenne un'esplosione di musica. Erano i Blue Nile che suonavano la loro *Tinseltown in the Rain* a un volume esagerato, che subito venne ridotto a un livello più decente, anche se ancora troppo alto. McLean pensò di chiedere alle ragazze di abbassare, poi però si ricordò di tutte le notti in cui era stato tenuto sveglio dagli studenti del piano di sotto. Era venerdì sera; tutti, nel condominio, erano fuori a divertirsi, tranne la signora McCutcheon, che comunque era sorda come una campana. Perché avrebbe dovuto preoccuparsi di non fare rumore?

Rachel sedeva appollaiata sul bracciolo del divano e sembrava leggermente a disagio. Si illuminò quando Phil entrò in soggiorno, subito dietro McLean. Jenny era china di fronte agli scaffali lungo la parete, a curiosare fra la collezione di dischi. Dava loro le spalle e, con la musica alta, non si accorse del loro arrivo.

«Tony è uno scapolo senza speranza. Non c'è nulla da mangiare in casa, solo alcolici» disse Phil sovrastando il frastuono. «Dobbiamo ordinare la pizza.»

«Credevo che saremmo andati al pub» disse Rachel. A quelle parole, Jenny si voltò. Allungò la mano verso lo stereo, abbassando subito il volume.

«Mi dispiace. Non avrei dovuto. Io…» Arrossì violentemente.

«Non c'è problema» rispose McLean. «Di tanto in tanto bisogna farli girare, sennò la qualità del suono si deteriora.»

«Non conosco nessuno che possegga ancora un giradischi. E guarda quanti vinili. Devono valere una fortuna.»

«Quello non è un giradischi, Jenny» disse Phil. «È un impianto Linn Sondek, che vale più o meno quanto il prodotto interno lordo di uno staterello africano. A Tony devi piacere molto. A me avrebbe tagliato le mani se l'avessi anche solo toccato.»

«Smettila, Phil. Guarda che lo so che ascoltavi i dischi di Alison Moyet, quando io non c'ero.»

«Alison Moyet! Così mi insulta, ispettore detective McLean. Dovrò sfidarla a duello, signore.»

«Le solite armi?»

«Naturalmente.»

«Allora accetto la sfida.» McLean sorrise, vedendo lo sguardo confuso di Jenny e Rachel. Phil scomparve dalla stanza e tornò qualche istante dopo con due spugne prese dal bagno. Erano secche e coperte di ragnatele: nessuno le toccava da anni.

«Rachel sarà il mio secondo. Jenny, vorresti fare gli onori per il nostro padrone di casa?» Phil si inchinò, passandole una delle spugne. «In corridoio, suppongo.»

«Siete seri?» disse Rachel. In sottofondo, Neil Buchanan aveva cominciato a cantare *Stay*, i cui toni malinconici sembravano fuori posto in quella crescente ilarità.

«Naturalmente, mia signora. Il mio onore è stato calpestato, e devo lavar via quest'onta.» Uscì in corridoio, seguito da McLean.

«Mmm, quindi?» gli chiese Jenny mentre lui arrotolava il tappeto e lo spingeva in un angolo del lungo corridoio.

«Guerra di spugne. Quando eravamo studenti era il nostro modo per risolvere le dispute.»

«Ah, gli uomini…» Jenny alzò gli occhi al cielo, passandogli l'arma e mettendosi al sicuro, mentre Phil prendeva posto sulla soglia della cucina.

Quando arrivò il fattorino con la pizza, stavano ripulendo il casino che avevano fatto. McLean non era certo di chi avesse vinto, ma si sentiva bene, una sensazione che non provava da giorni. Il cinico detective che era in lui aveva capito che Phil aveva organizzato tutto. Normalmente il suo vecchio amico sarebbe passato di sera, probabilmente da solo. Avrebbero ascoltato musica deprimente e bevuto whisky, lamentandosi della vita e dei terribili effetti della vecchiaia. Portandosi dietro le due sorelle, aveva trasformato tutto in una festa. Una sorta di veglia per Esther McLean, del tipo che la nonna avrebbe senza dubbio approvato.

Non era sicuro, invece, di cosa avrebbe pensato di Jenny. Era più grande della sorella, probabilmente aveva la sua stessa età. Non indossava più l'abito con cui l'aveva vista in negozio, ma portava vestiti casual, jeans e una camicetta bianca. Senza trucco, che forse metteva solo per andare al lavoro, era di una bellezza un po' sfatta, per così dire. Non riusciva a spiegarsi come mai non l'avesse notata al loro primo incontro. Forse perché la luce al Newington Arms era a malapena degna di questo nome; o forse, più probabilmente, perché aveva la testa piena di immagini di corpi mutilati.

«Un penny per i tuoi pensieri.» L'oggetto delle sue riflessioni si avvicinò, servendosi un'altra fetta di pizza. Phil e Rachel erano impegnati in una conversazione su un film.

«Eh? Oh, scusami. Pensavo ad altro.»

«Me ne sono accorta. Non sei molto spesso fra noi, eh? Dove ti rifugi, ispettore?» Aveva usato il suo grado per scherzo, ma in modo dolorosamente appropriato. Anche lì, con vino, pizza e ottima compagnia, il suo lavoro era sempre presente; non lo lasciava respirare.

«Mi chiedevo se tua sorella riuscirà a fare del mio vecchio amico un onest'uomo.»

«Oh, ne dubito. Ha sempre avuto una pessima influenza sulle persone.»

«C'è qualcosa di cui dovrei avvertire Phil?»

«Mi sa che ormai è troppo tardi.»

«Non ti preoccupa il fatto che esca con un uomo più grande?»

«No, ha sempre adorato gli amici di nostro fratello, ed Eric è forse più vecchio di te.»

«Ah, una famiglia di tutte le età.»

«Rae è stata, per così dire, un gradito incidente. Quando è nata avevo dieci anni, Eric quattordici. E tu, invece, Tony? Hai qualche fratello nascosto?»

«Non che io sappia, no. Sono certo che mia nonna me l'avrebbe detto se ci fossero stati altri McLean a piede libero per la città.»

«Oh, scusa. Che insensibile. Phil mi ha detto che… se n'è andata.» Jenny si raddrizzò sulla sedia, tormentandosi le mani in grembo, imbarazzata.

«Figurati, non fa niente. Anzi, preferisco parlarne apertamente piuttosto che continuare a girarci intorno. Ha avuto un infarto diciotto mesi fa. È entrata in coma e non si è mai ripresa. È morta da più di un anno, ormai, solo che finora non potevo seppellirla e andare avanti con la mia vita.»

«Le eri molto affezionato, vero?»

«I miei sono morti quando avevo quattro anni. Non ho mai sentito mia nonna lamentarsi per avermi dovuto crescere. Anche se aveva perduto il suo unico figlio. C'è sempre stata, per me, anche quando…» Fu interrotto dallo squillo del telefono nell'ingresso. Per un attimo pensò di lasciar rispondere la segreteria, poi però si ricordò che aveva tolto la cassetta. Fu nuovamente sommerso dai ricordi. «Scusami, è meglio che risponda. Potrebbe essere il lavoro.»

McLean guardò l'orologio mentre sollevava la cornetta. Erano passate da poco le ventitré; la serata era volata.

«McLean.» Cercò di non far trasparire l'irritazione. C'era solo un motivo se lo chiamavano a quell'ora.

«Non sei sbronzo, vero?» Il tono nasale di Duguid era reso ancora più insopportabile dai microfoni del telefono. McLean ripensò a quanto aveva bevuto: forse mezza bottiglia, spalmata in tre ore o più. E aveva anche mangiato, cosa del tutto inusuale.

«No, signore.»

«Bene. Ho mandato un'auto a prelevarti. Dovrebbe arrivare a momenti.» Come per magia, suonarono alla porta.

«Che succede, signore? Che può esserci di tanto grave da non poter aspettare domattina?» Sapeva che era una domanda stupida, ma la fece lo stesso. Forse aveva bevuto un po' troppo, dopotutto.

«Un altro omicidio, McLean. È abbastanza grave, per te?»

19

L'agente Kydd non aprì bocca mentre attraversavano la città, così McLean dedusse che neanche lei avrebbe dovuto essere in servizio. Pensò di chiederle altre informazioni, ma riusciva quasi a percepire il risentimento che covava e non volle offrirsi come capro espiatorio.

Scoprì che la loro destinazione era a pochi minuti dal suo appartamento. Le volanti della polizia gettavano luci azzurre sui ciottoli del Royal Mile, all'altezza della cattedrale di St Giles. Agenti in uniforme facevano allontanare i curiosi, nottambuli del venerdì sera ansiosi di dare un'occhiata a qualsiasi cosa stesse succedendo. L'agente parcheggiò al centro della strada, circondata dai nastri della polizia, e McLean si diresse verso il furgone della scientifica. Era parcheggiato con la parte posteriore vicina a uno stretto vicolo che si apriva tra due negozi. La luce soffusa mostrava una fila di bidoni della spazzatura, ammassati dietro una rete di sicurezza. Dietro, una serie di bassi gradini di pietra conduceva all'ingresso di un appartamento.

«Dov'è l'ispettore capo Duguid?» McLean mostrò il distintivo a uno degli agenti che stava srotolando del nastro blu e bianco.

«Non ne ho idea, signore. Non l'ho visto. La scientifica e il medico sono al piano di sopra.» L'uomo indicò l'ultimo dei cinque piani dell'edificio.

Incredibile, pensò McLean. Era proprio nello stile di Poldo mandarlo sulla scena di un crimine anche quando non era in servizio, pur di non muovere quel suo stramaledetto culo. Superò con rabbia il camioncino della scientifica e si addentrò nel vicolo. Stava per entrare nell'edificio, quando una voce sovrastò i rumori della notte.

«Dove diavolo credi di andare?»

McLean si immobilizzò, poi si voltò e vide una figura avvolta in una tuta bianca scendere dagli oscuri recessi del camioncino della scientifica. Sotto la luce, McLean riconobbe Emma Baird, che per la fretta a momenti non fece cadere la borsa.

«Oddio, mi scusi, signore. Non avevo capito che era lei.»

«Non preoccuparti, Emma. Ne deduco che ancora non avete finito di esaminare la scena del crimine, giusto?» Che stupido, pensò. Avrebbe dovuto controllare prima di entrare.

«Si metta almeno una tuta e dei guanti, signore. I ragazzi non sarebbero contenti di dover prendere campioni dai vestiti di tutti per fare un confronto.» Tornò sul camioncino e afferrò un involto bianco. McLean s'infilò a fatica la tuta, mise i copriscarpe e i guanti di lattice e seguì la donna su per una ripida e stretta rampa di scale.

Sul tetto si apriva un lucernario di vetro, che di giorno bastava a illuminare il pianerottolo in cima alle scale. A quell'ora di notte, però, la luce arrivava da due lampade a muro accanto alle porte. Queste erano aperte e le macchie di sangue sulle pareti rendevano impossibile capire quale fosse quella giusta. McLean scelse di continuare a seguire l'agente della scientifica, ma lei si fermò di fronte a un appartamento e gli indicò l'altro.

«Io devo rilevare le impronte per la comparazione, signore. Il corpo è di là.»

Vergognandosi di non sapere nulla sulla scena di quel crimine, né sul crimine stesso, McLean le rivolse un cenno di ringraziamento, si voltò e attraversò il pianerottolo. Sentì alcune voci sommesse provenire dall'appartamento e sbirciò dalla soglia. Il sergente Andy Houseman era in piedi nel corridoio. Non indossava alcuna tuta.

«Andy, che cos'hai per me?» McLean provò imbarazzo al vedere il grosso sergente trasalire per la sorpresa.

«Cristo! Mi è quasi venuto un accidente.» Poi, vedendo che era McLean, si rilassò. «Grazie al cielo, un detective. Sono rimasto attaccato alla stramaledetta radio per due ore.»

«Mi hanno chiamato venti minuti fa, Andy. Non prendertela con me. Non ero neanche in servizio.»

«Mi scusi, signore. È solo che… Be', sono bloccato qui da una vita e non è un bel posto, le assicuro.»

McLean si guardò intorno. L'appartamento era arredato con mobili antichi e costosi, che riducevano al minimo lo spazio vitale disponibile. Le pareti erano coperte da un eclettico mix di quadri, dallo stile per lo più moderno. Uno in particolare attirò la sua attenzione e lo osservò più da vicino.

«È un Picasso, signore. Almeno credo, non sono un esperto.»

«Ok, Andy. Supponi che io non sappia nulla di questo crimine. Illuminami.»

«L'agente Peters e io stavamo pattugliando High Street quando abbiamo ricevuto la chiamata, signore. Erano circa le ventuno. Irruzione e aggressione a mano armata. Siamo arrivati a quest'indirizzo e abbiamo trovato il cancello e la porta aperti. Abbiamo seguito le tracce e trovato il vecchio signor Garner sul pianerottolo, in camicia da notte.»

«Il signor Garner?»

«Il vicino, signore. Lui e il signor Stewart erano buoni amici. Be', se vuole il mio parere, secondo me erano un po' più che solo amici, ma non sono certo affari miei.»

«Il signor Stewart?» McLean si sentiva un perfetto idiota e maledisse Duguid per averlo messo in quella situazione.

«La vittima, signore. Un tale Buchan Stewart. È lì dentro.» Il sergente indicò l'unica porta aperta dell'appartamento, ma non fece alcun cenno di volerla oltrepassare.

«Bene, Andy, da qui subentro io. Ma non allontanarti troppo. Mi servirà un briefing completo.» Il sergente se ne andò e McLean entrò nella stanza.

La prima cosa che lo colpì fu il tanfo. Era rimasto bloccato lì, per tutto quel tempo. Fuori ne era arrivato poco, ma nella stanza l'odore era forte, ferroso, l'odore del sangue fresco. Quello era lo studio privato di un uomo ricco, stipato di mobili antichi e oggetti d'arte moderna. Il signor Buchan Stewart aveva gusti bizzarri; lì dentro c'era un po' di tutto. Peccato che ormai non avrebbe più potuto godersi nulla.

Sedeva in una poltrona stile regina Anna rivolta verso l'interno della stanza. Indossava un pigiama e una lunga vestaglia di velluto, ma qualcuno glieli aveva tolti e li aveva appoggiati con cura sulla scrivania. I peli grigi e ispidi del petto erano macchiati di sangue, sgorgato da un taglio sul collo che andava da un orecchio all'altro. Aveva la testa reclinata all'indietro e fissava con occhi ciechi il soffitto di gesso. Altro sangue gli era uscito dalla bocca, macchiandogli il mento.

«Ah, McLean. Era ora che arrivasse un detective.» McLean abbassò lo sguardo e solo allora si accorse del medico legale e del suo assistente, entrambi in tuta bianca, accucciati sul pavimento. Il dottor Peachey non era il suo preferito tra i patologi della città.

«Buonasera anche a lei, dottore.» Avanzò con cautela, consapevole della pozza di sangue scuro che si estendeva oltre la poltrona di Buchan Stewart. «Come sta il paziente?»

«È un'ora e mezza che aspetto che uno di voi si faccia vivo per poter portare via il corpo. Dove diavolo eri?»

«A casa, con alcuni amici, a godermi una bottiglia di vino e una pizza. Ho ricevuto la chiamata esattamente mezz'ora fa, dottore. Mi spiace che le abbiano rovinato la serata, ma non è l'unico, mi creda. Immagino che neanche il signor Stewart, qui, sia felice della piega che hanno preso gli eventi. Perché non mi dice solo che sta succedendo, le va?»

Il dottor Peachey lo guardò in tralice, un'espressione furiosa sul volto pallido. Sarebbe stato più semplice se ci fosse stato Angus, pensò McLean. E invece no, c'è il dottor Allegria. Che fortuna.

«La causa della morte è con ogni probabilità l'ingente perdita di sangue.» Il dottor Peachey parlava con frasi brevi, secche. «La gola della vittima è stata tagliata con una lama affilata. Il resto del corpo non reca segni di danni, fatta eccezione per l'inguine.» Si rialzò dal pavimento e si spostò da una parte, così che McLean potesse guardare meglio. «Pene e scroto sono stati rimossi.»

«Sono spariti? L'assassino se li è portati via?» McLean sentì tutto il peso della pizza sullo stomaco, il vino inacidirsi. Il dottor Peachey prese un sacchetto per le prove che giaceva accanto alla sua valigetta aperta e lo sollevò contro luce, perché potesse vederlo. Conteneva qualcosa che assomigliava in modo stupefacente a pezzi di tacchino arrosto avvolti nel cellophane.

«No, li ha lasciati qui. Ma li ha infilati nella bocca della vittima prima di andarsene.»

20

Timothy Garner era fragile e spaventato. La sua pelle aveva un che di traslucido, del tipo che si vede solo nelle persone molto anziane, simile a carta di riso tesa su muscoli ingialliti e vene bluastre. L'agente Kydd era seduta lì accanto e, quando McLean entrò, lo guardò con occhi pieni di speranza. Era rimasto a guardare i becchini portare in obitorio il corpo di Buchan Stewart e gli agenti della scientifica raccogliere le loro cose e andarsene. Avevano portato fuori anche tutti i cassonetti: qualcuno si sarebbe divertito a frugarci dentro. Il sergente Houseman stava organizzando una mezza dozzina di agenti perché interrogassero i proprietari del condominio, che abitavano al pianoterra.

«Signor Garner. Sono il detective McLean.» Mostrò il distintivo, ma il vecchio non lo guardò. Fissava il vuoto e con le mani si lisciava le pieghe della vestaglia sulle cosce.

«Può procurarsi una tazza di tè, agente Kydd?»

«Signore.» Si alzò come se le avessero punto il sedere con una forchetta e si affrettò a uscire dalla stanza. La compagnia del signor Garner non doveva essere stata delle più piacevoli. McLean si sedette vicino all'anziano.

«Signor Garner, devo farle qualche domanda. Potrei tornare più tardi, ma è meglio se ci togliamo il pensiero, ora che i ricordi sono ancora freschi.»

Il vecchio continuava a non rispondere, a non alzare lo sguardo. Continuava a passarsi le mani sulle cosce, lentamente. McLean allungò la mano e la posò sul dorso di quella di Garner, fermandolo. Quel contatto sembrò distoglierlo dalla trance in cui era piombato. Si guardò intorno, arrivando finalmente a posare lo sguardo sull'ispettore. Le lacrime iniziarono ad accumularsi ai lati delle palpebre gonfie e raggrinzite.

«L'ho chiamato bastardo traditore. È stata l'ultima cosa che gli ho detto.» Aveva una voce flebile e acuta, con un delicato accento di Morningside che strideva con ciò che diceva.

«Conosceva bene il signor Stewart, signor Garner?»

«Oh, sì. Buchan e io ci siamo conosciuti negli anni Cinquanta. Siamo stati in affari insieme da allora.»

«Che tipo di affari, signore?»

«Oggetti antichi, arte. Buchan aveva occhio, ispettore. Riconosceva il vero talento e sembrava sempre sapere in anticipo che direzione avrebbe preso il mercato.»

«Me ne sono accorto osservando il suo appartamento.» McLean si guardò intorno. Il soggiorno era ben arredato, ma non con la stessa opulenza. «E lei, signor Garner? Qual era il suo ruolo?»

«Le menti brillanti hanno bisogno di antagonisti, ispettore, e Buchan Stewart è un uomo brillante.» Garner deglutì, il prominente pomo d'Adamo sobbalzò nel collo sottile e scarno. «O meglio, era un uomo brillante.»

«Potrebbe dirmi di che cosa discutevate?»

«Buchan mi nascondeva qualcosa, ispettore. Ne sono certo. Solo in questi ultimi giorni, ma lo conosco da troppo tempo.»

«E ha pensato che la stesse tradendo. In che modo? Facendo affari con un'altra persona?»

«Diciamo così, sì, ispettore. Sospetto che fosse coinvolto un altro uomo.»

«L'uomo che l'ha ucciso, forse?»

«Non lo so. Forse.»

«Ha visto quest'uomo?»

«No.» Garner scosse la testa, come per dare forza a quella risposta nella sua mente, ma nella sua voce c'era incertezza. McLean rimase in silenzio, lasciando che fosse il dubbio a lavorare per lui.

«Non mi aspetto che capisca, ispettore. È ancora giovane. Forse, quando arriverà alla mia età, capirà di cosa sto parlando. Buchan per me era più che un partner d'affari. Lui e io eravamo…»

«Amanti? Non è un crimine, signor Garner. Non più.»

«Già, ma è ancora una cosa di cui vergognarsi, una cosa che attira gli sguardi della gente per strada. Sono un uomo riservato, ispettore. Mi faccio gli affari miei. E sono troppo vecchio per interessarmi ancora al sesso. Pensavo che valesse lo stesso anche per Buchan.»

«Ma crede che si vedesse con qualcun altro. Un altro uomo?»

«Ne sono certo. Per quale motivo sarebbe stato così elusivo, altrimenti? Perché avrebbe perso le staffe e mi avrebbe cacciato via?»

McLean non disse nulla. Nel silenzio sentì il fischio del bollitore, il tintinnio di un cucchiaino sulla porcellana.

«Mi dica cos'è successo stasera, signor Garner. Come ha trovato il signor Stewart?»

Il vecchio si fermò. Le mani ricominciarono il loro movimento ritmico e dovette stringere i pugni per fermarle.

«Avevamo discusso. Oggi pomeriggio. Buchan voleva che me ne andassi per un paio di settimane. C'è un'importante fiera d'arte a New York e pensava che mi avrebbe fatto bene andarci. Aveva perfino comprato i biglietti, prenotato l'albergo, tutto. Ma ormai da anni mi sono ritirato dagli affari. Gli ho detto che non avevo la forza di affrontare un viaggio così lungo, per non parlare poi di partecipare a un'asta dall'altra parte del mondo. Gli ho detto che avrei preferito che andasse lui. Ha sempre avuto più energia di me.»

«Perciò avete litigato. Poi però è tornato da lui, in seguito, per riparlargli, giusto?» McLean si rese conto che il vecchio cominciava a divagare e lo riportò gentilmente sui binari giusti.

«Che cosa? Oh, sì. Saranno state le nove di sera, forse le nove e un quarto. Non mi piace lasciare una discussione aperta, in più avevo detto qualche parola un po' troppo dura, perciò ho pensato di andare a scusarmi. A volte restavamo alzati fino a tardi, ci facevamo un goccio di brandy e parlavamo di tutto. Ho la chiave del suo appartamento, perciò potevo entrare senza problemi. Ma non ne ho avuto bisogno, la porta era spalancata. Ho sentito un cattivo odore. Come se la fognatura fosse straripata. Perciò sono entrato e… Dio mio…».

Garner cominciò a singhiozzare. L'agente Kydd rientrò in quell'istante, portando un vassoio con tre tazze di porcellana e una teiera.

«So che è dura, signor Garner, ma la prego di provare a dirmi ciò che ha visto. Se può esserle di qualche consolazione, sicuramente parlarne con qualcuno spesso aiuta a superare il trauma.»

Il vecchio tirò su col naso, accettando la tazza di tè con mani tremanti e sorseggiando il liquido.

«Era seduto lì, nudo. Ho pensato che si stesse… Ma non capivo come mai fosse così immobile, o perché fissasse il soffitto. Poi ho notato il sangue. Non mi capacito di non averlo visto subito. Era ovunque.»

«Che cosa ha fatto poi, signor Garner? Ha tentato di aiutare il signor Stewart?»

«Cosa? Oh, sì. Io… Cioè, no. Mi sono avvicinato, ma era palesemente morto. Ho chiamato la polizia, credo. Il ricordo successivo che ho è quello di un agente in uniforme.»

«Ha toccato nulla? Altri oggetti oltre al telefono.»

«No… non credo. Perché?»

«L'agente che è venuta a trovarla prima, si ricorda? Le ha preso le impronte così che possiamo confrontarle con quelle che troveremo nell'appartamento del signor Stewart. Ci sarebbe d'aiuto sapere dove è stato, cosa ha toccato.» McLean si portò la tazza alla bocca. Garner fece lo stesso e bevve un lungo sorso. Il vecchio ebbe un brivido quando il tè caldo gli scivolò in gola. Rimasero seduti in silenzio per un po', poi McLean riappoggiò la tazza sul vassoio. Notò che l'agente Kydd non aveva ancora bevuto nulla.

«Abbiamo bisogno che venga in centrale a rilasciare una dichiarazione, signor Garner. Non adesso, domani va benissimo» aggiunse, mentre il vecchio faceva per alzarsi. «La posso far venire a prendere da un'auto, che la riaccompagnerà a casa. Facciamo alle dieci?»

«Sì. Sì, certo. Anche prima, se vuole. Penso che non dormirò molto, stanotte.»

«C'è qualcuno che possiamo chiamare per tenerle compagnia? Sono certo che potremo privarci di un agente.» McLean gettò un'occhiata al collega Kydd e ricevette in cambio uno sguardo disperato.

«No, me la caverò, lasci stare.» Il signor Garner si riappoggiò le mani sulle cosce, ma stavolta solo per darsi la spinta e alzarsi dalla poltrona. «Credo che mi farò un bagno. Di solito mi aiuta a prendere sonno.»

«Grazie. Ci è stato molto utile.» McLean si alzò agilmente e offrì la mano al vecchio. «Un agente piantonerà tutta la notte l'appartamento del signor Stewart. Se le serve qualcosa glielo dica, lui potrà avvertire la centrale via radio.»

«Grazie, ispettore. È molto gentile da parte sua.»

Il pianerottolo davanti all'appartamento del signor Garner era silenzioso. La porta della casa di fronte era ancora aperta, ma non sembrava che ci fosse nessuno. McLean scese le scale e uscì in strada, dove alcuni agenti in uniforme erano ancora al lavoro. Si avvicinò al sergente Houseman che presidiava la barriera di fronte al cancello; il camioncino della scientifica era sparito.

«Com'è andata con gli altri inquilini?»

Big Andy estrasse il bloc notes. «Gran parte degli appartamenti è vuota. Sembra che appartengano a un'agenzia di leasing. Ci ospitano dirigenti stranieri. Al pianoterra ci sono due inquilini e nessuno dei due ha sentito nulla fino al nostro arrivo. Oh, c'è anche un appartamento nel seminterrato. L'inquilino è rientrato circa mezz'ora fa con la fidanzata e ha reagito violentemente quando gli abbiamo detto che non poteva entrare in casa senza scorta. Il sergente Gordon ha il naso rotto e il signor Cartwright trascorrerà un po' di tempo in cella.»

«Ubriaco e molesto?»

«Possesso di stupefacenti, signore. Probabilmente finalizzato allo spaccio. Verrebbe da pensare che una persona con addosso mezzo chilo di hashish voglia stare alla larga dalla polizia.»

«Già. Ah, avevi ragione, comunque.»

«Ah, sì? Su cosa?»

«Buchan Stewart e Timothy Garner. Buffa scelta, ad ogni modo. Vivere in appartamenti separati uno di fronte all'altro…»

«Il mondo è pieno di gente strana, signore. A volte penso di essere l'unico uomo normale del pianeta.»

«Ed è vero, Andy.» McLean guardò l'orologio. Erano quasi le due del mattino. «Credo che per stanotte abbiamo fatto il possibile. Lascia due uomini di guardia. Abbiamo un potenziale testimone. Non voglio che il nostro assassino torni per cercare di tappargli la bocca.»

«Non sospetta di Garner, quindi?»

«No, a meno che non sia uno straordinario attore. Qualcosa mi dice che non si è trattato di una semplice scaramuccia tra amanti, ma Garner non era in condizione di essere interrogato, stanotte. E non penso che lo diventi chiudendolo in cella.» McLean guardò verso le finestre, dietro le quali si vedeva la luce accesa nella notte. «Non andrà da nessuna parte. Meglio lasciarlo calmare, ci parlerò domattina. Fai in modo che gli agenti di guardia sappiano che è qui. Se vuole andare da qualche parte, fallo seguire, d'accordo?»

«Sissignore.» Big Andy si allontanò, gridando ordini ai pochi agenti rimasti sul posto. McLean si voltò verso l'agente Kydd, che cercò di soffocare uno sbadiglio.

«Credevo che fossi in servizio stamattina.»

«Lo ero.»

«E come mai sei qui, allora?»

«Stavo utilizzando una delle sale interrogatori della centrale per studiare, signore. I miei coinquilini non sono le persone più tranquille del mondo. Se voglio un po' di pace il venerdì sera, devo andare da qualche altra parte.»

«Fammi indovinare. Duguid ti ha vista e ti ha mandata a prendermi. Hai qualche idea sul perché non sia venuto di persona?»

«Non mi faccia parlare, signore.»

McLean lasciò cadere l'argomento. Non era certo colpa sua se avevano rovinato la serata a entrambi. Prima o poi avrebbe scoperto come mai quel caso era stato assegnato a lui.

«Meglio se vai a casa, adesso. Riposati. E non preoccuparti se domattina arrivi un po' più tardi. Sistemerò io le cose con l'agente della segreteria, gli farò cambiare i turni di servizio.»

«Grazie, signore.» L'agente sfoggiò un sorriso stanco. «Le serve un passaggio a casa?»

«No, grazie.» McLean guardò la strada. C'era ancora gente in giro. Nottambuli di ritorno dal pub, gente che usciva dai locali, venditori di kebab e hamburger che attiravano una gran folla. Era proprio vero, la città non dormiva mai. E lì fuori, da qualche parte, c'era un assassino con le mani sporche di sangue. Un assassino che aveva tagliato via una parte della sua vittima e gliel'aveva infilata in bocca. Proprio come a Barnaby Smythe. Un emulatore? Una coincidenza? Aveva bisogno di tempo, aria fresca e di camminare, per riflettere.

«Mi avvierò a piedi.»

21

Sabato avrebbe dovuto essere il suo giorno libero. Non che avesse programmi, ma di certo non aveva previsto di ritrovarsi seduto in ufficio, alla centrale, alle otto e mezza del mattino. Specialmente dopo aver dormito meno di quattro ore. McLean passò in rassegna le fotografie al computer. Doveva stamparle; era impossibile lavorarci su quello schermo minuscolo. Le selezionò e le inviò alla stampante condivisa in corridoio, sperando che ci fosse abbastanza carta e toner per tutte.

Fortunatamente la notte precedente, dopo aver percorso i due chilometri che separavano il suo appartamento da quello di Buchan Stewart, aveva trovato la casa vuota. Non che non gli piacesse la compagnia, ma in mezzo alla gente preferiva isolarsi. Faccia a faccia con le persone, senza il sostegno del poliziotto che c'era in lui, avvertiva troppa pressione per essere davvero di compagnia. Anche se non si fosse appena trovato sulla scena di un crimine violento, avrebbe comunque preferito la compagnia di se stesso. Solo lui e i suoi fantasmi.

«Ah, Tony. Speravo di trovarti qui, stamani.»

Sorpreso, McLean alzò lo sguardo e vide il sovrintendente capo McIntyre andargli incontro lungo il corridoio. L'uniforme le stava un po' stretta e si chiese per un attimo se non avesse preso qualche chilo.

«Signora?»

«Ti sei occupato del caso Stewart, ieri sera. Grazie.» Lo raggiunse e continuarono a camminare uno accanto all'altra.

«Non capivo come mai non ci fosse nessun altro sulla scena.»

«Ah, sì. Be', l'ispettore capo Duguid voleva l'incarico, ma appena ho sentito di chi si trattava, ho insistito affinché lo passasse a qualcun altro.»

«Perché?»

«Buchan Stewart è… era suo zio.»

«Ah.»

«Dovresti sentirti lusingato se ti ho scelto per condurre le indagini. So che voi due non siete proprio amiconi.»

«Per usare un eufemismo.»

«Be', devo avere tatto, nel mio lavoro. E devo anche assicurarmi che i miei due uomini più esperti siano in grado di lavorare insieme. Gestisci bene questo caso, Tony, e sono certa che, qualsiasi cosa Poldo abbia contro di te, se la butterà alle spalle.»

Era la prima volta che la sentiva usare il soprannome dell'ispettore capo. Sorrise di quel suo tentativo di fare la complice con lui, ma si rese conto che la McIntyre aveva del tutto frainteso la natura della loro ostilità. La verità era che a lui Duguid non piaceva perché era un investigatore approssimativo. E a Duguid non piaceva McLean perché lo sapeva.

«Cos'hai scoperto finora?» chiese la McIntyre.

«Siamo proprio agli inizi, in realtà. Ma sono orientato a credere che il movente sia la gelosia. Non è stato rubato niente, perciò non si tratta di un ladro d'appartamento. E Stewart era nudo, cosa che porta a credere che si aspettasse di fare sesso. Era omosessuale e, forse, di recente aveva trovato un nuovo partner – il nostro principale sospettato. Se dovessi tirare a indovinare, direi un uomo più giovane. Forse molto più giovane.»

160

«Qualche testimone? Telecamere di sorveglianza?»

«Nessuno nel condominio ha visto niente. Ho messo il detective MacBride a lavorare sulle registrazioni di ieri sera, ma non si vede quasi nulla, era buio. Speriamo di restringere un po' il campo delle ricerche quando il medico legale stabilirà l'orario preciso della morte.»

«E l'uomo che ha chiamato?»

«Timothy Garner. Vive nell'appartamento di fronte. È stato il partner di Stewart per anni, sia in affari che, ehm, nella vita privata.»

«Potrebbe essere stato lui?»

«Non credo. Non sembra quel tipo di situazione. Comunque dovrebbe passare più tardi, per rilasciare una dichiarazione, ma ritengo che sia il caso di interrogarlo a casa sua. Si sentirà più a suo agio.»

«Buona idea. Aiuterà anche a tenere un basso profilo. Credo che l'ispettore capo Duguid lo apprezzerebbe.» La McIntyre gli fece l'occhiolino. «Vedi, Tony, che riesci a essere diplomatico quando vuoi?»

Le macchie di sangue sulle pareti delle scale sembravano meno vistose e sinistre alla luce del giorno che penetrava dal lucernario di vetro. C'era un agente a guardia dell'appartamento di Buchan Stewart. Aveva l'aria di essere annoiato a morte, ma si mise sull'attenti quando vide l'ispettore che saliva le scale. Lo seguiva l'agente Kydd, che anche quel giorno gli aveva fatto da autista.

«Si è visto qualcuno, Don?» chiese McLean.

«Neanche un'anima, signore.»

«Bene.» Bussò piano alla porta dell'appartamento di Garner. «Signor Garner? Sono l'ispettore McLean.»

Nessuna risposta. Bussò un po' più forte.

«Signor Garner?» McLean si voltò verso l'agente di guardia. «Non è mai uscito?»

«No, signore. Sono qui dalle sette e non è volata una mosca. Phil… l'agente Patterson era qui prima di me. Ha detto che è stato tutto tranquillo.»

McLean bussò di nuovo, poi provò ad aprire. La maniglia scattò e la porta si aprì, rivelando l'ingresso buio.

«Signor Garner?» Un brivido gli corse lungo la schiena. E se al vecchio fosse venuto un infarto? Si voltò verso l'agente Kydd. «Vieni con me» disse, ed entrò.

L'appartamento era silenzioso. Si udiva solo il ticchettio di un antico orologio a pendolo nell'ingresso. Mentre McLean entrava nel soggiorno dove la notte prima aveva interrogato Garner, l'agente Kydd percorse uno stretto corridoio che probabilmente portava in cucina. L'uomo non era sulla poltrona dove l'aveva lasciato, né si trovava nello studio, che McLean trovò aprendo una seconda porta. Anche quella stanza era pulita e ordinata, la scrivania era vuota fatta eccezione per una lampada da tavolo di vetro verde, che era accesa e puntata verso il basso, a illuminare un singolo foglio di carta.

McLean attraversò la stanza, con mille pensieri che gli frullavano in testa. Chinandosi, lesse le parole scritte con grafia precisa.

Ho ucciso la mia anima gemella, il mio amante, il mio amico. Non volevo farlo, ma il destino ha deciso altrimenti. Non potevo più vivere con lui, ma ora ho capito di non poter vivere senza di lui. A chiunque trovi questo biglietto…

Nell'appartamento riecheggiò l'ansito dell'agente Kydd. McLean si precipitò fuori dallo studio.

«Agente?»

«Signore. Qua dentro.»

Corse nell'ingresso e lungo il corridoio, ma sapeva già cosa avrebbe trovato. L'agente Kydd era ferma sulla porta del bagno, il volto pallido, gli occhi spalancati. La scostò gentilmente ed entrò.

Timothy Garner aveva fatto il bagno. Poi si era tagliato le vene.

22

«Sei stato velocissimo, Tony. Potresti anche aver battuto il record di Duguid.» Il sovrintendente capo McIntyre si accomodò sul bordo della scrivania. Per una volta, sembrava soddisfatta; dopotutto, niente giovava al buon nome del corpo come un trionfo così rapido. Peccato che lui non condividesse il suo entusiasmo.

«Non sono convinto che sia stato lui, signora.»

«Ma non ha lasciato una confessione?»

«Sì, ha lasciato un biglietto.» McLean prese il foglio con la copia delle ultime parole di Timothy Garner e lo passò alla McIntyre. La scientifica aveva preso l'originale, per fare dei test. Avrebbe potuto anche dire loro di non perdere tempo; avrebbero scoperto che era stato scritto da Garner, a mano. Sul foglio non ci sarebbero state altre impronte che quelle del morto e un'analisi del liquido che bagnava l'ultimo paragrafo avrebbe dimostrato che aveva pianto mentre scriveva.

«"Ho ucciso la mia anima gemella, il mio amante, il mio amico". Quale parte di questa frase non ti sembra una confessione? Hai detto tu che avevano litigato perché Garner pensava che Stewart lo tradisse. È stato un crimine brutale, certo. Ma i delitti passionali spesso lo sono. E poi, una volta resosi conto di ciò che aveva fatto, non ha più potuto andare avanti.»

«Non lo so. Non ha senso. E quelle parole, poi, suonano così false. Avrebbe semplicemente potuto biasimare se stesso per non essere stato al fianco di Stewart, quando è stato ucciso.»

«Ma aveva un movente, aveva l'arma del delitto.»

«Davvero? La scientifica non è stata in grado di stabilire con che arma sia stato ucciso Stewart. Hanno solo detto che era affilata come un rasoio.»

«Smettila, Tony, ok? Hai analizzato il filmato ripreso dalla telecamera al momento dell'omicidio. Nessuno è entrato o uscito dall'appartamento. Non ci sono testimoni e il principale sospettato ha confessato. Non metterti a fare il puntiglioso quando proprio non è necessario.»

McLean si rilassò sulla sedia scomoda e guardò il suo capo. Aveva ragione. Timothy Garner era senza dubbio il colpevole più ovvio.

«E le impronte digitali? Non potevano appartenere tutte a Garner.»

«Perché erano così confuse che non sono riusciti a farle risalire a nessuno. E hanno trovato tracce del sangue di Stewart nel lavandino di Garner, dove si è lavato le mani. Anche i suoi vestiti erano sporchi. Probabilmente ne avrebbero trovato anche nella vasca da bagno, se non l'avesse riempita con il suo, di sangue.» La McIntyre rimise la copia del biglietto suicida sulla scrivania di McLean, poi gli allungò la sottile cartellina marrone che teneva in mano; il rapporto sull'omicidio di Buchan Stewart. «Rassegnati, Tony. Nel rapporto c'è scritto che Garner ha ucciso Stewart e che poi si è ammazzato, ed è questo che diremo al procuratore distrettuale. Caso chiuso.»

«È stato tutto insabbiato così che Duguid non debba spiegare nulla a proposito del suo zio gay?» McLean si rese conto troppo tardi che non avrebbe dovuto dirlo. La McIntyre si irrigidì, poi si alzò dalla scrivania, lisciandosi l'uniforme.

«Farò finta di non aver sentito, ispettore. Così come farò finta di non sapere che hai lasciato Garner a casa da solo quando avrebbe dovuto essere chiuso in una cella, o almeno con un agente a controllarlo. Adesso firma quel rapporto e vattene. Non dovevi partecipare a un funerale?» Si voltò e se ne andò.

McLean sospirò e tirò a sé la cartellina. Si sentiva le orecchie bruciare per quella ramanzina e sapeva di essersi giocato la benevolenza del sovrintendente capo, almeno per qualche giorno. Ma non poteva fare a meno di pensare che la morte di Buchan Stewart nascondesse molto di più. Né riusciva a smettere di sentirsi in colpa per il suicidio di Timothy Garner. Avrebbe dovuto insistere che qualcuno restasse lì con lui, quella notte. Maledizione, avrebbe dovuto prenderlo in custodia come sospettato. Perché non l'aveva fatto?

Guardando fuori dalla finestra, il cielo azzurro pallido del mattino gettava un'ombra sui condomini dietro la centrale. Soppresse uno sbadiglio e si stirò, fino a quando i muscoli della schiena cominciarono a protestare. Avrebbe dovuto essere il suo fine settimana libero, ma si era trasformato in una lunga e per lo più noiosa attesa dei risultati dell'autopsia di Buchan Stewart e dei rapporti della scientifica sulle impronte digitali. Tutto lasciava intendere che fosse Garner il colpevole, eppure McLean non riusciva ad accettarlo. Gli si contorceva lo stomaco mentre ripensava ai momenti in cui era stato seduto accanto a quel vecchio, gli aveva toccato la mano per confortarlo, aveva ascoltato la sua storia. Aveva ottant'anni, era debole. Come poteva aver avuto la forza di uccidere e poi mutilare un uomo così?

Ad ogni modo, era finita. Il sovrintendente capo McIntyre gli aveva detto di chiudere il caso. Forse cercava di proteggere Duguid, oppure le avevano fatto pressioni dall'alto. Poco importava. A meno che non avesse trovato prove inconfutabili del coinvolgimento di terzi nel delitto, per tutti il caso era ormai risolto. Un grande risultato da ascrivere nelle statistiche annuali e un'indagine costata pochissimo. Tutti contenti. Tranne il povero, vecchio Buchan Stewart, che giaceva su una lastra fredda con la virilità chiusa in una busta di plastica accanto a lui. Tranne Timothy Garner, pallido e dissanguato come un maiale sgozzato.

E lui.

Mettendo da parte quei pensieri, aprì la cartellina e guardò l'orologio appeso al muro. Erano da poco passate le nove; mancava un'ora prima che la macchina venisse a prenderlo. Cominciò a battere il rapporto al computer. Se era la superficialità che la McIntyre desiderava, non ci avrebbe certo perso troppo tempo.

È confuso, arrabbiato, ansioso. Il dolore gli riempie la testa, gli rende difficile concentrarsi, ricordarsi chi sia. Ha le mani ruvide, scorticate a forza di lavarle, eppure si sente ancora sporco. Niente potrà più farlo sentire pulito.

C'è un posto dove andava ogni giorno. Lì hanno l'acqua, e del cibo. Nella mente gli scorrono molte immagini. Una in particolare prende il sopravvento sulle altre. Mani insaponate, sotto un rubinetto dal quale scorre acqua tiepida. Il ritmico rituale delle dita sfregate le une sulle altre, di palmi che scivolano, massaggiati dai pollici. Conosce quel posto, è vicino. Deve andarci. Lì potrà sentirsi di nuovo pulito.

Le strade sono voragini, alti edifici si ergono sui due lati, bloccando la luce ma intensificando il calore, come in un forno. Le auto lo superano rombando, gli pneumatici scricchiolano sull'asfalto.

Lo ignorano e lui ignora loro. Ora ha una meta e, una volta che sarà arrivato, tutto si sistemerà. Dovrà solo lavarsi le mani.

Dalla strada partono dei gradini. Sono come montagne per le sue gambe esauste, distrutte dal dolore. Che cosa ha fatto per sentirsi così? Perché non riesce a ricordare dov'è stato? Perché non ricorda chi è?

La porta è fatta di vetro e, appena si avvicina, i pannelli scivolano di lato, come disgustate. La stanza all'interno è areata e illuminata, più fresca di quella fetida giù in strada. Con passo incerto appoggia i piedi su un pavimento levigato e si guarda intorno, cercando di ricordarsi dove sono i rubinetti, dov'è il sapone. Si guarda le mani, che all'improvviso gli fanno paura. Ha paura di quello che possono fare. Se le infila nelle tasche e con la destra tocca qualcosa di duro, liscio; lo afferra istintivamente.

Qualcuno gli sta parlando, una voce insistente che non riesce a capire. Si guarda intorno, la stanza è di colpo troppo luminosa. La luce gli trafigge gli occhi come una spada. Una donna è seduta dietro una scrivania, il volto pallido, gli occhi grandi. Pensa che dovrebbe conoscerla. Dietro di lei, uomini in abiti chiari se ne stanno lì, inerti come marionette cui abbiano tagliato i fili. Pensa che dovrebbe conoscere anche loro. Tira fuori la mano dalla tasca, per salutarli, per mostrare loro le mani sporche, per assicurare che vuole solo lavarsele. Ma esce anche l'oggetto liscio e duro, portando con sé un ricordo.

E ora sa quello che deve fare.

23

Probabilmente erano in pochi ad avere bei ricordi legati al Mortonhall Crematorium. Forse i giardinieri erano orgogliosi del loro lavoro; forse i membri dello staff, che con efficienza accompagnavano amici e parenti in lutto ad assistere alla mezz'ora di funzione prima della cremazione, si compiacevano della competenza e della gentilezza con cui svolgevano il proprio compito. Per tutti gli altri, però, quel luogo era sinonimo di dolore, di ultimi adii. McLean c'era stato fin troppe volte perché gli facesse ancora effetto. Notò con occhio clinico quanto poco fosse cambiato nel corso degli anni.

Non erano venuti in tanti per la nonna. Ma data la sua età e il suo stile di vita solitario, non era una sorpresa. Phil sedeva con Rachel in prima fila. Era venuta anche Jenny, cosa inaspettata, ma gradita. C'era Bob il Burbero, l'unico rappresentante della polizia di Edimburgo. Angus Cadwallader era arrivato all'ultimo minuto e si era accomodato in fondo. Jonas Carstairs sedeva impassibile, testa alta e occhi fissi sull'officiante, che tentava di pronunciare parole confortanti su una donna che non conosceva. Riconobbe qualche anziano amico della nonna fra altri, nella stanza altrimenti vuota. Il fatto che fossero venute così poche persone a dirle addio avrebbe dovuto irritarlo, ma scoprì invece di essere sollevato solo per il fatto che si fosse presentato qualcuno. E, ovviamente, poteva consolarsi constatando che la nonna aveva vissuto più a lungo di tutti i suoi amici.

La funzione fu misericordiosamente rapida, dopodiché fu tirata la tenda attorno alla bara. Rimase aperto solo uno spiraglio, che lasciò intravedere il trasferimento della cassa all'impianto di cremazione. Si ricordava la prima volta che era stato lì: un bambino di quattro anni, disorientato, che guardava due casse di legno e capiva solo fino a un certo punto che dentro c'erano i suoi genitori; si chiedeva come mai non si svegliassero. All'epoca, accanto a lui c'era la nonna, che gli stringeva la mano e cercava di confortarlo, mentre a sua volta piangeva. Gli aveva spiegato tutto sulla morte, con parole attente e piene di razionalità. Capiva perché l'avesse fatto, anche se non gli era stato d'aiuto. Quando le tende avevano cominciato a chiudersi, si era aspettato di vedere una porta spalancarsi su una fornace dove le fiamme guizzavano in attesa del loro nuovo combustibile. Aveva avuto gli incubi per anni.

Uscirono dalla sala; sul retro dell'edificio si era già radunata un'ampia folla di sconosciuti, ansiosa di dare l'ultimo saluto all'ennesimo morto. Si stava facendo caldo, il sole incombeva sugli alti alberi che circondavano la zona. McLean strinse le mani di tutti e li ringraziò per essere venuti, cosa che non gli portò via più di cinque minuti. Jenny Spiers si teneva in disparte, riluttante a mettersi in coda. Alla fine fu lui ad avvicinarla.

«Sei stata gentile a venire.»

«Non ne ero del tutto sicura, a essere sincera. Non ho mai conosciuto tua nonna, dopotutto.» Jenny si scostò dal viso una ciocca di capelli color paglia. Era venuta dritta dal negozio, a giudicare da come era vestita. Di nero, come si addiceva alla situazione, ma col tipo di abito che probabilmente sua nonna avrebbe indossato a un funerale quando aveva vent'anni. Si chiese se avesse scelto quel vestito di proposito. Le stava bene, comunque.

«Io dico sempre che queste cose sono più per i vivi, che per i morti. E comunque, se non fossi venuta, l'età media dei partecipanti sarebbe stata di tre cifre.»

«No, dài. C'è Rae, lei ha solo ventisei anni.»

«Giusto» concesse McLean. «Ci fai compagnia per una tazza di tè insipido e un sandwich alla pasta di pesce?» Fece un cenno con la testa in direzione del Balm Well, dall'altra parte della strada, poi le offrì il braccio. Diversi anziani in abiti e completi scuri stavano già cercando di evitare le auto, pronti a usufruire al massimo dell'ospitalità di Esther McLean per l'ultima volta. Insieme, li aiutarono ad attraversare ed entrarono nel pub.

Jonas Carstairs aveva organizzato una bella veglia; peccato che avesse sovrastimato di parecchio il numero dei presenti. Gli anziani, poi, notò McLean, avevano davvero poco appetito. Sperò solo che il pub avrebbe trovato qualcun altro a cui rifilare tutto quel ben di Dio. Pagare non era un problema, purché il cibo non finisse nella spazzatura. Anche sua nonna sarebbe rimasta sconvolta, se non fosse già stata immune a preoccupazioni terrene.

Lasciò Jenny con Phil e la sorella, si fece largo tra la piccola folla con quanta più grazia gli fu possibile. Gran parte dei presenti stava facendo gli stessi commenti su sua nonna; pochissimi facevano cenno ai suoi genitori. Doveva stare lì, era suo dovere, ma avrebbe preferito tornare al lavoro, ad aiutare il detective MacBride sommerso da una pila di rapporti di persone scomparse talmente vecchi che nessuno si era preoccupato di digitalizzare. O a tentare di scoprire chi avesse vissuto e dato feste a Farquhar House negli anni Quaranta.

«Sta procedendo bene, tutto sommato.» McLean distolse l'attenzione dall'ultimo amico di sua nonna rimasto in vita, un uomo in carrozzina di cui aveva scordato il nome un secondo dopo averlo conosciuto, e si voltò verso Jonas Carstairs. L'avvocato aveva un grosso bicchiere di whisky in mano e bevve un lungo sorso.

«Forse ha sopravvalutato il numero dei partecipanti?» chiese McLean. Sul volto di Carstairs passò un'ombra fugace. Osservò la stanza e, per qualche inspiegabile motivo, McLean pensò che non stesse contando i presenti, ma cercando una persona. Come se si aspettasse di vedere qualcuno che non era venuto.

«È sempre difficile azzeccarci, in queste cose.» Carstairs bevve un altro sorso.

«Cercava una persona in particolare?»

«A volte mi scordo che il ragazzino che conoscevo è diventato un detective.» Carstairs sorrise mestamente. «C'era qualcuno, sì. Pensavo venisse. Forse non lo sapeva.»

«Qualcuno che conosco?»

«Oh, ne dubito fortemente. Era una persona che sua nonna conosceva prima ancora di sposare suo nonno. Erano molto vicini.» Carstairs scosse il capo. «Magari è morto un sacco di tempo fa.»

McLean stava per chiedere come si chiamasse questo amico perduto, ma gli venne in mente un'altra cosa. «Ha mai fatto qualche lavoro per la banca Farquhar?»

Carstairs quasi si strozzò con il whisky. «Perché me lo chiede?»

«Oh, per un caso su cui sto lavorando. Sto cercando di scoprire chi viveva a Farquhar House alla fine della Seconda guerra mondiale.»

«Be', sicuramente il vecchio Farquhar. Menzies Farquhar. Ha fondato la banca alla fine del secolo. Conosco il figlio, Bertie. Ne avrà sentito parlare.»

McLean scosse il capo. «Il nome non mi dice nulla.»

«Ovviamente. A volte mi scordo quanto tempo è passato. Era prima ancora che nascesse. Povero, vecchio Bertie.» Carstairs scosse il capo. «O forse dovrei dire stupido, vecchio Bertie. Si è schiantato con l'auto a una fermata dell'autobus, uccidendo una mezza dozzina di persone. Credo che per la sua famiglia le cose sarebbero andate ancora peggio, se non avesse avuto la decenza di restarci secco anche lui. Il vecchio Farquhar non fu più lo stesso dopo quell'incidente. Chiuse Farquhar House e lasciò la casa di Borders. So che è rimasta vuota da allora.»

«Non più. L'ha acquistata una ditta immobiliare. Vuole trasformarla in appartamenti di lusso, roba del genere.»

«Davvero?» Carstairs fece per bere un altro sorso, ma si accorse che il bicchiere era vuoto. Lo posò con attenzione su un tavolo vicino, tirò fuori un fazzolettino bianco dal taschino della giacca e si pulì le labbra. «Chi mai vorrebbe farlo? Voglio dire, non è certo il posto più affascinante del mondo, no?»

«No, non esattamente.»

«Signor Carstairs, signore?»

McLean si voltò. Un uomo in abito scuro attendeva educatamente a distanza, lo sguardo fisso sull'avvocato.

«Non puoi aspettare, Forster?»

«Ho paura di no, signore. Ha detto di farle sapere subito se si fosse fatto vivo.»

Carstairs si irrigidì e il panico apparve nel suo sguardo. Sembrava un cervo impaurito. Si riprese velocemente, ma non così tanto perché McLean non lo notasse.

«Qualcosa non va?»

«L'ufficio, sì.» Carstairs si toccò la giacca come se cercasse qualcosa, vide il bicchiere vuoto sul tavolo accanto a lui, lo prese come se volesse finire il suo drink, poi sembrò accorgersi di quello che stava facendo. «Un cliente importantissimo. Mi scusi, Tony, ma devo andare.»

«Non si preoccupi. Le sono grato di essere venuto e di aver organizzato tutto questo.» McLean strinse la mano dell'avvocato. «Mi piacerebbe parlare ancora con lei. Sicuramente conosceva mia nonna meglio di me. Posso chiamarla?»

«Naturalmente, Tony. Quando vuole. Ha il mio numero.» Carstairs sorrise mentre parlava ma, allontanandosi, McLean non riuscì a scrollarsi di dosso la sensazione che, in realtà, non lo pensasse affatto.

24

Al termine della veglia funebre, McLean si incamminò verso casa, rifiutando la macchina che Carstairs gli aveva mandato. Doveva fare un sacco di strada, ma preferiva restare solo e avere la possibilità di riflettere, cosa che gli riusciva solo sentendo il rumore ritmico dei suoi piedi sull'asfalto. Fu solo dopo mezz'ora di cammino che si accorse di essersi diretto verso casa di sua nonna, non all'appartamento di Newington. Fece per cambiare direzione, ma si fermò. Non vi aveva messo più piede sin dal giorno in cui avevano trovato il corpo di Barnaby Smythe.

Prima dell'infarto, McLean si era recato spesso dalla nonna per un consiglio, per farsi aiutare con problemi che non era in grado di capire. Di solito lei gli parlava dell'argomento fino a quando McLean riusciva a sbrogliare la matassa da solo, ma aveva sempre tenuto in grande considerazione la sua opinione. Una volta che era stata trasferita in ospedale, quella casa aveva perso tutto il suo fascino. Ci andava perché era costretto. Doveva controllare i contatori, raccogliere la posta, assicurarsi che nessuno fosse entrato. Ma era sempre stata un'incombenza. Adesso, con le ceneri di sua nonna racchiuse in un'urna, tornare in quella casa – la sua casa, non appena le scartoffie fossero state pronte e l'esattore si fosse preso la sua fetta di torta – gli sembrava la cosa giusta da fare. Forse poteva anche trovare ispirazione per risolvere alcuni dei tanti, intricati problemi per i quali non era bastata neanche la lunga camminata.

Il pomeriggio divenne sera e, lontano dal centro della città, il rumore si affievolì e divenne poco più di un mormorio sommesso di sottofondo. Quando alla fine svoltò nella via della casa, fu un po' come spuntare in aperta campagna. I grandi alberi di sicomoro sorgevano dal marciapiede, attutendo ulteriormente i suoni della città e offuscando la luce di quella sera d'estate. Le case erano colossi silenziosi, costruiti lontano dalla strada e immersi nei loro rigogliosi giardini. Solo alcuni occasionali segni di vita, lo sbattere di una porta, delle voci che giungevano da una finestra aperta, gli facevano capire di non essere completamente solo. Per un po', il gatto nero lo seguì dall'altro lato della strada, controllando che non fosse una faccia nuova, poi sparì oltre un alto muro di pietra.

Calpestando il vialetto di ghiaia udì il solito, familiare scricchiolio. Davanti a lui l'abitazione sembrava morta, vuota, come un fantasma che si levava sulla vegetazione troppo rigogliosa. Tuttavia, appena fu vicino all'edificio, avvertì il rassicurante odore di casa. McLean entrò dalla porta sul retro, disattivando subito il sistema d'allarme. Il logo della Penstemmin gli ricordò che doveva ancora interrogare l'operaio che aveva riparato l'allarme della vecchia signora Douglas. Un altro caso la cui soluzione era ancora lontana.

Sorrise nel constatare quante compagnie finanziarie fossero ansiose di offrire prestiti personali e carte di credito a un defunto. Frugò nel mucchio di posta che si era accumulata davanti alla porta negli ultimi giorni, mettendo da parte le poche lettere che sembravano importanti e cestinando il resto. L'ingresso era buio ma, quando entrò in biblioteca, la luce rossastra del tramonto si rifletté sulle nubi, dipingendo la stanza di arancione.

McLean trascorse qualche minuto a togliere tutte le lenzuola bianche che coprivano i mobili, piegandole con cura e impilandole davanti alla porta. La scrivania della nonna giaceva in un angolo, con lo schermo piatto e la tastiera del computer che stonavano in mezzo a tutta quella mobilia antica. Erano sempre stati gli avvocati a occuparsi dei suoi affari e lui non aveva avuto mai nulla da ridire, ma prima o poi sarebbe stato costretto a dare un'occhiata a tutti quei documenti, sia cartacei che elettronici, a mettere tutto in ordine. Al solo pensiero si sentiva stanco.

Si versò un bel bicchiere dal decanter di cristallo che trovò nell'armadietto dei liquori, nascosto a regola d'arte dietro un pannello di finti libri, poi si rese conto che l'acqua in bottiglia che vi trovò doveva essere vecchia di almeno diciotto mesi. La annusò: sembrava a posto. Ne versò un goccio nel whisky e sorseggiò il liquido ambrato. Islay, senza dubbio. E forte anche. Aggiungendo dell'altra acqua, si ricordò della passione della nonna per il Lagavulin e si chiese se quella bottiglia non fosse un prodotto pregiato della Malt Whiskey Society. Era da un po' che non beveva qualcosa di così raffinato.

Bicchiere in mano, McLean si sedette su una delle poltrone dallo schienale alto accanto al caminetto spento. La biblioteca era calda; le lunghe finestre intrappolavano tutto il sole del pomeriggio. Quella stanza era sempre stata la sua preferita. Era un santuario, un paradiso di pace e quiete, lontano dalla frenesia della città. Con la testa abbandonata contro il morbido schienale in pelle, McLean chiuse gli occhi e lasciò che la stanchezza gli scivolasse via di dosso.

Si svegliò nella più completa oscurità. Per un attimo non capì dove fosse, poi si ricordò. Stava per accendere la lampada del tavolino dove aveva posato le lettere e il whisky, poi però si rese conto di cosa l'aveva svegliato. Un rumore. Era stato solo un lieve scricchiolio del pavimento, ma era sicuro di averlo sentito. C'era qualcun altro in casa.

Rimase seduto immobile, aprendo bene le orecchie, tentando di ignorare il battito accelerato del suo cuore. Se l'era solo immaginato? La casa era vecchia e piena di assi che scricchiolavano e cigolavano a ogni cambio di temperatura. Ma era abituato a quel tipo di rumori; ci era cresciuto. Quello era diverso. Trattenne il respiro, ascoltando la casa. Aveva chiuso bene la porta sul retro? C'era il catenaccio, lo sapeva bene, ma se non l'avesse tirato?

Qualcosa di metallico tintinnò contro la porcellana. Fuori, in corridoio, c'erano due grossi vasi ornamentali. McLean riuscì quasi a vedere l'intruso silenzioso mentre ne sfiorava uno con un anello che portava al dito. Ora che era più concentrato sui rumori, riusciva anche a sentire meglio: respiri lenti, il fruscio di abiti ampi, un oggetto che veniva posato molto attentamente su una superficie di legno. Erano rumori decisi, silenziosi per abitudine, più che per necessità. Chiunque fosse entrato, pensava che la casa fosse vuota. Guardò la porta, sbirciando dal bordo della poltrona. Da sotto non giungeva alcuna luce, perciò la persona dall'altra parte o si orientava al tatto o stava ricorrendo a qualche sistema di visione notturna. Pensò che fosse più probabile la seconda ipotesi, e questo gli fece venire in mente un piano.

C'era poca luce nella biblioteca. Le pareti scure, coperte di libri, non riflettevano granché del bagliore soffuso che filtrava dall'esterno. Ma ce n'era abbastanza da permettergli di riconoscere i vari mobili. Sapeva anche dove erano le assi del pavimento meno salde, sparse attorno alla porta e al caminetto. McLean si tolse le scarpe, poi attraversò la stanza il più silenziosamente possibile, arrivando alla porta. Fuori udì il rumore dell'intruso che si muoveva metodicamente in soggiorno. Attese paziente, immobile, respirando piano e in maniera regolare.

L'intruso sembrò impiegare un tempo infinito per arrivare alla biblioteca, ma finalmente McLean vide la maniglia d'ottone cominciare a ruotare. Attese finché la porta non fu aperta per metà. Una testa, mezza oscurata da un paio di grossi occhiali, spuntò dall'apertura. Con un movimento silenzioso, McLean accese le luci.

«Ah! Bastardo!»

L'uomo era più vicino di quanto McLean si fosse aspettato. Con le mani cercava di togliersi il visore notturno prima che gli bruciasse le retine. Senza aspettare i comodi del ladruncolo, McLean lo afferrò per il bavero della maglietta e lo tirò a sé, facendogli lo sgambetto. Caddero insieme a terra e McLean, sopra di lui, lottò per bloccare l'intruso con una presa al braccio.

«Polizia. Sei in arresto.»

Non funzionava mai, ma gli avvocati insistevano che fosse necessario. Una gomitata all'inguine gli tolse il respiro. Il ladruncolo scalciò e inarcò la schiena, sempre tentando di togliersi il visore notturno con una mano. Era forte, muscoloso sotto la maglietta nera e i jeans, e molto poco intenzionato a calmarsi. McLean gli passò un braccio attorno al collo e gli piantò un ginocchio nella schiena, come insegnavano alla scuola di polizia. Non servì a molto: l'altro si agitava come un sacco pieno di anguille. Riuscì a girarsi fino a trovarsi faccia a faccia con McLean, come un amante, sollevando le ginocchia in un modo che era impossibile a livello anatomico.

«Oof!» L'aria gli uscì dai polmoni mentre l'altro, con i piedi, lo spingeva via. Rovinò su una delle poltrone e ricadde dall'altra parte, rialzandosi proprio mentre l'intruso correva verso la porta.

«Non ci pensare neanche.» McLean si tuffò in avanti e lo afferrò in un perfetto placcaggio rugbistico. La spinta li proiettò in avanti ad alta velocità e, con un orribile rumore di ossa rotte, la testa del ladro si abbatté sullo spigolo della porta aperta. Cadde come se qualcuno l'avesse spento e McLean, impossibilitato a fermarsi, gli atterrò pesantemente addosso, con la faccia sul suo sedere.

Si rialzò, tossendo e ansimando, prese il braccio dell'intruso e glielo piegò dietro la schiena. «Beccato, stronzo» disse, cercando di riprendere il controllo del proprio respiro, ma inutilmente. L'uomo era immobile, il costoso visore notturno rotto su un lato della testa e una grossa ferita che gli si apriva sul volto.

25

Martedì mattina. La sala interrogatori numero tre era una fornace. Non c'erano finestre, solo un condotto di ventilazione sul soffitto che avrebbe dovuto pompare aria fresca. Al centro della stanza c'era un tavolo bianco, con qualche bruciatura di sigaretta sul piano di fòrmica. Dietro, una sedia di plastica era stata avvitata al pavimento, leggermente troppo lontana dal tavolo perché il suo occupante potesse posarvi comodamente i gomiti. Ci aveva provato diverse volte, invano, e adesso si era appoggiato allo schienale, tenendo i polsi ammanettati in grembo.

McLean lo guardò per un po', senza dire una parola. Fino a quel momento il ladro si era rifiutato di dirgli come si chiamasse, il che era una seccatura. Era giovane, tra i venti e i trent'anni, a occhio e croce. Ed era in forma. McLean aveva riportato una bella ferita sul fianco destro, che però era nulla in confronto allo squarcio che l'altro aveva sul viso.

La porta si spalancò ed entrò Bob il Burbero. Reggeva un vassoio con due tazze di tè e un piattino di biscotti. Mise tutto sul tavolo, passò una tazza a McLean e tenne l'altra per sé, inzuppando un appetitoso biscotto nel liquido caldo.

«E io? A me non date nulla?» Il giovane aveva l'accento di Glasgow e parlava come se fosse un pezzente qualsiasi. Ma McLean non si fece ingannare. Chiunque fosse in grado di forzare una serratura e avesse le conoscenze per utilizzare un visore notturno era un bel passo avanti rispetto al normale tossico che ruba per necessità.

«Vediamo…» Finse di pensare per un po', sorseggiando il suo tè. «No. A te nulla. Funziona così. Se collabori, saremo gentili. Altrimenti…»

«Che ne dite di una sigaretta, allora? Si soffoca, qui dentro.»

McLean indicò il cartello VIETATO FUMARE appeso alla parete. Il monito era rovinato dalle cancellature fatte a penna sulla parola «vietato».

«Una delle poche cose positive uscite da Holyrood. Non si può fumare negli edifici pubblici. Neppure nelle celle. E tu nelle celle ci passerai un bel po' di tempo, se non collabori.»

«Non potete tenermi chiuso qui dentro. Conosco i miei diritti. Voglio il mio avvocato.»

«L'hai sentita alla televisione, questa, vero?» chiese Bob. «Credi di sapere tutto sulla polizia perché guardi CSI? L'avvocato lo avrai quando lo decideremo noi, bellezza. E più ci fai incazzare, più ci passa la voglia.» Prese un altro biscotto e lo addentò, spargendo tutto intorno una pioggia di briciole.

«D'accordo. Partiamo da quello che già sappiamo.» McLean si tolse la giacca e la appese allo schienale della sedia. Frugò in una delle tasche e ne estrasse un paio di guanti in lattice, che indossò lentamente, facendo schioccare la gomma e aprendo e chiudendo le dita. Nel frattempo il ladruncolo lo guardava con gli occhi grigi sgranati.

«La scorsa notte sei stato sorpreso all'interno dell'abitazione della defunta signora Esther McLean.» McLean si chinò e prese una scatola di cartone dal pavimento, posandola sul tavolo. Ne estrasse una pesante borsa di tessuto spesso, avvolta nella plastica. «Avevi questa borsa e indossavi questo.» Tirò fuori il visore notturno dalla scatola e lo mise sul tavolo. Anche quello era stato messo in una busta di plastica.

«All'interno della borsa abbiamo rinvenuto diversi oggetti trafugati nella casa.» Tirò fuori una serie di soprammobili d'argento che erano esposti nell'ingresso. Era una strana sensazione maneggiare in quel modo le cose di sua nonna, anche se erano chiuse nelle buste. «Avevi anche un set da scassinatore, uno stetoscopio, un trapano elettrico ad alta velocità e degli abiti troppo raffinati per una persona della tua età.» Sistemò tutto sul tavolo. «Oh, c'erano anche queste chiavi, che presumo siano di casa tua. E quelle di una bmw, ma il mio collega, il detective MacBride, le ha portate al più vicino concessionario per confrontare il codice con il database della casa produttrice.»

Con tempismo perfetto bussarono alla porta. Il detective MacBride infilò la testa nella stanza. «Ho qualcosa per lei, signore» disse, passando a McLean un foglio di carta e un altro sacchetto di plastica trasparente. McLean lo guardò e sorrise.

«Bene, signor McReadie, sembra che dopotutto non ci serva la sua collaborazione.» Fissò il ladruncolo alla ricerca di qualche segno di disagio. Non rimase deluso.

«Riportalo in cella, Bob. E di' al sergente di guardia, niente sigarette, intesi?» Prese il sacchetto per le prove con le chiavi e se lo mise in tasca. «Stuart, chiama un paio di agenti, ci vediamo fuori. Vedo se riesco a farmi dare un mandato.»

Per essere un criminale da due soldi, il signor Fergus McReadie se la passava piuttosto bene. Abitava in un loft all'interno di un vecchio magazzino giù ai Leith Docks. Vent'anni prima sarebbe stato il rifugio di prostitute e spacciatori, ma dopo lo spostamento dello Scottish Office e da quando ci tenevano ormeggiato in pianta stabile lo yacht reale *Britannia*, Leith era diventata una zona chic. A giudicare dalle auto parcheggiate nei posteggi riservati, abitare lì non doveva costare poco.

«Ecco come vivono i ricchi» commentò il detective MacBride in ascensore. Salirono per cinque piani prima di arrivare al loft. Si trovarono in un pianerottolo immacolato con due porte. L'appartamento di McReadie era quello sulla sinistra.

«Non lo so. Per me non è degno del nome "condominio" se non puzza di piscio.» McLean indicò l'altra porta. «Vedi se ci sono i vicini. Con un po' di fortuna, magari sanno qualcosa sulla seconda vita del nostro scassinatore.»

Mentre il detective suonava il campanello dei vicini, McLean entrò nell'appartamento di McReadie. Era ampio, con vecchie travi in legno che si intrecciavano sul soffitto. Le porte dei vecchi montacarichi erano state convertite in ampie finestre che davano sul molo e sul Firth of Forth. In un angolo c'era un cucinotto e, dall'altra parte, una scala a chiocciola conduceva al soppalco e al tetto. Due porte indicavano la presenza di altre stanze.

«Ok, gente. Cerchiamo qualsiasi cosa assomigli a oggetti rubati e più informazioni possibili sul signor McReadie.» Rimase al centro della stanza mentre Bob il Burbero e l'agente Kydd cominciavano a setacciare l'appartamento, aprendo porte e spostando cuscini. Un'enorme TV al plasma dominava una parete e, accanto, scaffali ordinati pieni di DVD. McLean lesse alcuni dei titoli: per lo più erano manga giapponesi e film di kung fu. In fondo, forse in seguito a un ripensamento, aveva piazzato la serie completa della Pantera Rosa. Le custodie erano rovinate, ammaccate, come se le avesse aperte e richiuse un sacco di volte. Tranne l'ultima, ancora avvolta nel cellophane.

«Signore?»

McLean si voltò e vide il detective MacBride sulla soglia. Dietro di lui c'era una donna con lunghi capelli biondi e scompigliati. Aveva l'aria di essersi appena svegliata, gli occhi spalancati mentre osservava i poliziotti perquisire l'appartamento. Le si avvicinò.

«Questa è la signorina Adamson» disse MacBride. Sembrava un po' stordito. «Vive qui accanto.»

A uno sguardo più attento, McLean si accorse che la signorina Adamson indossava solo una lunga vestaglia di seta. Era scalza.

«Che succede? Dov'è Fergus? È nei guai?» Aveva la voce impastata dal sonno.

«Signorina Adamson, sono l'ispettore detective McLean.» Le mostrò il distintivo, ma la donna non sembrava in grado di concentrarsi. «Mi dispiace disturbarla, ma mi chiedevo se potesse rispondere a qualche domanda.»

«Sì, certo. Non sono nei guai, vero?»

«Naturalmente no, signorina. No. Vorrei solo che mi dicesse ciò che sa sul suo vicino, Fergus McReadie.»

«Ok. Entrate, faccio il caffè.»

L'appartamento della Adamson era più piccolo di quello di McReadie, ma sempre spazioso. Con passo leggero, girò attorno a un bancone d'acciaio che divideva la cucina dal resto dello spazio abitabile, cominciando ad armeggiare con il macinacaffè. Subito l'aria si riempì di un aroma potente.

«Che ha fatto Fergus, ispettore? Ho sempre pensato che in lui ci fosse qualcosa di un po' inquietante.»

McLean si sistemò su uno degli alti sgabelli posizionati lungo il bancone. Dietro di lui, il detective MacBride pareva a disagio.

«Non so dirglielo con esattezza, almeno finché non verrà accusato formalmente. Ma l'abbiamo colto con le mani nel sacco, signorina Adamson.»

«Vanessa, la prego. Solo il mio agente mi chiama signorina Adamson.»

«Vanessa, allora. Mi dica. Conosce da tanto Fergus McReadie?»

«Abitava già qui quando mi sono trasferita, circa un paio di anni fa. Lo incontro in ascensore, ci salutiamo. Sa com'è.» Versò il caffè in tre tazze, tirando fuori un grosso cartone di latte senza grassi dal gigantesco frigorifero. McLean non poté fare a meno di notare che, a parte un paio di bottiglie di Champagne, era pressoché vuoto. «Ci ha provato con me un paio di volte, ma non era proprio il mio tipo. Troppo fissato con la tecnologia, e quell'accento mi dava sui nervi.» Aveva una voce delicata, con una debole inflessione americana mischiata alla cadenza di Edimburgo.

«Sa come si guadagna da vivere?» McLean accettò il caffè, senza capire come mai MacBride fosse così riluttante a farsi avanti e prendere il suo.

«È una specie di esperto di sistemi di sicurezza computerizzati, penso. Ha provato a spiegarmelo una volta. Stupida io ad avergliello chiesto. L'ha fatta sembrare una cosa affascinante, come se avesse passato tutta la vita a fare irruzione nelle banche, cose così. Sa, per mostrare loro i punti deboli dei sistemi. In realtà ho avuto l'impressione che stesse tutto il giorno a fissare uno schermo.»

Si sentì bussare alla porta. McLean vide l'agente Kydd posare lo sguardo su Vanessa e alzare le sopracciglia. Allora la guardò di nuovo a sua volta, chiedendosi cosa si fosse perso.

«Oh, entri pure, agente. C'è un sacco di caffè.» La Adamson prese un'altra tazza e McLean distolse lo sguardo quando la vestaglia le si aprì, mostrando forse più del dovuto.

«È molto gentile, signora» disse l'agente, ancora ferma sulla soglia «ma credo che l'ispettore debba venire a vedere cosa abbiamo trovato».

«Non c'è mai pace, eh?» McLean si alzò dallo sgabello. «Detective MacBride, resta qui e raccogli ogni informazione possibile sul nostro uomo. Vanessa, grazie per il suo aiuto. Tornerò per finire il caffè, se non le dispiace.»

«Per niente, ispettore. È la cosa più eccitante che mi sia capitata quest'estate. E chi lo sa, magari mi capiterà di interpretare una poliziotta. È un'ottima occasione per documentarmi.»

Voltandosi per andarsene, a McLean sembrò di vedere l'agente Kydd che, solo con le labbra, diceva «Vanessa?» a MacBride, ma riassunse la sua solita espressione «arrabbiata ma non troppo» prima che potesse esserne certo. La seguì fino all'appartamento di McReadie. Una delle due porte in fondo era aperta.

«C'è qualcosa che non so, agente?» chiese McLean mentre percorrevano la stanza.

«Non l'ha riconosciuta, signore? Vanessa Adamson? Ha vinto il Bafta, l'anno scorso, per quella serie sulla BBC. Candidata all'Oscar per quel film con Johnny Depp?»

Non aveva visto né l'una né l'altro, ma ora che ci pensava gli pareva di averla vista al telegiornale. McLean si sentì avvampare. Ecco perché gli ricordava qualcuno.

«Davvero? La facevo più alta.» Cercò di placare l'imbarazzo entrando nell'altra stanza, un ampio studio, illuminato da un'unica finestra a parete. Su una spaziosa scrivania dal ripiano in vetro c'erano soltanto un computer portatile e un telefono. Bob il Burbero sedeva sulla sedia di pelle nera e girava su se stesso.

«Trovato qualcosa, Bob?»

«Credo che questo le piacerà, signore.» Si alzò e mise la mano su un libro sullo scaffale dietro di lui. Quando lo tirò verso di sé, l'intero scaffale scattò, si spostò in avanti e scivolò di lato su guide invisibili. Dietro c'era un'altra serie di scaffalature, di vetro, illuminate da sopra e da sotto. Ospitavano una stupefacente serie di gioielli.

«Come diavolo hai fatto a scoprirlo, Bob?» McLean girò intorno alla scrivania e sbirciò nella nicchia.

«Stavo leggendo i titoli dei libri, signore. Ne ho visto uno scritto da McReadie in persona e ho pensato che sarebbe stato interessante dargli un'occhiata. Solo che non era un vero libro. Proprio un bel trucchetto.»

«Be', ti do dieci in spirito d'osservazione. E undici in fortuna sfacciata.»

«Non è finita, signore. Ho trovato anche questi.» Bob si chinò e tirò fuori alcuni giornali dal cestino della carta straccia. Lo *Scotsman* della settimana prima. Li aprì e li posò sulla scrivania. Uno era stato lasciato aperto alla pagina degli annunci, l'altro a quella dei necrologi. Entrambi recavano annotazioni tracciate con una penna nera. McLean riconobbe la foto sgranata della nonna, scattata quarant'anni prima. Bob il Burbero sfoggiò il famoso sorriso che gli era valso il suo soprannome, molti anni addietro.

«Credo che sia il nostro uomo dei necrologi, signore.»

26

«McLean! Dove cazzo eri ieri mattina? Perché non rispondevi al telefono?»

L'ispettore capo Duguid marciò lungo il corridoio verso di lui, la faccia paonazza, i pugni serrati. Per un attimo McLean ebbe difficoltà a ricordarsi cosa stava facendo, visto quello che era successo in seguito. Poi gli fu tutto chiaro.

«Avevo il giorno libero, signore. Stavo cremando mia nonna. Se l'avesse chiesto al sovrintendente capo McIntyre sono certo che gliel'avrebbe detto. E le avrebbe anche fatto sapere che sono venuto lo stesso per finire il rapporto sulla morte di suo zio e sul suicidio del suo assassino.»

Il viso di Duguid passò da rosso fuoco a bianco fantasma in un secondo. Spalancò gli occhietti porcini e le narici gli si allargarono come quelle di un toro pronto a caricare.

«Non osare menzionare questa cosa qui dentro, McLean» sibilò tra le labbra, guardandosi nervosamente attorno per vedere se qualcuno aveva sentito. C'era qualche agente che andava e veniva, ma tutti avevano sufficiente buon senso da evitare il contatto visivo con l'ispettore capo. Anche se avessero sentito qualcosa, non l'avrebbero mai dato a vedere.

«Aveva bisogno di qualcosa, signore?» McLean mantenne un

tono di voce normale. L'ultima cosa che voleva era che Duguid gli urlasse contro; non dopo che la giornata era iniziata così bene.

«Puoi dirlo forte, maledizione. Qualche pazzo di nome Peters è entrato in un ufficio del centro, ieri, e si è tagliato la gola con un rasoio. Voglio che tu scopra chi era e perché l'ha fatto.»

«Non c'è nessun altro disponibile? Ho un sacco di casi di cui occuparmi e...»

«Non avresti un sacco di stramaledetti casi se non fosse per me, McLean. Smetti di lamentarti e fai il lavoro per cui ti pagano.»

«Naturalmente, signore.» McLean si morse la lingua per non ribattere. Era perfettamente inutile, quando Duguid era arrabbiato. «Chi ha condotto l'indagine preliminare?»

«Tu la condurrai.» Duguid guardò l'orologio. «Nella prossima mezz'ora. Sulla tua scrivania c'è un rapporto del sergente che è arrivato sulla scena. Ti ricordi dov'è la tua scrivania, vero, ispettore? Prova in ufficio.» E dopo questa battuta se ne andò, borbottando qualcosa tra sé.

Solo allora Bob il Burbero uscì dalla fotocopiatrice dietro la quale si era nascosto.

«Porca puttana. Ma che problema ha?»

«Non ne ho idea. Forse ha scoperto che lo zio ha lasciato tutto a un santuario degli animali, o cose del genere.»

«Zio?» Quindi Bob non aveva ascoltato.

«Lascia perdere, Bob. Occupiamoci del nostro suicida. Alla scientifica ci metteranno un po' per analizzare tutti i gioielli. Nel frattempo non possiamo fare nulla.»

«E McReadie? Non vuole accusarlo?»

«Dovremmo farlo. Ma sai anche tu che si procurerebbe un

bastardo di avvocato e sarebbe fuori entro stasera. Hai visto dove vive; ha i soldi che gli escono dalle orecchie. Può comprarsi la libertà, e lo sa benissimo.»

«Lo lascerò in cella fino all'ultimo, allora. Meglio che vada a controllare con il sergente di guardia.»

Bob il Burbero si diresse verso la portineria e McLean andò in ufficio. In cima alla catasta di scartoffie ormai datate, c'era una sottile cartellina di cartoncino che conteneva la stampa del rapporto relativo all'apparente suicidio del signor Andrew Peters. C'erano nomi e indirizzi di una dozzina di testimoni, tutti impiegati della stessa compagnia finanziaria, la Hoggett Scotia. Anche Peters aveva lavorato lì. Stando alle testimonianze, era entrato con l'aria di uno che aveva dormito vestito nelle ultime due notti, aveva estratto un rasoio da barba dalla tasca e si era tagliato la gola. E tutto questo era accaduto quasi ventiquattr'ore prima. E in tutto quel tempo, la polizia non aveva mosso un dito.

McLean sospirò. Non solo sarebbe stata probabilmente un'altra indagine infruttuosa, ma avrebbe anche dovuto fare i conti con l'ostilità della gente, visto che gli ci era voluto così tanto per mettersi in moto. Magnifico.

Afferrò il telefono e compose il numero dell'obitorio. Gli rispose la voce allegra di Tracy.

«Vi è arrivato un morto suicida ieri? Un certo Peters?» chiese McLean dopo aver schivato i soliti tentativi di flirt dell'assistente.

«A metà mattina, sì» confermò lei. «Il dottor Cadwallader ci lavorerà oggi pomeriggio, verso le quattro.»

McLean la ringraziò, le disse che ci sarebbe stato anche lui e riappese. Diede un'altra occhiata al rapporto: almeno non era lontano. Prima gli interrogatori, poi l'autopsia. Con un po' di fortuna, una volta tornato, avrebbe trovato i risultati delle analisi dei

191

gioielli trovati a casa di McReadie. Poi si sarebbero divertiti come pazzi a trovarli sulla lista degli oggetti rubati.

Prese il rapporto, ignorando come sempre la pila di pratiche da sbrigare, e uscì alla ricerca del detective MacBride.

«Ci hai tenuti impegnati in quest'ultima settimana, Tony.»

McLean sorrise al medico legale. «Buon pomeriggio anche a te, Angus. E grazie per essere venuto ieri, fra l'altro.»

«Non ci pensare nemmeno. La "ragazza" mi ha insegnato diverse cose. Il minimo che potessi fare era assicurarmi che venisse salutata come si deve.» Il medico aveva già indossato la tuta protettiva e i lunghi guanti da chirurgo. Entrarono nella sala dell'autopsia, dove Andrew Peters giaceva in tutta la sua pallida gloria sull'immacolato tavolo d'acciaio. A parte il taglio all'altezza della gola, sembrava stranamente pulito e in pace. Aveva i capelli arruffati e grigi, ma il viso giovane. McLean gli avrebbe dato tra i trenta e i quarant'anni. Ma era difficile giudicare dal cadavere.

Cadwallader cominciò da un'accurata ispezione del corpo, cercando segni di ferite, di uso di droghe o di malattia. McLean osservò, ascoltando distrattamente i commenti del medico e chiedendosi cosa avesse spinto un uomo a commettere suicidio in un modo così violento. Era impossibile comprendere i processi mentali che portavano una persona a ritenere la morte preferibile alla vita. Lui stesso aveva conosciuto la disperazione, più di una volta, ma si era sempre immaginato l'ansia e il terrore delle persone che avrebbero trovato il suo cadavere, le cicatrici mentali che avrebbe procurato loro. Forse era quella l'unica differenza tra un suicida e un depresso; il primo non si preoccupava di come si sarebbero sentiti gli altri, dopo la sua morte.

Se le cose stavano così, forse allora Peters era un buon candidato, tutto sommato. Secondo il suo capo era stato un uomo d'affari senza scrupoli. McLean non capiva molto delle dinamiche interne al mondo della gestione del capitale, ma ne sapeva abbastanza da intuire che, anche solo rimuovendo dei titoli dal proprio portafoglio azionario, Peters avrebbe potuto tranquillamente distruggere intere società. Ma, anche se a giudicare dalla spietatezza, avrebbe potuto suicidarsi senza rimorsi, sembrava che avesse molte ragioni per cui vivere. Non era sposato, non era legato a una donna. Era ricco, di successo, aveva un lavoro che in teoria amava. Nessuno alla Hoggett Scotia aveva avuto qualcosa di negativo da dire su di lui. Restavano comunque i suoi genitori da interrogare; vivevano a Londra e sarebbero arrivati nel pomeriggio.

«Ah, questo sì che è interessante.» Il cambio di tono di Cadwallader distolse McLean dai suoi pensieri. Alzò lo sguardo e vide che il medico aveva iniziato l'esame interno.

«Cosa?»

«Questo.» Indicò il lucido ammasso di interiora. «Aveva il cancro a… be', un po' a tutto. Sembra che sia cominciato nell'intestino, ma si è diffuso a ogni organo del corpo. Se non si fosse ammazzato sarebbe morto comunque entro un paio di mesi. Sappiamo chi era il suo medico? Doveva prendere delle medicine belle pesanti…»

«Ma chi si sottopone a cicli di chemio di solito non perde i capelli?» chiese McLean.

«Giusto. Sarà per questo che tu sei un detective e io solo un patologo.» Cadwallader si chinò sulla testa del cadavere, prelevandogli una ciocca di capelli con il forcipe. La mise su un piattino d'acciaio che gli aveva portato l'assistente. «Fammi un'analisi spettrografica di questi, Tracy, grazie. Sono pronto a scommettere che non prendesse medicine più forti dell'Ibuprofene.» Si voltò verso

McLean. «La chemio provoca altri cambiamenti nel corpo, Tony, meno evidenti. Quest'uomo non ne mostra alcuno.»

«Potrebbe aver rifiutato di curarsi?»

«Non vedo altra soluzione. Doveva sapere cosa gli stava succedendo. Altrimenti, perché uccidersi?»

«Esatto, Angus. Perché?»

27

Di Duguid non c'era traccia in centrale. McLean disse una silenziosa preghiera di ringraziamento e scese di corsa nella sua piccola centrale operativa. La stanza era diventata un inferno, a causa dell'effetto combinato del sole del pomeriggio e del radiatore acceso al massimo. Sia il detective MacBride, sia Bob il Burbero si erano tolti giacca e cravatta. Il sudore imperlava la fronte del detective mentre digitava sulla tastiera del suo portatile.

«Ricordami di chiederti come hai fatto a mettere le mani su quel computer, Stuart.»

MacBride alzò gli occhi dallo schermo.

«Mike Simpson è mio cugino» disse. «Gli ho chiesto se avevano un portatile che gli avanzava.»

«Chi, il genio delle telecomunicazioni?»

«Lui. E non è un genio, signore. Sembra.»

«Sì, infatti quando parla capisco tutto. Quindi è tuo cugino, eh?» Poteva tornare utile. E lo era già stato, a giudicare dallo stato del portatile su cui MacBride stava lavorando. Sembrava addirittura nuovo. «Gli hai chiesto di dare un'occhiata al computer di McReadie?»

«Ci sta lavorando proprio adesso. Non credo di averlo mai visto così esaltato. Pare che McReadie sia una specie di divinità nella comunità hacker di Edimburgo. Lo conoscono tutti con il nickname Clouseau.»

McLean si ricordò dei film della Pantera Rosa nella collezione del ladruncolo. Tutti visti e rivisti, tranne l'ultimo.

«Mi sorprende che abbia scelto un nome simile. Avrei detto che si considerasse più un novello David Niven.»

Dalla sua espressione, era chiaro che il detective MacBride non avesse afferrato il collegamento. «*La Pantera Rosa*, detective. Ha interpretato Sir Charles Lytton, il ladro gentiluomo. Un ladro d'appartamento.»

«Oh, giusto. Io pensavo che la Pantera Rosa fosse solo un personaggio dei cartoni.»

McLean scosse la testa e si voltò. Gli cadde l'occhio sulle foto della ragazza morta, ancora appese alla parete.

«A proposito… hai trovato niente cercando quell'operaio tra le persone scomparse?»

MacBride digitò qualcos'altro prima di rispondere. «Scusi, signore. Ho fatto delle ricerche, ma i dati computerizzati arrivano solo fino agli anni Sessanta. Per i casi più vecchi dovrò cercare in archivio. Ci sarei andato oggi pomeriggio.»

«Operaio?» chiese Bob.

«È un'idea del detective» disse McLean, annuendo in direzione di MacBride, che arrossì. «I nostri assassini erano uomini colti; non sarebbero stati in grado di mettere mattoni o di intonacare. Qualcuno ha dovuto farlo al loro posto, giusto? Si sono serviti di un operaio.»

«Ma nessuno avrebbe accettato» obiettò Bob. «Voglio dire, avrà visto per forza il corpo. E anche i vasi. Io mi sarei rifiutato. Avrei piantato un casino.»

«Ah, ma tu non sei un uomo della classe lavoratrice nato all'inizio del Ventesimo secolo, Bob. A quei tempi Sighthill era poco più che un villaggio, la gente riveriva il proprio latifondista come un re. Non mi sorprenderebbe se si fossero spinti fino al punto di minacciare la famiglia di quell'uomo. Quella gente non era per nulla schizzinosa.»

«Il latifondista?»

«La casa apparteneva a Menzies Farquhar. Il fondatore della banca Farquhar.»

«Crede che sia stato lui? Che abbia minacciato qualche operaio locale per coprire tutto e poi se ne sia sbarazzato a lavoro finito?» Bob il Burbero sembrava quantomeno scettico e McLean non poteva biasimarlo. Quello che gli era sembrato ovvio nell'atmosfera inquietante della cantina sembrava poco plausibile nel calore della centrale operativa. Era una pista esile come la scusa di uno scolaretto, ma era tutto ciò che avevano.

«Non Menzies Farquhar, no. Ma può essere stato suo figlio Albert.» McLean ricordò la breve conversazione avuta al funerale con Jonas Carstairs. Era davvero così semplice? No. Non lo era mai. «Ma per adesso sono tutte supposizioni. Non sappiamo nulla su quella famiglia, né tantomeno su chi può aver lavorato per loro ai tempi della guerra. È improbabile che ci sia qualcuno ancora vivo con cui parlare. Di sicuro non ci sono più Farquhar da arrestare, anche se fossero stati loro. Vorrei solo dare un nome alla nostra vittima e, per il momento, la nostra pista migliore è quella di un operaio scomparso.» Si voltò verso il detective MacBride. «Stuart, voglio che tu mi trovi ogni informazione possibile su Menzies e Albert Farquhar. Quando avrai finito, puoi andare ad aiutare Bob in archivio.»

«Ah, sì? E che dovrei farci, io, in archivio?» Il vecchio sergente faceva il finto tonto, come se non sapesse già tutto.

«Spulciare tutti i fascicoli alla ricerca di un operaio specializzato che viveva nella zona di Sighthill. Dal 1945 al 1950 andrà benissimo. Se non troviamo niente, amplieremo la ricerca.»

«Dal 1945? Sta scherzando, vero?» Bob il Burbero inorridì.

«Sai bene che ci sono rapporti su casi molto più vecchi, Bob.»

«Sì, nel seminterrato, in grossi schedari polverosi.»

«Allora prendi un agente per farti aiutare» disse McLean, proprio mentre l'agente Kydd bussava alla porta aperta. «Vedi? Non devi neanche andare a cercarne uno.»

«Signore?» L'agente spostò lo sguardo da Bob a McLean e viceversa, aggrottando le sopracciglia.

«Lascia stare» disse McLean. «Che possiamo fare per te?»

Entrò nella stanza, tirandosi dietro un carrello. Era stracarico di scatole di cartone. «È la refurtiva trovata nell'appartamento di McReadie, signore. La scientifica ha analizzato tutto. Pare che sia "più pulita della coscienza di C.T. Russell", qualsiasi cosa signifíchi.»

«È il fondatore dei testimoni di Geova, agente. Non hanno ancora cercato di convertirti alla causa?»

«Ehm, no, signore. E ho anche un messaggio dalla portineria. Hanno provato a chiamarla in ufficio ma non rispondeva e al suo cellulare c'è la segreteria.»

McLean tirò fuori il telefonino. Era sicuro di averlo lasciato in carica per tutta la notte. Ma lo schermo era spento. Premette il tasto d'accensione, ma non accadde nulla.

«Questa maledetta batteria è finita di nuovo. Perché non hanno telefonato direttamente qui? No, aspetta, lascia stare.» Guardò il telefono solitario appollaiato sulla scrivania accanto al computer. Sembrava funzionante, ma non l'aveva mai visto usare a nessuno. «Qual è il messaggio?»

«Sembra che ci sia un certo Donald Peters che vuole vederla. Ha detto qualcosa a proposito di dover identificare suo figlio.»

«Oh, merda.» McLean lanciò il cellulare a MacBride. «Prestami il tuo, detective. Devo tornare in obitorio.»

Donald Peters non assomigliava molto al figlio. La mascella squadrata e il naso a punta rendevano affilato il suo viso, come se avesse trascorso troppo tempo controvento. Portava i capelli molto corti, leggermente ingrigiti sulle tempie. Aveva gli occhi di un azzurro acceso e penetrante e parlava con uno stretto accento del sud dell'Inghilterra. McLean chiamò una volante e ordinò di portarli all'obitorio. Disse all'agente di attendere in macchina, sperando di non metterci molto.

Tracy aveva preparato il corpo per il riconoscimento. Era completamente coperto e giaceva in una piccola stanza separata da quella principale. Quando arrivarono fece loro strada, poi scoprì con attenzione il viso del cadavere, tenendo ben nascosta l'orribile ferita sul collo. Donald Peters rimase in silenzio, immobile per diversi minuti, a fissare quel volto pallido, poi si voltò lentamente verso McLean.

«Perché?» domandò. «Che diavolo è successo a mio figlio?»

«Mi dispiace, signore. È Andrew Peters?» McLean sentì una morsa fredda serrargli lo stomaco.

«Io… sì. È lui, credo. Ma… posso vedere il resto del corpo, per favore.» Non era una domanda.

«Signore, non credo sia il caso. È…»

«Sono un chirurgo, maledizione. Lo so che gli hanno fatto.»

«Mi scusi, signore, non ne avevo idea.» McLean fece un cenno del capo a Tracy, che scostò completamente il telo. Era probabile che fosse stata lei a ricucire il corpo, una volta concluso l'esame del dottor Cadwallader. McLean rimase impressionato dalla sua bravura e accuratezza, ma ciò non toglieva il fatto che Andrew Peters fosse stato sfilettato come un pesce. Eppure, mentre gran parte dei padri sarebbe rimasta scioccata, Donald Peters tirò fuori un paio di piccoli occhiali e si chinò per ispezionare il figlio.

«È lui» disse dopo qualche minuto. «Ha una voglia e un paio di cicatrici che riconoscerei ovunque. Ma non capisco cosa gli sia successo. Come ha fatto a diventare così?»

«Che intende, signore? Era in queste condizioni quando è morto.» McLean deglutì. «Le hanno detto com'è morto, vero?»

«Sì, e già quello lo trovo difficile da credere. Andrew aveva tanti difetti, ma la depressione non era fra questi.»

«Sapeva che aveva un cancro allo stadio terminale, signore?»

«Che cosa? Ma è impossibile!»

«Quand'è stata l'ultima volta che ha visto suo figlio, signore?»

«Ad aprile. È venuto a Londra per la maratona. Lo faceva ogni anno, per raccogliere fondi in favore degli ospedali dei bambini.»

McLean guardò il corpo martoriato che giaceva nudo sul tavolo. Sapeva che alle maratone partecipavano le persone più disparate; alcuni ci mettevano perfino dei giorni, perché camminavano invece di correre. Per Andrew Peters, però, ci sarebbe voluto un taxi. Aveva le gambe devastate, la gobba. La cicatrice rendeva difficile capire in che condizioni fosse prima dell'autopsia, ma McLean si ricordava un ventre prominente.

«Doveva tenere parecchio a quell'ospedale, per sottoporsi a uno sforzo simile. Raccoglieva molto denaro?»

«Non era per i soldi, ispettore. Lo faceva per la corsa. Oggi come oggi, per partecipare alla maratona di Londra bisogna farsi sponsorizzare da un'associazione benefica.»

«Mi scusi, signore, sta dicendo che suo figlio correva regolarmente?»

«Sin da quando aveva quindici anni, sì. Ha sfiorato il professionismo.» Donald Peters allungò una mano e scompigliò i capelli del figlio morto. Le lacrime offuscarono lo sguardo accusatorio. «Aveva finito l'ultima gara in due ore e mezza.»

28

Mentre tornava alla centrale, fu distratto dall'inconsueto suono di un cellulare che gli squillava in tasca.

«McLean» disse, dopo essersi ricordato come si rispondeva. Era più grosso del suo telefono, e più complicato, ma se non altro la batteria non si era scaricata. Non ancora, almeno.

«Ah, salve, ispettore. Mi stavo chiedendo se avrebbe mai risposto.» McLean riconobbe la voce dell'avvocato di sua nonna. Probabilmente la chiamata era stata inoltrata dalla centrale.

«Signor Carstairs, mi sarei fatto vivo io. Per quella storia di Albert Farquhar.»

Una pausa, come se l'avvocato fosse stato colto alla sprovvista. «Certo. In realtà, non ho chiamato per questo. Ho riordinato tutti i documenti di sua nonna; ho solo bisogno che venga a mettere qualche firma, poi potremmo dare il via al noioso processo di trasferimento dei titoli azionari e così via.»

McLean diede un'occhiata all'orologio. Il pomeriggio era già finito e non se n'era nemmeno accorto; aveva una montagna di pratiche ancora da sbrigare, prima di buttarsi a capofitto nell'interessantissima impresa di identificare i trofei di McReadie. «Sono piuttosto impegnato adesso, signor Carstairs.»

«Naturalmente, Tony. Ma anche gli ispettori prima o poi devono mangiare, no? Mi chiedevo se potessimo vederci a cena. Diciamo alle otto? Posso portare i fogli da firmare e potremo organizzare tutto il resto. Esther mi ha affidato diversi messaggi di natura personale, da comunicarle solo dopo la sua morte. Non mi sembrava appropriato farlo durante il funerale. E posso anche dirle tutto su Bertie Farquhar, se vuole, anche se è un argomento piuttosto sgradevole.»

Probabilmente sarebbe stata l'offerta migliore che avrebbe ricevuto, sempre meglio in ogni caso del cibo da asporto che aveva in mente di prendere tornando verso casa. E se poteva anche saperne di più su Farquhar, allora era un po' come essere al lavoro.

«È molto gentile, Jonas.»

«Alle otto, allora?»

«Va bene.» Carstairs gli ricordò il suo indirizzo, poi riagganciò. A quel punto McLean era quasi arrivato alla centrale. Quando vi entrò, stava ancora cercando di capire come spegnere il cellulare.

«I miracoli non finiscono mai» disse il sergente all'ingresso. «Un ispettore detective con un cellulare.»

«Non è mio, Pete, me l'ha prestato un detective.» McLean lo agitò e premette un sacco di pulsanti a caso, senza risultato. «Come cavolo si spegne?»

Al piano inferiore, nella piccola centrale operativa regnava il caos. Le scatole che aveva portato l'agente Kydd erano sparpagliate ovunque, alcune aperte, altre ancora chiuse. In mezzo a quella confusione, il detective MacBride era inginocchiato sul pavimento e passava in rassegna speranzoso una cospicua pila di carte.

«Ti diverti, detective?» McLean guardò l'orologio. «Non dovresti già essere a casa?»

«Ho pensato di cominciare a identificare questi oggetti, signore.» MacBride sollevò un sacchetto di plastica contenente un uovo d'oro tempestato di pietre preziose, di una volgarità unica.

«Be', io devo ammazzare un'oretta. Passami un po' di quei fogli, ti do una mano. Hai trovato qualcosa?»

MacBride indicò una pila di oggetti sulla scrivania. «Quelli erano sulla lista del signor Douglas. Stando all'inventario si trovavano sullo scaffale più in basso, in fondo sulla destra. Uno accanto all'altro. Sto lavorando sull'ipotesi che McReadie abbia agito metodicamente. Dopotutto, è un esperto di informatica, no?»

«Sembra un'ottima strategia.» McLean guardò le scatole, confrontando le etichette con la lista. «Questa, quindi, dovrebbe contenere gli oggetti trovati sullo scaffale più in alto, partendo da sinistra; il suo primo colpo. Il sindaco Ronald Duchesne.»

Aprì la scatola, sbirciando nelle buste di plastica trasparente all'interno e cercando di individuare gli oggetti elencati come rubati. Non potevano esserci tutti; era probabile che McReadie avesse venduto i pezzi che non gli piacevano e spesso accadeva che le vittime di furti domestici aggiungessero altre cose alla lista dei beni rubati. Ma in quella scatola non c'era niente che combaciasse, neanche vagamente. Dopo aver tirato fuori ogni sacchetto e averlo posato sul pavimento, McLean stava per rimettere tutto a posto per cominciare a controllare un'altra scatola, quando si accorse che dentro c'era un'altra bustina. La sollevò e la guardò contro luce.

Un brivido gli corse lungo la schiena.

Sulla parete, ingrandite e appese in cerchio, c'erano le fotografie dei sei oggetti ritrovati nelle nicchie insieme agli organi della ragazza. Il suo sguardo si posò sulla foto di un gemello d'oro lavorato, con un grosso rubino al centro. Nel sacchetto di plastica che teneva in mano c'era il suo compagno.

29

Non riesce a capire cosa c'è che non va in lei. È cominciato tutto...
quando? Non ricorda. La gente gridava, correva. Lei era spaventata e si sentiva anche poco bene. Poi, però, una coperta calda era
calata su ogni cosa. Perfino sulla sua mente.

Delle voci le sussurrano qualcosa, la incitano e la confortano,
la spingono ad andare avanti. In un modo o nell'altro ha camminato per molti chilometri, ma non ricorda quanti. Ha solo un
vago dolore alle gambe, alla schiena, alla bocca dello stomaco. Ha
fame. Molta fame.

L'odore le entra nelle narici e la attira a sé, più forte di qualsiasi
corda. Non è in grado di resistergli, anche se le sembra di avere
degli ammassi sanguinolenti al posto dei piedi. Intorno a lei ci
sono delle persone che vanno per la loro strada. Si vergogna a
farsi vedere, ma loro la ignorano, spostandosi al suo passaggio. È
solo un'altra stupida ubriacona.

È arrabbiata con loro perché la ritengono debole. Vuole colpirli,
far loro del male, costringerli a capire quanto siano meschini. Ma
le voci la tranquillizzano, prendono tutta la sua rabbia e la rin-
chiudono altrove, conservandola per un'altra occasione. Lei non
si chiede quando sarà, continua solo a camminare verso l'odore.

È come in un sogno. Passa da un'immagine all'altra, saltando la noiosa fase di spostamento. È in una strada affollata; è in una via tranquilla; è di fronte a una grossa casa lontana dalla strada; è dentro.

Lui la vede lì, in piedi, si volta verso di lei. È anziano, ma i suoi movimenti sono da giovane mentre le si avvicina. Poi i loro sguardi si incrociano e, dentro di lei, qualcosa muore. Nel suo atteggiamento c'è un'arroganza che le risveglia la rabbia sopita. I sussurri nella sua testa diventano un tumulto, una furia irrefrenabile. Ricordi dimenticati per un'intera vita sbocciano come fiori neri, fetidi e marci. Uomini sudati che ansimano, il dolore che la avvolge. *Falli smettere. Dio, ti prego, falli smettere.* Ma loro non smettono. Continuano, notte dopo notte dopo notte. Le hanno fatto delle cose. Lui le ha fatto delle cose, ora ne è certa, anche se non ricorda altro di sé.

Stringe qualcosa di freddo, duro e affilato nella mano. Non ha idea di come ci sia arrivato; non ha idea di dove sia, di chi sia. Ma sa perché è andata lì, e sa cosa deve fare.

30

«Dov'è McReadie? In che cella l'avete messo?» McLean entrò trafelato nell'ufficio del sergente di guardia. Questi alzò gli occhi dalla sua tazza di tè, mentre il resto dello staff ancora sul posto si radunava davanti alla porta, incuriosito dal rumore.

«McReadie? Se n'è andato un paio d'ore fa.»

«Cosa?»

«Mi dispiace, signore, l'abbiamo trattenuto il più possibile. Ma dovevamo accusarlo ufficialmente di furto, prima o poi. Appena l'abbiamo fatto, si è presentato il suo avvocato. Non c'era motivo per opporsi al rilascio su cauzione.»

«Maledizione. Devo parlargli.»

«Non può aspettare domani, signore? Se lo interroga appena uscito potrebbe cominciare a dire che l'ha molestato. Non vorrà certo che venga scagionato per un cavillo, vero?»

McLean cercò di calmarsi. Poteva aspettare.

«Hai ragione, Bill» disse. «Scusa se sono piombato qui come un matto.»

«Ci mancherebbe, signore. Già che è qui, potrebbe finire di dare un'occhiata a quella pila di scartoffie che ha sulla scrivania da una vita? Ne avremmo bisogno per la fine del mese.»

«Me ne occuperò» promise, mentre se ne andava. Invece di

dirigersi nel suo ufficio, tornò nella piccola centrale operativa, stringendo per tutto il tempo tra le dita il sacchettino per le prove. Il detective MacBride era ancora lì, intento a frugare in due diverse scatole di cartone.

«Ancora nulla?»

«È qui, da qualche parte, signore. Ah, ecco qua.» Il detective si alzò, reggendo un altro sacchetto di plastica trasparente, che a sua volta conteneva un gemello d'oro con rubino. Lo passò a McLean, che lo confrontò con il suo. Non c'era dubbio, erano identici, anche se quello rinvenuto nella nicchia era più pulito e meno usurato, come se la persona che ce l'aveva lasciato avesse continuato a utilizzare l'altro, finché, chissà come, non era andato ad arricchire la collezione del signor Fergus McReadie.

Guardò l'orologio. Le otto meno un quarto. Né l'uno né l'altro avrebbero dovuto trovarsi ancora lì. Era frustrante essere arrivati così vicino alla soluzione e dover aspettare. Ma Bill aveva ragione: non poteva far tornare McReadie subito dopo il rilascio senza che sembrassero molestie. Non dopo averci messo tanto ad accusarlo formalmente. Avrebbe dovuto aspettare almeno fino al mattino dopo.

«Come se la sta cavando tuo cugino Mike con il computer?» chiese McLean.

«L'ultima volta che l'ho sentito sperava di riuscire a "craccarlo" entro domani.»

«Bene. Vai a casa, Stuart. Qui continuiamo domani. Non ho ben capito cosa tu ci faccia ancora qui.»

Il detective arrossì e borbottò qualcosa sul dover aspettare un'altra persona, che staccava alle nove.

«Be', allora, come premio speciale, ti farò fare un lavoro da vero poliziotto.»

«Sul serio?» Il viso di MacBride si illuminò come un albero di Natale.

«Sul serio. Vai nel mio ufficio e sbriga tutte quelle pratiche che trovi sulla scrivania. Le firmerò al mio arrivo, domattina.» McLean non attese i ringraziamenti del detective.

Dalla centrale a Inverleith il tragitto a piedi era breve. Il sole era tramontato dietro gli edifici ed era sparito nella foschia sopra la città, da qualche parte, ma c'era ancora luce. Il buio vero e proprio sarebbe arrivato solo dopo un paio d'ore, in quel periodo dell'anno. E pensare che in inverno avrebbero pagato per un po' di sole.

Sul Water of Leith, avvicinandosi ai giardini botanici, le file di case georgiane a schiera lasciavano il posto a villette più estese. L'indirizzo che gli aveva dato Carstairs corrispondeva a un imponente edificio a tre piani in una stretta stradina laterale, chiusa a un'estremità in modo da non fungere da scorciatoia per il traffico cittadino. Era una zona piacevolmente tranquilla e lontana dalla via principale. Gli ricordava il quartiere di sua nonna, dall'altra parte della città. Edimburgo era piena di oasi di pace che se ne stavano nascoste in silenzio tra zone meno salubri.

Avvicinandosi alla casa, McLean scorse con la coda dell'occhio una giovane donna, già ubriaca a quell'ora, che camminava con passo incerto sul marciapiede nella direzione opposta alla sua. Con il Fringe Festival in pieno svolgimento, non era strano vedere scene del genere a ogni ora del giorno, perciò non ci fece caso. Un grosso camion passò rombando e attirò per un attimo la sua attenzione e, quando si voltò di nuovo, la ragazza era sparita. Scacciando quell'immagine con noncuranza, salì la mezza dozzina di gradini in pietra che conducevano alla porta della casa di Carstairs e mise la mano sulla maniglia.

La porta era aperta.

Da qualche parte, in lontananza, un orologio batté l'ora. McLean entrò. Immaginò che Carstairs lo stesse aspettando, e che avesse lasciato la porta aperta per questo. Nel piccolo ingresso c'era un portaombrelli, contenente tre ombrelli e un paio di bastoni da passeggio. Alcuni vecchi soprabiti erano appesi a grucce di ferro. Un'altra porta, anch'essa aperta, si apriva sul soggiorno della casa.

«Signor Carstairs?» chiamò McLean quasi urlando. Non aveva idea di dove potesse essere il suo ospite, in una casa così grande. Fu il silenzio ad accoglierlo mentre camminava sul pavimento a piastrelle bianche e nere. In salotto era più buio; la luce filtrava da un'ampia finestra in fondo alla stanza, oscurata da un grosso albero.

«Signor Carstairs? Jonas?» Si guardò intorno, notando il parquet di legno scuro, il caminetto spento che di sicuro accoglieva con calore gli ospiti durante l'inverno. Appesi alle pareti, grandi dipinti a olio che raffiguravano austeri gentiluomini; un candelabro di ottone decorato pendeva dal soffitto. C'era un odore strano.

Era un odore che aveva sentito di recente e, mentre cercava di ricordarsi dove, McLean si trovò a osservare il pavimento a scacchiera. Una sostanza scura serpeggiava dall'ingresso fino a una porta socchiusa, sulla sinistra della stanza. La seguì, attento a non calpestarla.

«Jonas? È qui?» Ma conosceva già la risposta. Spalancò la porta con un piede. Questa girò facilmente sui cardini ben oliati, liberando un penetrante odore di ferro caldo e feci. Dovette coprirsi naso e bocca con un fazzoletto per non vomitare.

La stanza era un piccolo studio, pieno di libri e con una bella scrivania antica al centro. Seduto dietro la scrivania, con la testa abbandonata all'indietro, c'era Jonas Carstairs. La metà inferiore del suo corpo, per fortuna, restava nascosta. La parte superiore, nuda, grondava sangue.

31

Quando la prima volante arrivò, cinque minuti dopo, McLean era seduto sui gradini di pietra all'esterno e respirava l'aria fresca della città, cercando di non pensare a quello che aveva visto. Mandò due agenti a rendere sicura la zona, accertandosi che la porta sul retro fosse chiusa, e attese l'arrivo del medico legale. Nel frattempo, il furgone della scientifica arrivò a tutta velocità e scaricò una mezza dozzina di agenti. Si sorprese contento di vedere Emma Baird che scendeva sorridente, con la macchina fotografica già appesa al collo e pronta all'uso. Poi si ricordò che cosa avrebbe fotografato.

«Un altro cadavere per noi, ispettore. Sta quasi diventando un'abitudine, eh?»

McLean rispose con una risata poco convinta e guardò la squadra della scientifica indossare le tute di carta bianca e prendere le valigette dal retro del furgone.

«Cos'ha toccato?» gli chiese il capo dei tecnici, allungandogli una tuta.

«La porta principale, quella interna e quella sul retro. Ho anche dovuto usare il telefono. Per chiamare voi.»

«Non danno più i cellulari agli ispettori?»

«Batteria scarica.» McLean tirò fuori dalla tasca il telefono, lo agitò davanti alla faccia del tecnico e lo rimise al suo posto, poi cominciò a indossare la tuta. Mentre si preparavano, arrivò una vecchia Golf, parcheggiò in mezzo alla strada, e scaricò un uomo enorme strizzato in un abito troppo striminzito. Questi recuperò una borsa da medico dal sedile del passeggero e si avvicinò. Il dottor Buckley era un soggetto affabile, a meno che non gli si ponessero domande idiote.

«Dov'è il corpo?»

«Deve mettersi una tuta, dottore» disse McLean, consapevole che la cosa l'avrebbe indisposto. Non fu semplice trovare una tuta che gli stesse, ma alla fine furono pronti a entrare. McLean li condusse nello studio. Se possibile, la puzza era ancora più forte. Alcune mosche già volavano attorno al corpo.

«È morto» disse il dottor Buckley, senza nemmeno entrare nello studio. Si voltò e fece per andarsene.

«Tutto qui? Non lo esamina neanche?» chiese McLean.

«Non è il mio lavoro e lei lo sa, ispettore. Si vede anche da qui che gli hanno tagliato la gola. La morte è probabilmente stata istantanea. Il dottor Cadwallader saprà dirvi qualcosa di più in proposito. Buona giornata.»

McLean osservò la traballante figura dell'uomo uscire dalla casa, poi si rivolse ai ragazzi della scientifica: «Ok, potete cominciare da lì, ma non toccate il corpo fino all'arrivo del patologo».

Entrarono nella stanza come un piccolo ma efficientissimo nugolo di formiche. Il flash della macchina fotografica di Emma scattò proprio quando McLean mise piede nella stanza. La prima cosa che notò fu la pila di vestiti, riposti con cura sullo schienale di una poltrona di pelle in un angolo. Camicia, giacca, cravatta. Guardò il corpo e si rese conto che era nudo dalla vita in su. Avvicinandosi, trasalì nel vedere le interiora sparse sul grembo dell'avvocato e sul parquet. La sedia si trovava a poca distanza dalla scrivania e Carstairs sedeva eretto, quasi in posa, con le mani rilassate sui due lati. Il sangue gli era colato lungo le braccia nude e, gocciolando dalle dita, aveva formato a terra due pozze gemelle. Un coltello giapponese dalla lama corta giaceva sulla scrivania davanti a lui, sporco di sangue rappreso.

«Dio santo, Tony. Che diavolo è successo qui?»

McLean vide Angus Cadwallader in piedi sulla porta. Si era già messo una tuta di carta e la sua assistente, Tracy, attendeva nervosamente alle sue spalle.

«Ci vedi qualcosa di familiare, Angus?» McLean si spostò di lato per permettere al medico di dare un'occhiata.

«A prima vista, sì. È la copia dell'omicidio Smythe.» Cadwallader si avvicinò e si chinò sul corpo, tastando lo squarcio sul collo di Carstairs con le dita guantate. «Ma non saprei dire, in questo caso, se sia avvenuto prima lo sgozzamento o l'eviscerazione. È anche difficile capire se manca qualcosa. Che cos'è questo?» Si piegò sul corpo e gli aprì la bocca.

«Sacchetto, Tracy, per favore, e forcipe.» Cadwallader prese lo strumento e lo infilò nella bocca del cadavere. «Non avrei mai detto che ci sarebbe entrato per intero. Ah, no, infatti, l'hanno tagliato a metà. Questo spiega tutto.»

«Spiega cosa, Angus?» McLean soffocò un rigurgito. Sarebbe stato troppo imbarazzante mettersi a vomitare. Non era una recluta di fronte al suo primo cadavere. Però era pur sempre andato lì per cenare con Carstairs.

«Questo, ispettore, chiamasi fegato.» Cadwallader sollevò con il forcipe una lunga striscia di materiale viscido di colore bruno-violaceo, poi lo fece cadere nel sacchetto di plastica. «L'assassino ne ha tagliata una striscia e l'ha infilata nella bocca della vittima.

Non posso affermare con certezza che sia il suo, ma non mi vengono in mente altri motivi per cui abbiano voluto aprirlo in questo modo.» Indicò quello che un tempo era il ventre di Carstairs.

«Portiamolo all'obitorio. Vediamo che segreti ci rivela.»

32

«Mi dispiace, Tony, ma devo affidare il caso all'ispettore capo Duguid.»

McLean era in piedi di fronte alla scrivania del sovrintendente capo McIntyre, non proprio sull'attenti, ma nemmeno a riposo. L'aveva rimproverato subito quando era arrivato in centrale, fresco come una rosa dopo una notte di sonno agitato e incubi terribili. Strinse i denti per non ribattere come avrebbe voluto, imponendosi di stare calmo. Perdere la pazienza con il capo non serviva mai a niente.

«Perché?» chiese infine.

«Perché eri troppo vicino a Carstairs.»

«Cosa? Ma se lo conoscevo appena.»

«Era l'esecutore delle proprietà di tua nonna. A quanto ho capito sei tu l'unico erede. Ha partecipato al funerale. Avresti dovuto cenare a casa sua. In poche parole, era un amico di famiglia. Non posso permettere che questo ostacoli un'indagine tanto importante. Hai una vaga idea di ciò che Carstairs ha fatto per questa città, quando era in vita?»

«Io... no.»

«Be', molte personalità di spicco mi chiamano dalle cinque di stamani per ricordarmelo. Il commissario capo giocava a golf con lui; il primo ministro lo invitava alle sue battute di pesca; ha contribuito a scrivere la Costituzione del nuovo Parlamento.»

«Perché proprio Duguid? Non può affidare il caso all'ispettore capo Powell? O a uno degli altri ispettori?»

«Charles è un detective molto esperto, Tony. E ha sorpreso tutti per come ha gestito il caso Smythe.»

Tranne me, pensò McLean. «Ma è troppo superficiale.»

«E tu sei troppo pignolo, peraltro senza motivo. È un peccato che non riusciate a lavorare insieme. Vi annullate a vicenda.»

«Quindi è così. Non avrò niente a che fare con questo caso?»

«Non esattamente. Voglio che tu dia il tuo contributo, se può servire, ma non sei a capo dell'indagine. Inoltre, c'è una cosa più urgente su cui puoi lavorare. Sei stato sulla scena del caso Smythe e sei stato il primo a vedere Carstairs dopo che è stato ucciso. Quante somiglianze vedi fra i due omicidi?»

«Ma sappiamo che l'assassino di Smythe è morto. Si è ucciso meno di ventiquattro ore dopo.»

«Esatto. E non abbiamo dato alla stampa alcun dettaglio sull'omicidio. Abbiamo solo detto che era stato brutalmente aggredito. Il che significa che chiunque abbia ucciso Carstairs ha accesso ai rapporti riservati della polizia. Questo non posso tollerarlo. Trovalo, Tony, e fermalo.»

«Mmm... non è un lavoro per l'unità interna?»

La McIntyre si grattò una tempia con mano stanca. «Vuoi davvero che ficchino il naso su tutto quello che tu, Duguid e l'intero dipartimento avete fatto negli ultimi, Dio solo sa quanti, mesi? Ci arriverò se necessario, Tony, ma per adesso voglio che le indagini siano condotte da una persona di cui mi fido.»

Guarda il sole sorgere colma di stupore. Nasce dall'orizzonte orientale, una enorme sfera rossa di potenza che la riempie con il suo calore. Le voci nella sua testa cantano di grandi imprese e lei sa di essere il loro strumento di vendetta. È bello lavorare per loro.

Si guarda le mani, sporche e insanguinate e sente ancora una volta il calore e l'umidità della pelle dell'uomo; sangue color cremisi che sgorga appena il coltello incide la carne, rivelando la vita pulsante al di sotto. L'aveva tenuta tra le mani, gliel'aveva tagliata via e l'aveva costretto a mangiarla. Il suo ultimo pasto su questa terra, prima che le strappasse l'anima e la gettasse in pasto alle voci.

Ma ora è stanca, così stanca. E la fame la tormenta ancora. Il dolore alle gambe è costante, la schiena lancia grida di agonia a ogni passo. Le voci la confortano, la spingono ad andare avanti. C'è altro lavoro da fare, un'altra vendetta da compiere. Lui non era l'unico ad averla violata, dopotutto. Anche gli altri devono pagare.

Ma è difficile, così difficile obbedire ai loro ordini. Se solo potesse raggiungere il sole, assorbire una parte infinitesimale della sua incommensurabile potenza. Così potrebbe obbedire alle voci. E lei desidera con tutto il cuore obbedire alle voci. Non vuole nient'altro. Così come ha desiderato per tutta la vita essere lo strumento della loro vendetta.

Ed eccola lì, sulla vetta del mondo. Il vento le fischia attorno come una folla che grida, allarmata. Lei lo ignora. Ci sono solo lei, il sole e le voci che vuole servire.

Spalanca le braccia e si tuffa nel cielo.

33

Waverley Station era sempre affollata, ma durante il Fringe diventava un incubo di zaini, taxi strombazzanti e turisti disorientati. A questo bastava aggiungere un'ambulanza, un paio di volanti della polizia e uno sciopero delle ferrovie ed era il caos totale.

McLean osservava dal ponte che collegava Princes Street, all'altezza del Balmoral Hotel, a Market Street, dall'altro lato della stazione. Prima che vi costruissero i binari, in quel punto c'era solo un fetido lago, pieno di rifiuti e liquami della città vecchia. A volte desiderava che quella zona fosse ancora sommersa.

Il dottor Buckley l'aveva anticipato sulla scena del crimine, stavolta. Era chino sui binari, intento a studiare qualcosa di indistinto. Avvicinandosi, McLean capì che si trattava di resti umani, una donna forse. La caduta dal North Bridge, attraverso il tetto di vetro rinforzato della stazione, fino alle rotaie, su cui poi era passato il treno notturno proveniente da King's Cross, non aveva lasciato granché di intatto.

«Anche questa è morta?»

Il dottore si voltò. «Ah, ispettore. Me lo immaginavo che sarebbe venuto lei. Sì, è morta. Probabilmente dopo l'impatto con il vetro, poveretta.»

McLean si guardò intorno alla ricerca dell'agente in comando.

C'erano due uomini in uniforme, occupati a tenere lontani i curiosi, ma a parte quelli non c'era nessun altro.

«Chi l'ha chiamata?» chiese al dottore.

«Oh, fino a un minuto fa c'era il sergente Houseman. Credo sia stato il primo ad arrivare.»

«E dov'è adesso?»

«Sono un medico, non un detective, ispettore. Credo che stia parlando con il direttore della stazione.»

«Mi scusi. È stata una mattinata orrenda.»

«Non me lo dica. Ah, eccolo che arriva.»

Big Andy si fece largo tra la folla, seguito da vicino dalla Baird con la sua macchina fotografica. Saltarono giù dalla banchina e si avviarono lungo i binari.

«Andy, possiamo trovare qualcosa per coprirla?» disse McLean, mentre i curiosi non finivano più di scattare foto con i telefonini. «Troppi amanti del macabro nei dintorni.»

«Ho già provveduto, signore.» Big Andy indicò un paio di operai della ScotRail che stavano montando una copertura provvisoria. Sembravano riluttanti ad avvicinarsi, però, quindi furono McLean e il sergente a metterla in posizione alla fine. Dentro, la Baird cominciò a fotografare la scena del crimine e a McLean, all'improvviso, venne in mente un pensiero orribile. Era la fotografa ufficiale della scientifica. Chi altri avrebbe avuto un accesso altrettanto facile agli scatti della scena dell'omicidio Barnaby Smythe? Praticamente chiunque, tra il centinaio di agenti che Duguid aveva impiegato nell'indagine, e qualsiasi impiegato avesse avuto un motivo per entrare nella centrale operativa nel corso della breve investigazione. Scacciò quel pensiero.

«Cosa abbiamo, allora?»

«C'è poco da dire, signore. Sembra sia successo una mezz'oretta fa. Ho mandato due agenti sul ponte a prendere i nomi dei testimoni, ma non sono in molti quelli pronti ad ammettere di aver guardato. Sembra che si sia arrampicata sul parapetto e abbia saltato. La sfortuna ha voluto che cadendo abbia rotto un pannello di vetro. Cosa ancora peggiore, il treno stava arrivando in quel preciso istante. Quante probabilità c'erano?»

«Pochissime, suppongo. E di testimoni quaggiù?»

«Be', il macchinista innanzitutto. Poi c'era qualcuno sulla banchina del binario, ma qui dentro è un continuo viavai. Chiunque avrebbe potuto andarsene indisturbato o avvicinarsi per guardare meglio.»

«Sì, immagino. Va bene, tu fa' del tuo meglio, d'accordo? Vedi se puoi farti dare una stanza da qualche parte per interrogare la gente. Non penso che i testimoni ci diranno granché, ma dobbiamo seguire la procedura.»

«Il direttore della stazione ci sta sgombrando un ufficio in questo momento, signore. Mi servono un paio di agenti in più, però.»

«Chiama la centrale e fatti mandare chiunque sia abbastanza stupido da aggirarsi nei dintorni. Ti do io l'autorizzazione. Dobbiamo spostare il corpo prima di paralizzare tutta la città.»

McLean si inginocchiò accanto al corpo martoriato. Indossava quelli che sembravano abiti da ufficio: gonna al ginocchio di cotone beige; camicia un tempo bianca che lasciava intravedere l'orlo del reggiseno; giacca dal taglio severo con grosse spalline imbottite, che si erano strappate e sfilacciate. Aveva le gambe nude, ferite e spezzate, ma depilate di recente. Indossava un paio di stivali alla caviglia, di pelle nera, del genere che andava di moda alla fine degli anni Ottanta e che, senza dubbio, stava tornando in auge. Il volto era irriconoscibile; aveva la schiena piegata ben oltre il punto di rottura e la testa era infilata nella ghiaia tra una rotaia e l'altra. Il sangue le imbrattava i lunghi capelli castani e le copriva le mani.

«Cristo, quanto li odio quelli che saltano.»

Angus Cadwallader si inginocchiò accanto all'ispettore. Il medico sembrava stanco mentre osservava il cadavere, esaminando la pelle con dita guantate. Si chinò un po' di più e scrutò sotto quella schiena contorta.

«Possiamo spostarla?» chiese McLean. Cadwallader si alzò e si stirò come un gatto.

«Certo. Da qui non posso dirti nulla, tranne che è morta prima di farsi gran parte di queste ferite. Non ha perso moltissimo sangue. Alcuni muoiono addirittura prima di impattare col terreno.» Alzò lo sguardo. «O, in questo caso, col tetto. Magari è andata così.»

McLean fece cenno all'autista dell'ambulanza che attendeva lì vicino. Quello scese e chiamò i barellieri. Insieme sollevarono il cadavere e lo estrassero dal suo piccolo giaciglio. McLean fu sollevato nel constatare che non cadde nulla dal corpo, mentre lo infilavano in un sacco di plastica nera e chiudevano la cerniera. Emma Baird fotografò il solco nella ghiaia, riempiendolo di luce. Il medico aveva ragione; non c'era sangue sul terreno, solo olio. Un piccolo arbusto, con il suo solitario fiore giallo, cresceva proprio lì.

«Dov'è il treno?» chiese, rivolto a nessuno in particolare. Un ometto si avvicinò. Aveva un riporto di capelli radi e unti, e i baffi non lo facevano assomigliare a Hitler solo per pochissimi millimetri. Indossava una giacca catarifrangente arancione e stringeva in mano un walkie talkie.

«Bryan Alexander.» Allungò una mano grassoccia verso McLean. «Sono il direttore operativo. Ci vorrà molto, ispettore?»

«È morta una donna, signor Alexander.»

«Sì, lo so.» Ebbe la decenza di sembrare un po' imbarazzato. «Ma ho diecimila vivi che aspettano sui loro treni.»

«Mi mostri quello che l'ha travolta, sia cortese.»

«È proprio questo, ispettore.» Il signor Alexander indicò lungo i binari. A una decina di metri di distanza, un piccolo intercity rosso giaceva leggermente piegato su un fianco, con i vagoni posteriori che sparivano dietro una curva. Osservandolo da quella posizione, sembrava per assurdo che avesse una gomma a terra.

«Abbiamo dovuto fare marcia indietro. Per fortuna era quasi alla fermata. Lavoro nelle ferrovie da quasi trent'anni e le posso dire che non resta molto di un corpo, quando viene colpito da un treno in corsa.»

McLean si avvicinò alla locomotiva. Non si era mai reso conto di quanto fossero grandi. Lo sovrastava, con il suo odore di vapore e carburante. Una piccola macchia di sangue indicava il punto in cui la donna aveva impattato contro il parabrezza. Probabilmente era rimbalzata sulle rotaie, poi il treno l'aveva spinta dove l'avevano trovata. Si voltò e gridò: «Signorina Baird!». La donna arrivò di corsa.

«Foto, per favore.» Indicò la parte davanti del treno. «Provi a farne una che mostri il punto dell'impatto.»

Mentre la fotografa della scientifica si metteva al lavoro, McLean vide il signor Alexander sbirciare l'orologio. Cadwallader si avvicinò, valutando il treno.

«Non c'è molto sangue neanche qui.» Guardò il tetto di vetro e il pannello rotto. «Possiamo salire lassù?»

«Sì, seguitemi.» Il direttore operativo li condusse alla fine del binario, verso l'edificio centrale. Emma Baird scattò un altro paio di foto e li seguì attraverso una porta laterale, su cui c'era scritto «Solo personale autorizzato». Salirono una stretta rampa di scale e si fermarono di fronte a un'altra porta, mentre il signor Alexander cercava la chiave.

Camminare sul tetto della stazione era un'esperienza strana. Si aveva una visuale completamente nuova della città; si vedeva la parte inferiore del North Bridge e i piani più bassi dell'hotel North British. McLean aveva sempre chiamato il Balmoral così: per lui, Balmoral era solo un castello nella regione di Aberdeen.

Due corrimano d'acciaio fiancheggiavano la passerella che attraversava il tetto. Sembrava di camminare sopra un'enorme serra vittoriana, solo che il vetro del tetto era più spesso, rinforzato e opaco. Il pannello rotto era accanto alla passerella, con grande sollievo di McLean: non sarebbe stato felice di camminare sul vetro, anche se era fatto per reggere ben altro che il suo peso. Si era già rotto una volta, e tanto bastava.

Cadwallader si inginocchiò accanto al buco, sbirciando i binari sottostanti. «Qui non c'è sangue» disse infine, mentre la Baird scattava altre fotografie; era tutt'altro che sbrigativa nel suo lavoro. McLean sollevò lo sguardo verso il parapetto del ponte, tentando di stimarne l'altezza.

«Abbiamo finito?» chiese il signor Alexander. McLean decise che quell'uomo non gli piaceva affatto, ma era consapevole che era necessario far ripartire la stazione il prima possibile. Non voleva beccarsi una ramanzina della McIntyre quando la ScotRail avesse sporto reclamo.

«Angus?» guardò il medico.

«Credo che l'impatto con il vetro l'abbia uccisa. Probabilmente si è rotta il collo. I tagli che ha sul corpo sono stati provocati quasi sicuramente dal treno. Forse era già morta al momento dell'impatto, il che spiegherebbe perché c'è così poco sangue sulle rotaie.»

«Sento già l'obiezione in arrivo...» disse McLean.

«Be', se non ha sanguinato copiosamente dopo essere stata colpita dal treno e, visto che non c'è praticamente alcun frammento di pelle, qui sul tetto, allora perché ha i capelli e le mani imbrattati di sangue?»

34

McLean lasciò Bob il Burbero a Waverley a coordinare l'indagine. Camminò tra la folla di turisti e passanti spensierati e tornò in centrale, riflettendo sui diversi casi che stava seguendo. Erano tutti importanti, ma per quanto si sforzasse era sempre la ragazza morta in quella cantina a catalizzare la sua attenzione. Non aveva senso: dopotutto, era una pista ormai fredda. C'erano pochissime possibilità di trovare qualcuno vivo che potesse pagare per la sua morte. Eppure, il pensiero che l'ingiustizia che aveva subito fosse rimasta impunita così a lungo non gli dava pace. O forse sentiva il bisogno di occuparsene perché a nessuno sembrava importare nulla?

«Devo vedere McReadie, scoprire dove ha rubato quei gemelli. Prepara una volante, andiamo a fare una visitina al nostro Arsenio Lupin.»

Il detective MacBride era impegnato a digitare furiosamente sulla tastiera del suo portatile, giù nella centrale operativa. Si fermò, chiuse il fascicolo che stava copiando e fece una pausa prima di rispondere.

«Ehm, potrebbe non essere una mossa saggia, signore.»

«Perché no, detective?»

«Perché l'avvocato del signor McReadie ha già inoltrato una

lamentela formale affermando che al momento dell'arresto è stata usata la forza in modo ingiustificato sul suo cliente e che è stato trattenuto in carcere più a lungo del necessario, senza essere accusato.»

«Che cosa?!» McLean quasi esplose dalla rabbia. «Quel bastardo è entrato in casa di mia nonna il giorno del suo funerale e crede di potersela cavare così?»

«Sì, lo so. Non se la caverà. Ma potrebbe essere una buona idea stargli alla larga per un po'.»

«Sto indagando su un omicidio, detective. Quell'uomo è a conoscenza di informazioni che potrebbero portarmi all'assassino.» McLean guardò MacBride, notando il disagio che gli era apparso in volto. «Chi ti ha detto queste cose, a proposito?»

«Il sovrintendente capo McIntyre, signore. Mi ha chiesto di dirle di stare alla larga da McReadie, per il suo bene.» Alzò le mani in segno di difesa. «Sono parole sue, non mie, signore.»

McLean si passò stancamente una mano sulla fronte. «Fantastico. Assolutamente fantastico, cazzo. Hai i due gemelli a portata di mano?»

MacBride spostò alcuni fogli e gli passò due sacchetti per le prove. McLean se li mise nella tasca della giacca e si diresse verso la porta.

«Forza, vieni» disse.

«Ma credevo… McReadie…»

«Non andremo a trovare Fergus McReadie, detective. Non adesso, almeno. Conosco altri modi per far cantare il nostro gallo.»

Douglas and Footes, il gioielliere di Sua Maestà la regina, occupava un anonimo locale nella zona ovest di George Street. Aveva tutta l'aria di essere lì da sempre, anche da prima che venisse costruita la città nuova. L'unica concessione ai costumi moderni era la porta bloccata, nonostante il cartello dicesse APERTO: ora bisognava suonare il campanello per entrare. McLean mostrò il distintivo e fu condotto in una stanza sul retro, che avrebbe potuto benissimo essere stata la dispensa di una vecchia casa di campagna della fine del diciannovesimo secolo. Attesero in silenzio per qualche minuto, poi furono accolti da un uomo anziano in completo gessato nero, che doveva avere più o meno la stessa età di chi lo portava, e grembiulino di cuoio legato intorno alla vita.

«Ispettore McLean, che piacere vederla. Mi è dispiaciuto molto per sua nonna. Era una donna davvero intelligente, oltre che una grande estimatrice di gioielli.»

«Grazie, signor Tedder. È molto gentile da parte sua.» McLean strinse la mano del vecchio. «Credo che le piacesse molto venire qui da lei; si lamentava spesso che i negozi della città non erano più come una volta, ma che si poteva sempre star sicuri di essere serviti al meglio da Douglas and Footes.»

«Facciamo del nostro meglio, ispettore. Ma suppongo che non sia qui per uno scambio di convenevoli.»

«No, infatti. Mi chiedevo se potesse dirmi qualcosa su questi.» Estrasse dalla tasca i sacchettini e li passò al gioielliere. Il signor Tedder osservò i gemelli attraverso la plastica, poi si avvicinò al bancone e accese una grossa lampada pieghevole.

«Posso tirarli fuori?»

«Naturalmente. Le chiedo solo di non confonderli, se possibile.»

«Improbabile. Sono molto diversi.»

«Intende dire che non sono una coppia?»

Il signor Tedder tirò fuori dalla tasca un piccolo monocolo, se lo mise all'occhio e si chinò sul primo gemello, rigirandoselo tra le dita. Dopo un minuto, lo rimise nella busta e ripeté l'operazione con l'altro.

«Sono una coppia, sì» disse alla fine. «Ma uno è stato utilizzato regolarmente, l'altro è quasi nuovo.»

«Quindi come fa a sapere che sono una coppia, signore?» chiese il detective MacBride.

«Hanno lo stesso marchio. Li abbiamo fatti noi nel 1932. Due esemplari squisiti, fatti su misura. Facevano certamente parte di un set per un giovane gentiluomo, insieme a borchie decorate per i bottoni della camicia e, magari, un anello con sigillo.»

«Ha idea di chi possa essere stato il compratore?»

«Dunque, mi faccia pensare. 1932…» Il signor Tedder si avvicinò a uno scaffale polveroso che ospitava una serie di libri mastri rilegati in pelle; passò le dita sulle costole finché trovò quello che cercava. Estrasse un sottile volume.

«Non erano molti a commissionarci dei pezzi all'inizio degli anni Trenta. La depressione, sapete…» Posò il libro sul bancone, lo aprì con attenzione partendo dal fondo e consultò l'indice, scritto con calligrafia chiara e regolare, l'inchiostro leggermente sbiadito dal tempo. Con il dito scorreva le righe, più rapidamente di quanto McLean riuscisse a leggere. Poi si fermò, sfogliò le pagine una per una finché non arrivò a quella giusta.

«Ah, sì. Eccolo qui. Anello con sigillo d'oro. Coppia di gemelli d'oro, con rubini rotondi al centro. Sei borchie per camicia abbinate, a loro volta con rubini incastonati. Sono stati venduti al signor Menzies Farquhar, di Sighthill. Oh sì, certo, la banca Farquhar. Loro non hanno sofferto granché tra le due guerre. Se ricordo bene, anzi, si sono arricchiti finanziando il riarmo.»

«Quindi appartengono a Menzies Farquhar?» McLean prese i sacchettini con i gemelli.

«Be', lui li ha acquistati. Ma sulla scatola dovevamo incidere un'iscrizione. "Per Albert Menzies Farquhar, in occasione del raggiungimento della maggiore età, 13 agosto 1932".»

«Facciamo due chiacchiere, McLean. Nel mio ufficio.»

McLean si fermò. L'ispettore capo Duguid era uscito dalla stanza del sovrintendente capo McIntyre proprio nell'istante in cui lui e MacBride passavano. McLean si voltò lentamente per affrontare il suo interlocutore.

«È urgente? Ho una pista importante per il caso dell'omicidio rituale.»

«Sono sicuro che una persona morta sessant'anni fa possa attendere che sia fatta giustizia un altro paio di giorni, ispettore.» Duguid era paonazzo: brutto segno.

«Ah, certo, ma gli assassini non stanno di certo ringiovanendo. Mi piacerebbe prenderne almeno uno, prima che muoiano tutti.»

«È importante.»

«Va bene, signore.» McLean passò i sacchettini con i gemelli a MacBride. «Riportali alla centrale operativa. E vedi cosa riesci a scoprire su Albert Farquhar. Dovrebbe esserci un rapporto sulla sua morte da qualche parte.»

MacBride prese i sacchettini e si allontanò lungo il corridoio. McLean rimase a guardarlo, poi si degnò di seguire Duguid nel suo ufficio. Era molto più grande del suo e c'era spazio per un paio di comode poltrone e un tavolino basso. Duguid chiuse la porta che dava sul corridoio vuoto, ma non si sedette.

«Voglio conoscere l'esatta natura del tuo rapporto con Jonas Carstairs» esordì.

«Che intende?» La stanza sembrò farsi più piccola mentre McLean si irrigidiva, con la schiena rivolta alla porta chiusa.

«Sai benissimo cosa intendo, McLean. Sei stato il primo ad arrivare sulla scena, hai scoperto il corpo. Perché Carstairs ti aveva invitato a casa sua?»

«Come sa che mi aveva invitato, signore?»

Duguid prese un foglio di carta dalla scrivania. «Perché ho qui la trascrizione di una conversazione telefonica tra voi due. Avvenuta, forse dovrei aggiungere, poche ore prima della sua morte.»

McLean stava per chiedere come avesse fatto Duguid a impossessarsi di quella trascrizione, poi si ricordò che la chiamata di Carstairs gli era arrivata sul cellulare di MacBride, inoltrata dalla centrale. Ovviamente l'avevano registrata.

«Se ha letto la trascrizione, signore, allora saprà che Carstairs voleva che firmassi alcuni documenti relativi alla proprietà della mia defunta nonna. Mi ha invitato a cena, presumo, perché aveva capito che non avevo mai tempo di passare nel suo ufficio in orari lavorativi.»

«Ti sembra un comportamento normale per un avvocato? Avrebbe potuto semplicemente spedirti i documenti perché tu li firmassi.»

«È normale, signore, che il socio anziano di un prestigioso studio legale si occupi personalmente dell'esecuzione di un testamento? O che partecipi al funerale della sua cliente? Il signor Carstairs era un vecchio amico di mia nonna. Immagino che abbia ritenuto doveroso assicurarsi che tutti i suoi affari fossero sistemati a dovere.»

«E questi messaggi che tua nonna gli aveva affidato» Duguid lesse dal foglio. «Di che si tratta?»

«È un interrogatorio formale, signore? Perché se è così, non dovremmo registrarlo? E non dovrebbe esserci un altro agente presente?»

«No che non è uno stramaledetto interrogatorio ufficiale! Non sei certo un sospettato. Voglio solo conoscere le circostanze della scoperta del corpo.» Il viso di Duguid era violaceo.

«Non vedo come le ultime volontà di mia nonna abbiano qualcosa a che fare con questo.»

«Ah no? Be', forse allora potrai spiegarmi come mai Carstairs abbia cambiato il suo, di testamento, appena un paio di giorni fa.»

«Onestamente, non capisco di cosa stia parlando, signore. Ho incontrato per la prima volta quell'uomo solo una settimana fa. Lo conoscevo a malapena.»

Duguid posò sulla scrivania il foglio con la trascrizione e ne prese un altro. Era una fotocopia della prima pagina di un documento legale, un po' sbaffato per via del trasferimento via fax. In alto c'era il numero di fax e il nome del mittente: studio legale Carstairs Weddell.

«Sentiamo, come mai credi che abbia lasciato a te tutto il suo patrimonio?»

35

Bob il Burbero stava leggendo il giornale, i piedi sulla scrivania tra i sacchetti delle prove, quando finalmente McLean tornò nella piccola centrale operativa.

«Tutto bene, signore? Ha l'aria di uno che ha appena trovato un verme nella mela.»

«Cosa? Oh, no, sto bene Bob. Sono solo un po' scioccato, ecco tutto.» Raccontò le novità al sergente.

«Però... le gira proprio bene, eh? Crede di potermi prestare qualche soldo?»

«Non è divertente, Bob. Mi ha lasciato tutto tranne le azioni. Perché diavolo l'avrà fatto?»

«Non saprei. Forse non aveva nessun altro. Forse aveva da sempre una cotta per sua nonna e ha deciso che era meglio lasciare tutto a lei, piuttosto che a un canile.»

Una cotta per la nonna. Le parole di Bob gli riportarono alla mente un ricordo che si era perso tra gli ultimi avvenimenti. Alcune fotografie in una camera da letto vuota. Un uomo che non era suo nonno, ma che assomigliava incredibilmente a suo padre. Proprio come lui. Poteva essere un giovane Carstairs? No. Sua nonna non avrebbe mai fatto una cosa simile. O forse sì?

«Ma l'ha cambiato la settimana scorsa.» McLean rispose alla

sua stessa domanda. Cercò di ricordarsi delle poche conversazioni che aveva intrattenuto con il vecchio avvocato dalla prima volta che l'aveva chiamato, dopo la morte di sua nonna. Era stato amichevole, quasi come se fosse uno zio, all'inizio. Ma al funerale era sembrato distratto e aspettava un'altra persona. Poi quella strana conversazione il pomeriggio prima che fosse ucciso. Che senso aveva? Che messaggi gli aveva affidato sua nonna? O era lui a volergli parlare? Qualcosa l'aveva spaventato. Non avrebbe mai saputo che cosa.

«Non capisco perché si lamenti, signore. Non capita spesso che un avvocato dia dei soldi a qualcuno.»

McLean si sforzò di sorridere, ma non ci riuscì. «Dov'è il detective MacBride?»

«È andato alla sede dello *Scotsman*. Ha accennato a dover frugare nei loro archivi.»

«Deve indagare su Albert Farquhar. Bene. Come sta andando con McReadie?»

Bob il Burbero posò il giornale, tolse i piedi dalla scrivania e si raddrizzò sulla sedia. «Abbiamo trovato la refurtiva dei cinque furti su cui stavamo indagando. Non c'è proprio tutto, ma di sicuro quanto basta per rinchiudere McReadie per un bel po'. I ragazzi delle telecomunicazioni hanno anche setacciato il suo computer. Non credo proprio che riuscirà a cavarsela, anche con un ottimo avvocato.»

«Bene. E i gemelli? Abbiamo in mano un indirizzo?»

Bob cercò tra i sacchetti di plastica sulla scrivania e raccolse un fascio di fogli. Li guardò uno a uno, finché non trovò quello che gli interessava.

«Sono stati rubati da una casa di Penicuik circa sette anni fa. Una certa signorina Louisa Emmerson.»

«Sappiamo se il furto è stato denunciato?»

«Controllo, signore.» Bob premette qualche tasto sul computer portatile. «Non c'è nulla relativo a questo indirizzo o a questo nome, nel database.»

«Lo immaginavo. Fatti dare una macchina, Bob. Si parte per una gita in campagna.»

Penicuik era annidata in una valle a una quindicina di chilometri dalla città, tagliata in due dal tortuoso fiume Esk. McLean ricordava vagamente qualche fine settimana passato nei Borders con i genitori, quando si fermavano a prendere un gelato da Giapetti prima di andare a visitare siti storici. Gli edifici antichi lo annoiavano a morte, ma adorava starsene seduto sul sedile posteriore dell'auto del padre a osservare la campagna e addormentarsi cullato dal rumore delle gomme sull'asfalto e dal ronzio del motore. E adorava anche il gelato. Da allora la città si era ingrandita, inglobando le colline ed estendendosi a nord, verso le caserme dell'esercito. La strada principale era stata pedonalizzata e Giapetti era rimasto schiacciato sotto il peso di anonimi supermercati.

La casa che cercavano era un po' fuori città, sulla strada per la vecchia chiesa, verso le Pentland Hills. Lontana dalla strada, immersa in un ampio giardino e circondata da antichi alberi, era di arenaria rossa, con finestre alte e strette e il tetto spiovente. Probabilmente era una canonica, quando ai vecchi tempi i ministri di culto avevano dozzine di bambini. Procedettero lungo il vialetto di ghiaia e si fermarono davanti al grosso portico di pietra, accolti da una torma di cagnolini che si precipitarono fuori dalla porta, abbaiando eccitati.

«Sarà sicuro?» chiese Bob, vedendo che McLean apriva la portiera. Fu salutato da un mare di nasi umidi e latrati felici.

«È quando non abbaiano che bisogna preoccuparsi, Bob.» Si chinò e sacrificò una mano perché venisse leccata e annusata. Il sergente rimase in macchina, con la cintura allacciata e la portiera chiusa.

«Non abbiate paura dei cani, mordono solo quando hanno fame.»

McLean vide una donna corpulenta con stivali da pesca e gonna di tweed. Probabilmente era ben oltre la cinquantina e teneva un paio di cesoie in una mano e un paniere di legno nell'altra.

«Sono Dandie Dinmont, giusto?» Accarezzò uno dei cani sulla testa.

«Esatto. È bello che qualcuno sappia ancora distinguerli. Come posso aiutarla?»

«Sono l'ispettore detective McLean, della polizia di Edimburgo.» Estrasse il distintivo e attese che la donna indossasse un paio di occhiali che pendevano da una catenina e osservasse prima la piccola fotografia, poi lui, con sguardo piuttosto sconcertato. «Vive qui da molto, signora…?»

«Johnson. Emily Johnson. Non mi sorprende che non mi riconosca, ispettore. Sono passati più di trent'anni dall'ultima volta che ci siamo visti.»

Trentatré, per l'esattezza. Lui non aveva neanche cinque anni. Quella donna aveva seppellito per sempre suo padre e sua madre in un angolo del cimitero di Mortonhall. Il mondo era davvero piccolo.

«Pensavo che si fosse trasferita a Londra, dopo l'incidente aereo.» Era un'informazione casuale che aveva raccolto molti anni dopo, durante quell'imbarazzante fase adolescenziale in cui era talmente ossessionato dalla morte dei suoi genitori da raccogliere ogni minimo dettaglio che riuscisse a trovare al riguardo, persino delle persone morte sull'aereo insieme a loro.

«Ha ragione, l'ho fatto. Ma ho ereditato questo posto circa sette anni fa. Mi ero stancata di Londra, così mi è sembrata un'ottima occasione per tornare.»

«E non si è mai risposata, immagino, dopo...»

«Dopo che mio suocero ha ammazzato mio marito e i suoi genitori in quel suo stramaledetto aeroplano? No. Non ho avuto il coraggio di ricominciare da capo.» La donna si rabbuiò, solo per un attimo. «Ma non è venuto a trovarmi per rievocare i ricordi, vero, ispettore? Non si aspettava neanche di vedermi. Che cosa l'ha portata qui?»

«Un furto in un appartamento, signora Johnson. Commesso appena dopo che la signorina Louisa Emmerson è morta nella sua casa.»

«Louisa era la cugina di Toby. Era sposata con Bertie Farquhar. Il vecchio Menzies ha comprato loro questa casa come regalo di nozze. Se lo immagina? Ha abbandonato il cognome da sposata quando Bertie è morto. Sarà stato all'inizio degli anni Sessanta. Di preciso non si sa. Lui si era ubriacato come un pazzo e si era schiantato con la macchina a una fermata dell'autobus. Lei ha continuato a vivere qui fino a quando è morta. Ho scoperto solo in seguito che aveva lasciato tutto a me. Credo che non avesse nessun altro in famiglia.»

«Questa casa conteneva anche i beni di Albert Farquhar, quindi?»

«Sissignore. Sono quasi tutti qui ancora. I Farquhar non hanno mai avuto bisogno di vendere le loro cose per pagare le bollette, non so se mi spiego.»

McLean osservò la grande casa, poi notò un edificio più basso, eretto un po' più lontano; una vecchia rimessa per le carrozze. Il muso di una Range Rover nuova di zecca spuntava da un enorme garage. A certa gente i soldi sembravano uscire dalle orecchie; erano così ricchi che non si accorgevano neanche di essere stati derubati. E lui? Sarebbe diventato così?

«Lo sa che questo posto è stato saccheggiato, signora Johnson?»

«Oddio, no. Quando è successo?»

«Sette anni fa. Il quattordici marzo. Il giorno in cui la signora Emmerson è stata seppellita.»

«Lo so da lei adesso. Non ho preso possesso della casa fino al luglio di quell'anno; c'era una montagna di pratiche da sbrigare. È stato per firmare quei documenti che sono tornata in Scozia e, una volta arrivata, mi sono accorta di quanto odiassi Londra.» La signora Johnson prese fiato e strinse gli occhi. «Ma come fa a sapere che c'è stato un furto, ispettore?»

«Abbiamo colto il ladro con le mani nel sacco in un'altra casa. Teneva i resoconti di dove era stato e una sorta di diario per ogni lavoro fatto.»

«Che cosa stupida. Qui che cosa ha rubato?»

«Una serie di piccoli oggetti, compreso un paio di gemelli che possiamo dire con sicurezza essere appartenuti ad Albert Farquhar.»

«Ed è importante?»

«Potrebbe aiutarci a risolvere un omicidio particolarmente efferato.»

«Sembrava che vi conosceste. Ha trovato quello che cercava?»

McLean tenne lo sguardo sulla strada mentre tornavano alla centrale. Bob il Burbero non si era mosso dal sedile del conducente durante tutta la conversazione.

«La signora Emily Johnson era sposata con Andrew Johnson,

il cui padre, Tobias, guidava l'aereo che si è schiantato sul Ben MacDui nel tragitto da Inverness a Edimburgo, nel 1974. È morto nell'incidente, insieme a suo figlio e ai miei genitori.» Spiegò i fatti con semplicità, domandandosi come mai continuassero a tormentarlo. «L'ultima volta che l'ho vista è stato al loro funerale.»

«Cristo. Quante probabilità c'erano?»

«Più di quante tu creda, Bob.» McLean spiegò i tortuosi rapporti che legavano la proprietaria di quella casa a Bertie Farquhar.

«Perciò secondo lei, Farquhar è il nostro uomo?»

«Uno dei nostri uomini. Ho chiesto alla signora Johnson se le dicesse qualcosa il soprannome "Tromba", ma niente da fare. Ha detto che avrebbe cercato nell'attico qualche vecchia foto e cose del genere. Poi mi ha dato un'altra informazione interessante.»

«Ah, sì? E quale?»

«Farquhar e Tobias Johnson erano vecchi amici. Erano nell'esercito insieme durante la Seconda guerra mondiale. Un reparto di forze speciali di base nell'Africa occidentale.»

Calò il silenzio, mentre McLean guidava oltre la svolta per Roslin e la sua enigmatica cappella; superarono Loanhead e i container blu dell'Ikea, il parcheggio affollato di clienti; passarono sotto lo svincolo, attraversando Burdiehouse, e risalirono la collina verso Mortonhall, Liberton Brae ed entrarono in città. Mentre passavano davanti all'ingresso del crematorio, McLean frenò all'improvviso e sterzò bruscamente verso il cancello, sollevando un coro di clacson dalle auto che li seguivano. Bob il Burbero si resse al cruscotto e spinse i piedi contro il tappetino.

«Accidenti! Mi dia un po' di preavviso, la prossima volta!»

«Scusa, Bob.» McLean fermò l'auto nel parcheggio, spense il motore e lanciò le chiavi al suo passeggero. «Riporta l'auto in centrale. Devo fare una cosa.»

36

McLean guardò l'auto allontanarsi, poi andò a cercare il direttore. Pochi istanti dopo stava camminando sul terreno circostante il crematorio, stringendo tra le mani una piccola urna di terracotta. Non gli ci volle molto per raggiungere il luogo che stava cercando. Si sentì un po' in colpa per non esserci mai passato negli ultimi tre anni. La lapide era un po' inclinata, probabilmente a causa di qualche radice. Su di essa c'erano incisi il nome e la data di nascita e morte di suo nonno, sotto i quali c'era un ampio spazio vuoto. Ancora più in basso, i nomi dei suoi genitori. Erano nati a due anni di distanza l'uno dall'altra, ma erano morti nello stesso giorno. Nell'istante in cui il loro aereo si era schiantato sul fianco di quella montagna a sud di Inverness. Gli piaceva pensare che si stessero tenendo per mano al momento dell'impatto, ma la verità era che li conosceva a malapena.

Qualcuno aveva scavato un buco alla base della lapide e, per un momento, si sentì oltraggiato per quella dissacrazione della tomba dei suoi. Poi si ricordò del perché era lì. Cosa era venuto a fare. Guardò l'urna. Era semplice, funzionale e priva di ornamenti. Un po' come la donna i cui resti giacevano al suo interno. Soppresse la voglia di aprire il coperchio e di sbirciare nel vaso. Quella era sua nonna. Ridotta a un mucchietto di ceneri, ma sempre sua nonna. La donna che l'aveva cresciuto, nutrito, educato, amato. Credeva di aver accettato la sua morte tempo addietro, quando aveva capito che non si sarebbe mai ripresa dall'infarto. Ma nel vedere la tomba di famiglia, i nomi sulla lapide e lo spazio vuoto in attesa della nonna, capì infine che se n'era andata per sempre.

Inginocchiandosi e infilando l'urna nel buco, toccò il terreno secco. La terra smossa era stata accumulata lì accanto, coperta con un telo verde per paura che la vista della terra nuda potesse offendere o indispettire i familiari dei defunti. Naturalmente qualcuno sarebbe arrivato più tardi a riempire quel vuoto, ma McLean sentiva che non era giusto. Era irrispettoso. Si guardò intorno alla ricerca di una pala, ma chiunque avesse scavato quella fossa si era portato via gli strumenti. Perciò tolse il telo con attenzione poi, inginocchiato sulle ceneri dei suoi genitori, coprì il buco con la terra soffice, usando le mani.

«Era una donna fantastica, Esther Morrison.»

McLean si alzò e si voltò talmente in fretta che avvertì una fitta a schiena e collo. Un uomo anziano era in piedi dietro di lui, con indosso un lungo cappotto nero nonostante il caldo di agosto. In una mano nodosa reggeva un cappello scuro a falde larghe e si appoggiava pesantemente a un bastone da passeggio. Sulla testa aveva una massa di folti capelli bianchi, ma fu il viso ad attirare la sua attenzione. Quelli che un tempo dovevano essere stati tratti fieri e decisi, erano stati deturpati da un qualche terribile incidente e si erano trasformati in un intrico di tessuto cicatriziale e macchie. Era un viso impossibile da dimenticare, sia per le cicatrici, sia per quegli occhi così penetranti. Aveva un aspetto stranamente familiare, ma per quanto si sforzasse McLean non riusciva a dargli un nome.

«La conosceva, signor…?» chiese.

«Spenser» l'uomo si tolse un guanto di pelle e gli porse la mano. «Gavin Spenser. Sì, conoscevo Esther. Tanto tempo fa. Le avevo anche chiesto di sposarmi, ma Bill mi ha battuto sul tempo.»

«In tutta la mia vita non penso di aver mai sentito nessuno riferirsi a mio nonno come "Bill".» McLean si pulì la mano sulla giacca, poi strinse la mano del vecchio. «Anthony McLean» aggiunse.

«Il poliziotto, sì. Ho sentito parlare di lei.»

«Non è venuto al funerale.»

«No. Vivo all'estero da anni. In America, per lo più. Ho appreso la notizia solo l'altro ieri.»

«Come conosceva mia nonna?»

«Ci siamo incontrati all'università nel… oh, sarà stato il 1933. Esther era la brillante studentessa di medicina che tutti desideravano. Mi ha spezzato il cuore quando ha scelto Bill invece di me, ma è storia vecchia.»

«E ciò nonostante, ha fatto tutta questa strada per venire a offrirle i suoi omaggi?»

«Dimenticavo. Lei è un detective.» Spenser sorrise, il volto deturpato si contorse in modo inquietante. «In realtà devo sistemare alcuni affari. Sa come funziona quando si delega: si finisce per perdere il doppio del tempo a sistemare i danni fatti da altri.»

«Conosco alcune persone così, ma per fortuna quasi tutti i miei colleghi sono affidabili.»

«Be', lei è un uomo fortunato, ispettore. Sembra che oggigiorno debba trascorrere gran parte del mio tempo a correggere gli errori altrui.» Spenser ridacchiò. Si frugò nella tasca del cappotto e ne estrasse una piccola scatoletta d'argento. All'interno c'erano alcuni biglietti da visita; ne porse uno a McLean. «Questo è l'indirizzo della mia casa di Edimburgo. Dovrei trattenermi per un paio di settimane. Mi contatti, così potremo farci una chiacchierata su… sua nonna, eh? Chi l'avrebbe mai detto…»

«Mi piacerebbe, signore» disse McLean, stringendogli ancora la mano.

«Bene, ora devo andare» disse Spenser rimettendosi il cappello. «Affari. E immagino che voglia restare un po' da solo.» Si allontanò con sorprendente agilità per un uomo della sua età, facendo roteare il bastone e fischiettando senza seguire alcuna melodia.

McLean si fece dare un passaggio in città da una volante della polizia di Howdenhall. L'agente alla guida si offrì di accompagnarlo fino in centro, ma McLean sapeva che ad aspettarlo c'era solo una pila di scartoffie urgenti, la punizione per aver bloccato Waverley Station per una mattinata intera. Aveva bisogno di pensare, gli serviva un po' di spazio, perciò si fece lasciare a Grange e si incamminò a piedi fino a casa di sua nonna. Visto che il cellulare ancora si rifiutava di restare acceso per più di mezz'ora, forse sarebbe riuscito a trovare un po' di pace. In seguito l'avrebbe pagata cara, ovviamente, ma non funzionava sempre così?

Appena aprì la porta sul retro si accorse che c'era qualcosa di diverso. Un brivido lo attraversò. C'era un odore che non riusciva a riconoscere; forse una lieve traccia di profumo o un cambiamento d'aria, segno che qualcuno era passato da poco di lì. Ma nessuno avrebbe più dovuto mettere piede in quella casa da quando era arrivata la squadra a portare via McReadie. Dopo l'arresto aveva chiuso a chiave e non aveva più avuto tempo di tornare. Come, del resto, non aveva avuto tempo di far cambiare le serrature. E ora McReadie era un uomo libero. Un uomo libero con un motivo per provare risentimento. *Maledizione*. McLean rimase fermo e in silenzio, tendendo l'orecchio per captare il minimo segnale di una presenza nella casa. Ma non si udiva alcun suono.

Si affidò al naso, annusando lentamente quell'odore quasi impercettibile. Nell'ingresso era più forte, ma non riuscì a percepirlo né in biblioteca, né in sala da pranzo. Salì al piano di sopra, muovendosi con attenzione nella casa vuota, guardando all'interno di stanze che non erano più state aperte dall'ultima volta che vi era entrato, ma che adesso gli sembravano diverse. La sua camera, il luogo dove era cresciuto, era esattamente come se la ricordava. Il letto ora gli sembrava troppo stretto per poterci dormire comodamente e quei poster sbiaditi alle pareti erano terribili, nonostante li avesse incorniciati. I mobili massicci, l'armadio, il comò, la grossa credenza pensile, tutti occupavano lo spazio a loro riservato, ma la sedia di legno della scrivania era leggermente scostata. Era stato lui a lasciarla così? E, a pensarci bene, quand'era stata l'ultima volta che era entrato lì dentro?

Fu l'odore del bagno a colpirlo perché, seppur lieve, risvegliò subito in lui un tenue ricordo. D'istinto si frugò in tasca alla ricerca di un paio di guanti di lattice, da indossare prima di toccare qualsiasi cosa. Non li trovò e usò il fazzoletto, avvolgendoselo intorno alle dita. In bagno c'era ancora ciò di cui si poteva aver bisogno per passare la notte, anche se non ricordava da quanti anni quello spazzolino da denti fosse lì. C'era una bottiglia di antidolorifici, risalente al periodo in cui aveva alloggiato dalla nonna mentre era in convalescenza per la ferita di arma da fuoco che gli era valsa la promozione a sergente, ma nient'altro che valesse la pena notare. Solo quell'odore.

McLean sollevò la tavoletta del water, ma dentro non vi trovò niente, se non acqua stantia e anelli di calcare. D'istinto fece per tirare lo sciacquone, poi si fermò, inorridendo: la consapevolezza gli si insinuò nella mente. Un sottile strato di polvere copriva il bordo della vasca e del water, ma il coperchio dello sciacquone era pulito e splendente. Tornò in camera e prese un altro fazzoletto da un cassetto dove l'odore di naftalina copriva ogni altro odore. Usando la stoffa per coprirsi le dita, sollevò il coperchio dello scarico e lo posò a terra, poi ci guardò dentro.

Niente. Che cosa credeva? Che qualcuno si fosse preso la briga di nascondere un oggetto incriminante a casa di sua nonna? Che avrebbe tentato di incastrarlo? Era solo sotto pressione per via del lavoro. Paranoia con contorno di stanchezza.

Solo quando fece per raccogliere il coperchio di porcellana si accorse che non poggiava bene sul pavimento. Lo voltò lentamente.

Attaccato internamente con del nastro adesivo c'era un pacchetto di plastica marrone.

37

«Accidenti, signore. È una reggia!»

Il detective MacBride era in piedi sull'ingresso, lo sguardo rivolto verso la maestosa rampa di scale e la cupola di vetro del soffitto, due piani più in alto. McLean lo lasciò fare e si rivolse a Bob il Burbero.

«Sei sicuro che coinvolgerlo sia stata una buona idea?» sussurrò.

«Pensa che non ci si possa fidare, signore? È un bravo ragazzo.»

«Non è questo» disse McLean, anche se aveva dei dubbi. Avrebbe dovuto coinvolgere l'antidroga, il sovrintendente capo e chiunque altro fosse riuscito a trovare. Ma se avesse fatto ricorso ai canali ufficiali, come minimo sarebbe stato sospeso dai casi attivi per un periodo indefinito. Finché non fosse stato riabilitato. E comunque la sua carriera sarebbe rimasta segnata: l'ispettore detective con un chilo di cocaina nascosto nel cesso. Era meglio che lo venissero a sapere meno persone possibile e che indagasse per conto suo, così da farsi un'idea di chi potesse essere il colpevole.

«Mi preoccupa più il suo futuro da detective, se si scopre che è stato qui.»

«Oh, e io non conto più?» Bob finse di offendersi. «Non si preoccupi del ragazzo. Si è offerto volontario.»

McLean guardò il giovane detective, chiedendosi cosa mai avesse fatto per lui al punto di meritarsi una simile lealtà.

«Lo coprirò io. Coprirò tutti e due» disse McLean. Bob il Burbero si limitò a ridere e a dargli una gomitata tra le costole.

«Ok, signore. Allora, dov'è? Stiamo sottraendo tempo prezioso al pub.»

«Al piano di sopra.» McLean fece strada. I tre entrarono in camera da letto e poi nel bagno. Il coperchio dello sciacquone, con il suo pacco sospetto, giaceva ancora sul pavimento.

«Sei riuscito a trovare un kit per il rilevamento delle impronte?» chiese McLean, mentre Bob estraeva un paio di guanti in lattice.

«Dovrebbe arrivare a minuti» rispose il Burbero. In quell'istante, il campanello suonò.

«Chi è?»

«Sarà Em» disse Bob.

«Em? Emma Baird? L'avete detto anche a lei?»

«È un'esperta di impronte e può procurarsi un kit senza destare sospetti. In più, se troviamo qualcosa, lo può confrontare con il database. Ed è nuova. Non ha nulla di cui lamentarsi, nessuno in particolare a cui essere leale. Be', almeno non ancora.»

Il campanello suonò di nuovo e, sebbene il rumore fosse esattamente lo stesso, sembrò in qualche modo più insistente, come se esigesse una risposta. McLean non era felice di coinvolgere MacBride, figurarsi Emma. Ma si fidava di Bob. A parte l'erroraccio che aveva commesso nello scegliere la "signora Bob", il suo giudizio era generalmente corretto. Ed era vero che avevano bisogno di un esperto. Andò ad aprire.

«Non pensavo che gli ispettori venissero pagati così bene. Posso entrare?» Emma era in borghese; jeans sbiaditi e maglietta larga. Appesa a una spalla portava la borsa della macchina fotografica, che non riusciva minimamente a contrastare il peso della pesante valigetta di alluminio che teneva nell'altra mano.

«Grazie per essere venuta. Lo apprezzo molto. Aspetta, ti do una mano.» McLean le prese la valigetta e la guidò verso le scale. I passi di lei risuonavano pesantemente sulle assi del pavimento. Voltandosi, vide che indossava stivali da cowboy di pelle nera: non proprio un abbigliamento da scena del crimine.

«Bob ha detto che era urgente. Avrei dovuto cambiarmi?»

«No, no, va benissimo. Solo che non ti facevo un'amante delle cavalcate.» McLean si sentì arrossire per quell'involontario doppio senso. «Di qua.» Si avviò su per le scale.

«Subito in camera da letto. Mi piacciono gli uomini che vanno dritti al sodo.» Emma guardò il letto mentre ci passavano accanto. «Un po' strettino per i miei gusti, però.» In bagno, Bob il Burbero aveva aperto il pacchetto e ne stava osservando il contenuto con sguardo perplesso.

«Sembra cocaina, signore. Non posso esserne sicuro senza fare il test, ma a meno che non sia abituato a tenere il borotalco sotto lo sciacquone, probabilmente lo è. Qui ci sono un sacco di soldi. Decine di migliaia di sterline. Chi mai potrebbe buttare via così tanto denaro solo per incastrarla?»

«Tengo sempre aperte tutte le possibilità, lo sai, ma in cima alla lista dei sospettati c'è una persona che può permettersi di vivere in un bel loft di Leith.»

«Giusto. Be', dobbiamo scoprire da dove viene questa roba, il che significa che dovremmo farla trovare a qualcuno.»

«Forse no» disse Emma. «Dovrei riuscire a fare il test di un campione senza essere registrata nel sistema. In laboratorio c'è gente che mi deve più di un favore e possiamo farlo passare come test di calibrazione degli strumenti.»

«Lo faresti?» McLean non era sicuro del perché avesse scelto di allearsi con lui, ma le era sicuramente grato.

«Certo, ma le costerà.»

«Hai qualcosa in mente?» Guardò il pacchetto sul pavimento, accanto al coperchio dello sciacquone. C'erano cose che non avrebbe mai fatto, neanche se la posta in palio fosse stata il suo lavoro. Neanche se avesse rischiato di perdere la libertà. Emma seguì il suo sguardo e scoppiò a ridere.

«Che ne dice di una cena?»

McLean fu così sollevato di non sentirsi chiedere la droga che gli ci volle un po' per rendersi conto di quello che aveva detto. Dietro di lui, Bob soffocò una risatina e il detective MacBride era chiaramente a disagio. Forse non era così che si immaginasse funzionasse il lavoro del detective.

«D'accordo, ma non stasera, temo. A meno che tu non consideri come "cena" una pizza e una birra con questi due reprobi.»

«Non era proprio quello che avevo in mente.»

«No, lo immaginavo.»

Era mezzanotte passata quando finirono di perquisire la casa da cima a fondo. Non contento di avergli infilato la cocaina nello sciacquone, il benefattore sconosciuto aveva anche nascosto una borsa di contanti nella cisterna dell'acqua nell'attico; banconote usate da venti e da trenta, per un totale di diverse centinaia di migliaia di sterline avvolte in un pacco impermeabile.

Emma aveva trovato una mezza dozzina di impronte parziali, per lo più vicino alla porta sul retro e in bagno. Una, molto promettente anche se sbaffata, sullo stipite bianco della porta dell'attico, vicino a un chiodo sporgente che, forse, aveva rotto il guanto di lattice del misterioso visitatore. Sembrava che qualcuno avesse tentato di pulirla con uno straccio ruvido, il che destava sospetti. Il resto della casa era pieno di altre impronte, per lo più appartenenti a McLean.

«C'è l'allarme in questo posto, vero?» chiese Emma, seduta insieme agli altri al tavolo della cucina a mangiare una pizza e a dividersi l'ultima birra che c'era in frigo. Un po' tutto in quella casa era scaduto da diciotto mesi, ma nessuno sembrava farci caso.

«Sì, ma non sono convinto che funzioni bene. L'ultima volta che ho controllato, la Penstemmin aveva grossi problemi a capire cosa avesse fatto McReadie ai loro allarmi. Sto cominciando a pentirmi di aver preso quel bastardo.»

Bob il Burbero si buttò all'indietro sulla sedia, sospirando sonoramente. «Crede davvero che la odi così tanto da fare tutto questo? Va bene che non è un poveraccio, ma così è un po' esagerato, no?»

«Ti viene in mente qualcun altro?»

Il silenzio che calò nella stanza fu piuttosto eloquente.

«Domattina, per prima cosa confronterò questi parziali con i suoi» disse Emma, guardando l'orologio. «Anzi, oggi. Dovrei proprio andare.» Si alzò e si diresse verso la porta. McLean la accompagnò.

«Grazie di tutto, Emma. So che stai rischiando grosso per aiutarmi.»

«Puoi dirlo forte. Ma conosco i cocainomani e tu non sei proprio il tipo. Quanto ai soldi, be', hai questa casa, a che ti servono?»

«Sì, ma spero di non doverlo dimostrare a nessun altro. Capisci quanto sarebbe imbarazzante se si venisse a sapere in giro. Per tutti noi.»

Lei gli sorrise e le si formarono piccole rughe agli angoli degli occhi. «Non ti preoccupare, sarò muta come un pesce. Ma mi devi comunque una cena, e che sia a lume di candela.»

Bob il Burbero e il detective MacBride lo raggiunsero sulla porta mentre l'auto di Emma si allontanava.

«Farebbe meglio a stare attento, con quella lì» disse Bob. «Ha una brutta reputazione.»

«Ma se l'hai portata tu qui?» cominciò McLean, poi però vide il sorriso sul volto del sergente e si fermò. «Forza, tutti e due. Andate a casa.»

Li guardò allontanarsi nella notte, poi tornò in cucina. La cocaina e i soldi erano sul tavolino, insieme alla pizza avanzata, che poteva andare bene per colazione, ma il resto era un bel problema. McLean diede uno sguardo all'orologio appeso alla parete; era tardi, ma non troppo. Non per una cosa del genere. E poi, a che servivano gli amici se non potevi chiamarli a tutte le ore?

Il telefono squillò tre volte. Phil aveva un po' di fiatone. McLean non volle indagare sul perché, conoscendo la leggendaria avversione del suo ex coinquilino per l'esercizio fisico.

«Phil, scusa l'ora. Devo chiederti un favore.» Prese in mano il mattoncino di cocaina avvolto nella pellicola trasparente. «Mi stavo chiedendo se per caso potevo usufruire dell'inceneritore del vostro meraviglioso laboratorio.»

Quando si incontrarono davanti al laboratorio, con Phil c'era Rachel, cosa che sorprese non poco McLean. Sicuramente erano insieme quando aveva chiamato, ma c'era davvero bisogno di portare anche lei? A quell'ora del mattino sarebbe stata sicuramente più comoda a letto. Anche da sola.

«Grazie, Phil.» McLean si buttò la borsa sulla spalla. Era incredibile quanto pesassero un chilo di cocaina e cinquantamila sterline in banconote. Soprattutto se si doveva attraversare la città, di notte. Lì per lì aveva pensato di prendere un taxi, ma poi si era detto che era meglio lasciarsi dietro meno testimoni possibile.

«Non so neanche cosa vuoi fare» disse Phil. «Ci stai tenendo sulle spine, Tony.»

«Sì, be'… possiamo entrare?» Fece cenno verso la porta con il mento, ansioso di allontanarsi dall'onnipresente occhio delle telecamere di sicurezza.

«Sì, certo.» Phil digitò un codice sulla tastiera e la porta si aprì. All'interno, il fondo del laboratorio e i depositi erano immersi nella penombra. Camminarono in silenzio; salirono due rampe di scale, attraversarono una sala piena di costosi macchinari accesi e arrivarono finalmente nell'ufficio di Phil. Solo dopo che ebbero chiuso la porta, McLean cominciò a rilassarsi. Posò la borsa sulla scrivania e raccontò tutto.

«Ehm, non dovresti denunciarlo alla polizia?» Rachel ruppe il silenzio imbarazzato che era calato alla fine del racconto.

«Nel migliore dei casi mi sospenderebbero per sei mesi mentre l'unità interna rivolterebbe la mia vita come un calzino. Anche se non trovassero niente, per il resto della mia carriera sarei conosciuto come il piedipiatti che aveva nascosto in casa un chilo di coca e cinquantamila sterline in contanti.»

«Non può essere» commentò Phil.

«Non conosci gli sbirri, Phil. Questo genere di cose diventano una macchia indelebile sul tuo curriculum, indipendentemente da come finiscono. Non ho nulla da nascondere, ma questo non significa che il procuratore distrettuale non troverà qualcosa comunque. Se hanno nascosto questa roba a casa di mia nonna, sicuramente avranno messo qualcos'altro a casa mia. E poi verrà fuori qualche spione, ansioso di far perdere tempo alla polizia dicendo che ho fatto chissà cosa e alla fine si scoprirà che erano solo menzogne.»

«Ma... perché?» Rachel si staccò dalla parete a cui si era appoggiata, aprì la borsa e soppesò il denaro.

«Non ne ho la più pallida idea.» McLean scrollò le spalle, forse in maniera un po' troppo teatrale. «Devo aver fatto incazzare qualcuno.»

«Quindi vuoi bruciare tutto?» chiese Phil. «Vuoi bruciare davvero cinquantamila sterline di denaro non rintracciabile?»

«Voglio distruggere la droga. Questo sicuramente. Preferirei eliminare anche i soldi. A essere onesto, non ho idea se siano rubati o meno. Le banconote non sono contrassegnate, ma chissà...»

«Mi sembra un tale spreco. Voglio dire, se sono davvero irrintracciabili... Quello che li ha messi a casa tua si incazzerebbe da morire se sparissero e non potessero più servire a incriminarti.»

McLean guardò il malloppo che Rachel teneva in mano. Era andato lì con l'idea di distruggere tutto, non aveva bisogno di quei soldi. Ma forse potevano servire a qualcun altro e sarebbe stato ironico se fosse riuscito a utilizzarli senza problemi.

«Ok, dammene un po'.» La mazzetta era impacchettata ben stretta e ancora cosparsa della polvere grigia che Emma aveva usato per rilevare le impronte. La scartò con attenzione ed estrasse le prime banconote. «Rachel, puoi segnarti qualche numero di serie se te li detto?»

Ci vollero dieci minuti prima che McLean fosse certo di averne segnati abbastanza. Prese una mazzetta a caso per controllare che non fossero soldi falsi, poi rimise a posto il resto e passò la borsa a Phil. Rachel gli diede il foglio con i numeri di serie.

«Farò controllare questi il prima possibile, per scoprire se sono rubati» disse. «E mi assicurerò che siano veri. Fino ad allora, che nessuno li tocchi. Nascondeteli dove siete sicuri che non possano essere trovati per sbaglio. Non vi consiglio di farvi trovare in possesso di soldi sospetti. Se sono puliti, potrete usarli per pagarvi il matrimonio.»

«Tu non li vuoi?» chiese Phil.

«Assolutamente no. E congratulazioni, comunque.»

«Di che?»

«Per il vostro fidanzamento. Non avete rifiutato quando mi sono offerto di pagarvi il matrimonio.»

«Phil, doveva restare un segreto fino alla laurea.» Rachel divenne paonazza e diede una sberla al fidanzato sulla spalla.

«Non ti preoccupare, Rachel. Terrò la bocca chiusa fino all'annuncio ufficiale.» McLean sorrise, sentendosi allegro per la prima volta nelle ultime ventiquattro ore. «Ora bruciamo un po' di droga.»

38

L'alba aveva già tinto di grigio il cielo quando McLean entrò nel palazzo del suo appartamento a Newington. Aveva gli occhi secchi per la mancanza di sonno e si sentiva a pezzi, irritabile. Bruciare un chilo di cocaina, anche in un inceneritore progettato per l'eliminazione sicura di rifiuti tossici, aveva richiesto un tempo sorprendentemente lungo. In più, avevano dovuto trovare un posto adatto per nascondere il denaro finché non fosse riuscito a tracciare i numeri di serie, e non aveva chiuso occhio. Aveva sperato che la camminata attraverso la città sarebbe servita a ridargli un po' di carica, ma l'aveva solo stancato di più.

«L'ha poi trovata il suo amico?»

McLean sussultò, poi si voltò e vide la vecchia signora Mc-Cutcheon in piedi sulla porta di casa, in fondo alle scale di pietra dell'edificio. Non era dell'umore giusto per conversare con la pettegola del condominio; voleva solo farsi una doccia e magari appisolarsi per un paio d'ore prima di andare a lavoro. Le sorrise in automatico, annuendo e sentendosi in colpa. Poi, però, si rese conto di quello che aveva detto.

«Il mio amico?»

«Cos'era… l'altro ieri notte, mi pare. Era un po' tardi, ma voi poliziotti andate e venite sempre a ore strane.»

L'altro ieri notte. Quando qualcuno aveva lasciato delle prove a casa di sua nonna. Non molto tempo dopo che Fergus McReadie era stato rilasciato. E non molto tempo dopo che Jonas Carstairs era stato assassinato.

«Ci ha parlato, signora McCutcheon? Le ha detto come si chiamava?»

«Oh, no, caro. Ero seduta all'ingresso a lavorare a maglia. Lo sa com'è quando si invecchia. Dormire è una cosa da giovani. Non so che ore erano, ma non passavano più autobus, perciò doveva essere ben oltre la mezzanotte. Questo giovanotto è venuto su per il vialetto e ha suonato il suo campanello.»

«Come sa che era il mio?»

«Oh, hanno tutti un suono diverso, sa? Comunque, è entrato ed è andato dritto su per le scale. Ho pensato che era strano perché non l'avevo sentita aprire la porta. Poi mi sono ricordata che gli studenti la lasciano aperta quando vanno al pub. Ma erano già rientrati e sono certa che l'avessero chiusa per bene… mah.»

«È rimasto parecchio?»

«Oh, no. È arrivato solo a metà rampa quando uno degli studenti ha cominciato a gridargli contro. Sa come sono quando hanno bevuto, vero?»

McLean lo sapeva bene. Parecchie volte aveva dovuto ricordare a quegli inquilini irrequieti che all'ultimo piano abitava un poliziotto cui non piaceva essere svegliato.

«Ha ridisceso le scale in fretta e furia. Non credo che mi abbia vista, andava velocissimo. Stavo mettendo fuori uno dei gatti. Mi ha spaventata.»

McLean guardò l'anziana signora. Viveva già al pianoterra quando lui si era trasferito in quel condominio. Probabilmente era lì da sempre. Non aveva mai incontrato il signor McCutcheon e presumeva che fosse morto da diversi anni. La verità era che non sapeva molto di lei, tranne che era vecchia, che amava essere sempre informata su tutto e che stava cominciando ad apparire molto, molto fragile. «Non si preoccupi, signora» disse, tentando di calmarla. «Quel che conta è che qualcuno sia venuto qui ieri mattina prestissimo. Ha detto così, giusto?»

La donna annuì.

«E l'ha visto? L'ha visto in faccia?»

Altro cenno d'assenso.

«Crede di poterlo riconoscere in fotografia?»

La signora McCutcheon restò in silenzio per un po'. La donna solitamente gioiosa e positiva aveva lasciato il posto a una più vecchia e insicura.

«Non credo di poter lasciare la casa per tanto tempo» disse dopo un po'. «I gatti...»

McLean sapeva che i gatti erano perfettamente in grado di badare a loro stessi, ma non lo disse.

«Potrei portarle qui la foto, eh, signora? Mi aiuterebbe moltissimo se potesse identificare quell'uomo.»

«Non posso farti riportare qui McReadie. Non finché non mi dai qualcosa di preciso per cui accusarlo.»

McLean era in piedi sulla soglia dell'ufficio del sovrintendente capo McIntyre e non si fidava ad avvicinarsi di più. La prima cosa che aveva fatto al suo arrivo in centrale era stato chiedere al sergente di servizio di far venire McReadie per interrogarlo. Forse non avrebbe dovuto urlargli contro ricevendo un rifiuto, dopotutto il povero Pete stava solo eseguendo gli ordini del capo.

«Ha rubato i gemelli di Bertie Farquhar. Devo sapere cos'altro ha preso da quella casa.»

«No, Tony. Non devi.» La McIntyre restava seduta dietro la scrivania. Fastidiosamente calma e razionale, come sempre. «Sai bene da dove li ha presi e, poi, a quanto ho capito hai già scoperto a chi appartenevano. È stata una buona mossa andare dai gioiellieri.»

«Si aggira attorno a casa mia.»

«Questo non puoi saperlo. Abbiamo solo una vecchietta confusa che sostiene di aver visto qualcuno nei pressi di casa tua che poteva essere McReadie, come poteva non esserlo.»

«Ma devo…» *Devo sapere se è stato lui a nascondere un chilo di coca a casa di mia nonna. Non sono ancora riuscito a trovare quello che ha lasciato nel mio appartamento.*

«Devi lasciarlo in pace, ecco cosa.» La McIntyre si tolse gli occhiali da lettura e si strofinò gli occhi. Forse nemmeno lei aveva dormito. «L'abbiamo preso con le mani nel sacco e con una montagna di oggetti rubati nascosta in casa. Eppure, ha già inoltrato una lamentela ufficiale contro di te per uso ingiustificato della forza e il suo avvocato sta cavillando sui termini del mandato di perquisizione.»

«Che…» McLean non ci vide più. «Che cosa ha fatto?»

«Se riesce ad averla vinta sarà difficile incriminarlo. Il procuratore distrettuale potrebbe decidere di provare a incarcerarlo per ricettazione di beni rubati. Uno come lui potrebbe addirittura cavarsela con la sospensione condizionale della pena.»

«Ma non può essere. Quel bastardo ha fatto irruzione in casa di mia nonna.»

«Lo so, Tony. E se fosse per me marcirebbe in galera fino al processo. Ma ha un sacco di soldi per pagarsi i migliori avvocati e, ancora peggio, ha le conoscenze giuste. Non crederesti mai da dove mi stanno arrivando pressioni.»

«Non può cavarsela. Lei non scenderebbe mai a compromessi.»

La McIntyre fece una smorfia. «Puoi scommetterci. Non mi piace farmi comandare dai pezzi grossi. Ma non posso permetterti di maltrattarlo solo perché ti ha fatto incazzare. È esattamente quello che vuole e non gli darò questa soddisfazione.»

«Ma...»

«Niente "ma", Tony. Non è nemmeno più il tuo caso. Sei la vittima, per amor del cielo! Non puoi farti coinvolgere. Perché non porti avanti le altre indagini? Non sei ancora andato a parlare con l'esperta di occulto che ti avevo detto, vero?»

Maledizione. E la cosa peggiore era che aveva ragione. McLean sapeva dannatamente bene che non avrebbe nemmeno dovuto interrogare McReadie la prima volta. Il caso avrebbe dovuto essere gestito da qualcuno che non fosse coinvolto.

«La prego, mi dica che non lo passerà a Duguid.» Suonò come un pietoso, malevolo belato.

«In realtà pensavo che Bob Laird potesse essere più adatto.» La McIntyre si rimise gli occhiali sul naso con un sorrisetto. «Puoi dirglielo tu stesso.»

McLean incontrò l'agente Kydd mentre si dirigeva verso la sua centrale operativa. Aveva le braccia cariche di raccoglitori e un'espressione spaventata. Era diretta verso la stanza utilizzata per il caso Barnaby Smythe, che era stata riadibita in fretta e furia a centrale operativa per l'indagine diretta dall'ispettore capo Charles Duguid, il quale ancora una volta era riuscito a mandare tutto gloriosamente a puttane.

«Fammi indovinare, Poldo ha voluto nella sua squadra tutti gli agenti abili della centrale?»

L'agente Kydd annuì, scontenta. «Fanno un sacco di pressioni dall'alto.»

«Fanno sempre un sacco di pressioni dall'alto.» A maggior ragione per uno come Carstairs. Esattamente come per Smythe. Gli uomini importanti avevano amici importanti. Era un peccato che le persone comuni non potessero contare su un supporto simile. Come quella povera ragazza, mutilata durante chissà quale strano rituale nella cantina di un uomo ricco e influente.

«Sei esperta di identikit, vero, agente?» chiese McLean, ricordandosi un frammento di una conversazione avuta in passato.

«Mmm, sì.» L'agente Kydd confermò con grande riluttanza.

«Che ne dici, allora, di fare un po' di lavoro da detective? Ho sentito che stai studiando per gli esami.» La McIntyre non gli avrebbe permesso di interrogare McReadie senza un buon motivo. Cosa c'era di meglio, quindi, che dimostrare che si stava aggirando attorno a casa di McLean solo poche ore dopo essere stato rilasciato?

«Sarei un tantino presa, signore.» La Kydd gli mostrò i raccoglitori e assunse un'espressione infelice.

«Non ti preoccupare. Parlerò io con Poldo. In ogni caso, stamani ho altre cose da fare, ma se riesci a procurarti un computer con un software per gli identikit e a mettere le mani su qualche foto segnaletica… Prendi quelle che abbiamo scattato a Fergus McReadie quando l'abbiamo arrestato, l'altra notte. Io mi procuro una volante.»

«Ma io…»

«So che il sovrintendente capo ha detto di non assillarlo.» Dannazione, l'aveva detto a tutta la centrale? Quanto lo considerava impulsivo? «Non mi ci avvicinerò neanche. Fidati.»

39

Il cartello sulla porta diceva LETTURA DELLA MANO. TAROCCHI. PREVISIONE DEL FUTURO. McLean aveva sempre pensato che quel posto fosse una copertura per qualche altra attività, probabilmente prostituzione, ma l'indirizzo gliel'aveva dato la McIntyre. Aveva anche fatto qualche domanda in giro e pareva che Madame Rose fosse onesta e che facesse esattamente ciò che prometteva. Era tutta una balla, ovviamente, perfetta per truffare i creduloni. A Edimburgo non esisteva un grosso mercato per questo tipo di attività, ma c'erano abbastanza persone ansiose di credere a qualsiasi cosa.

«Perché siamo qui, signore?» Il detective MacBride aveva avuto la sfortuna di partecipare all'impresa e lo stava accompagnando alla ricerca della soluzione di quel caso, uno dei tanti che erano stati loro affidati. Bob il Burbero aveva il compito ancora più divertente di tentare di identificare la suicida di Waverley, mentre nel frattempo raccoglieva le prove contro Fergus McReadie da presentare al procuratore distrettuale. Il tutto senza considerare l'indagine sulla potenziale fuga di informazioni relative alle scene del crimine, la spiegazione più ovvia alle inquietanti somiglianze tra gli omicidi di Jonas Carstairs e Barnaby Smythe. E quella sulla ragazza, ovviamente. Niente male, per una sola giornata di lavoro.

«Siamo qui per saperne di più sul sacrificio umano e sui rituali demoniaci. Sembra che Madame Rose sia una specie di esperta dell'occulto. Tutto questo è solo una facciata. O almeno, così mi hanno detto.» McLean aprì la porta ed entrò in uno stretto corridoio, dove una rampa di scale conduceva al piano di sopra. La moquette consumata, con più macchie che fregi, mandava un aroma di fritto e muffa; l'odore della disperazione. In cima alle scale, superata una tenda di perline un tempo luccicanti, bisunta e lercia, si ritrovarono in una piccola stanza che avrebbe voluto disperatamente essere definita *boudoir*, ma che in realtà non era neppure degna dell'appellativo di sala di ricevimento. La stessa moquette del piano di sotto copriva il pavimento da una parete all'altra, con macchie che spuntavano ovunque, come funghi magici. In alcune zone avevano addirittura iniziato a colonizzare le pareti e distoglievano l'attenzione dalla carta da parati scrostata e dalle dozzinali stampe raffiguranti scene mistiche dal sapore orientaleggiante. Alzando lo sguardo, McLean non si sorprese affatto di vedere macchie anche sul soffitto. Faceva anche un gran caldo e la puzza di fritto e muffa rendeva preferibile respirare dalla bocca, anche se solo di poco. Davvero c'era chi vi si recava di sua spontanea volontà?

Un basso divano era addossato alla parete esterna, sotto l'unica finestra della stanza. Sedervisi, probabilmente, non era una buona idea. Due sedie di legno traballanti erano accostate a un tavolinetto coperto di vecchissime copie di *Reader's Digest* e *Tarot Monthly*. Nell'angolo opposto alle scale, qualcuno non troppo esperto di "fai da te" aveva costruito uno stretto bancone, dietro il quale si notava una porta chiusa. Un pezzo di carta stropicciato, attaccato alla parete, riportava il menu dei servizi offerti. Dieci sterline per la lettura della mano, venti per consultare le carte. Qualche folle squilibrato poteva addirittura tirare fuori cento sterline per una cosiddetta «sessione karmica completa».

«Oh, sì, mi sembrava di aver percepito qualcosa nell'etere. Splendido» disse una voce profonda, roca, risultato di troppe sigarette e troppo whisky. Le parole arrivarono ancora prima che McLean vedesse la porta aprirsi. Apparve una donna enorme, che riempì metà della stanza con la sua gigantesca persona. Era avvolta in una specie di tenda di velluto rosso, come una grassa mummia. Le sue mani erano palloncini rosa tempestati d'oro, le dita carnose strizzate in anelli da quattro soldi, con le unghie dipinte di una tonalità di rosso diversa da quella del vestito.

«Mi basta solo guardarti la mano.» Madame Rose afferrò la mano di McLean con velocità sorprendente, girandola e percorrendone le linee con gesti carezzevoli. Lui cercò di ritrarla, ma la stretta della donna era d'acciaio.

«Oh, già così tante tragedie. E, ahimè, tante ancora in arrivo. Povero, povero ragazzo. E… cos'è questo?» Lo lasciò andare di colpo come l'aveva afferrato. Fece un teatrale passo indietro, portandosi una mano al petto e toccandosi la pelle flaccida del mento con l'altra. «Sei destinato a fare delle cose. Grandi cose. Cose terribili.»

«Ok, lo spettacolo è finito.» McLean estrasse il distintivo. «Non sono qui per queste chiacchiere senza senso.»

«Le assicuro, ispettore detective. Le mie non sono affatto chiacchiere senza senso. Ho avvertito la sua aura appena siete entrati.»

«Allora saprà anche perché siamo venuti.» Fu MacBride a porre quella domanda, anticipando McLean.

«Certo, certo. Volete sapere qualcosa sulle uccisioni rituali. Brutto affare. Non funzionano mai, a quanto ne so, ma per far uscire il diavolo sono peggio dell'alcol, non so se mi capite…»

«Ma come ha…?» si lasciò sfuggire MacBride, esterrefatto.

Madame Rose si abbandonò a una risata molto poco femminile. «Gli spiriti mi parlano, detective. E anche Jayne McIntyre, di tanto in tanto.»

«Non ho molto tempo e nemmeno pazienza.» McLean rimise in tasca il distintivo. «Mi è stato assicurato che avrebbe saputo dirmi qualcosa sulle pratiche occulte. Se mi sbaglio, non le ruberò altro tempo.»

«Suscettibile, eh?» Madame Rose fece l'occhiolino a MacBride, che arrossì fino alla punta delle orecchie. Si rivolse di nuovo a McLean. «Venga nel mio ufficio, allora. Prendiamocela con calma.»

L'ufficio si rivelò essere una stanza di considerevoli dimensioni sul retro dell'edificio, con un'alta finestra che dava su un cortile grigio pieno di panni stesi ad asciugare. Il contrasto con l'altra sala e il corridoio che avevano attraversato non avrebbe potuto essere più forte. Mentre quelli erano squallidi e decorati con ninnoli kitsch, del tipo che ci si aspetterebbe di trovare nei locali di una vecchia indovina zingara, in questa stanza i pochi oggetti in mostra sembravano allo stesso tempo autentici e inquietanti.

Le quattro pareti erano ricoperte di scaffali fino al soffitto, stipati di un assortimento casuale di libri antichi e moderni. Due scaffali, quelli ai lati della scrivania, ospitavano due teche in vetro contenenti un gatto selvatico e una civetta delle nevi impagliati. Entrambi erano stati lavorati ad arte dall'imbalsamatore, che li aveva immobilizzati per sempre nell'atto di uccidere la preda. Sulla scrivania, montata su un piedistallo di legno scuro, c'era qualcosa che ricordava fin troppo una mano rinsecchita, utilizzata come leggio. Altri oggetti si nascondevano in angoli bui. Erano tanto sinistri se si scorgevano con la coda dell'occhio, quanto perfettamente normali se osservati con attenzione: un attaccapanni con un cappello a bombetta, un cappotto e un ombrello sembravano un assassino nascosto nel buio; una sciarpa, abbandonata sullo schienale della poltrona mangiata dalle tarme, sembrava una volpe, l'animale di una strega, che lo fissava con il suo occhio diabolico. McLean sbatté le palpebre e la sciarpa fece altrettanto, poi spalancò la bocca, si stirò e saltò sul pavimento. Non era una volpe, ma un gatto tutto pelle e ossa, la cui coda disegnava un grosso punto interrogativo nella stanza, mentre si avvicinava per ispezionare gli intrusi.

«Allora, ispettore McLean, detective MacBride. Vorreste saperne di più sui sacrifici umani, sul perché la gente li faccia, questo genere di cose insomma?» Madame Rose estrasse un paio di minuscoli occhiali dal décolleté, dove li teneva appesi a una catenina d'argento, e se li mise sul naso.

«Più o meno. Sto studiando un rituale in particolare. Crediamo che fosse coinvolta più di una persona.»

«Oh, di solito è così. Altrimenti non è un rituale, è solo un tentativo di attirare l'attenzione.»

«Intendo più di un assassino, in realtà. Sei, probabilmente.» McLean spiegò cosa avevano trovato nella cantina, restando il più vago possibile sui dettagli.

«Sei?» Madame Rose si piegò in avanti. «È... strano. Per lo più la questione resta tra due persone, assassino e vittima. Il genere di persona che decide di eseguire un omicidio rituale di solito non è molto brava a socializzare, non so se mi spiego.»

«Perché lo fanno?» chiese MacBride. McLean non aveva detto al detective di restare in silenzio, perciò non lasciò trasparire il fastidio che provò a quell'uscita.

«Una domanda molto pertinente, giovanotto» rispose Madame

Rose. «Alcuni credono che dia un senso di importanza a persone che ne sono del tutto prive nella vita di tutti i giorni. Altri suggeriscono che alcune brutte esperienze d'infanzia, di solito violente, patite per mano dei familiari più stretti, si fondano con l'idea di amore e che queste persone esprimano il proprio amore di conseguenza. Molti hanno ricevuto una severa educazione religiosa che non ha risparmiato loro una bella dose di bacchettate. Per tutte queste persone il rituale è importante, perché rappresenta un rovesciamento dei ruoli. Io, personalmente, ritengo che lo facciano perché hanno qualche rotella fuori posto.»

«Ne deduco che non crede che funzioni» disse McLean.

«Oh, ma naturalmente sì. Così come lo credevano i suoi sei svitati. Dovevano crederci per forza, altrimenti non avrebbero ucciso la ragazza. Almeno uno di loro doveva esserne convinto per farsi seguire fino in fondo dagli altri cinque.»

«Crede che sia possibile? Che qualcuno possa arrivare a uccidere solo perché qualcun altro gli ha detto di farlo?»

«Certo. Se questo qualcuno è sufficientemente carismatico, sì. Pensi a Waco, Jonestown, Al Qaeda. Gran parte dei fanatici non crede davvero in quello che gli viene inculcato. Vuole solo che gli si dica cosa fare. È più facile.»

Quelle non erano affatto le parole che si era aspettato di sentire. «Perciò questo rituale non è niente di speciale. Potrebbe essere stato fatto da un pazzo qualsiasi deluso da Dio.»

«Non ho detto questo, ispettore.» Madame Rose prese un libro che aveva l'aria di essere stato tirato giù dagli scaffali solo di recente. Lo aprì a una pagina segnata. «Sei organi, sei artefatti, sei nomi. Sistemati sui punti cardinali attorno al corpo. Mi dica, c'erano dei segni sul pavimento? Un circolo di protezione, forse?»

Girò il libro, mostrando le pagine a McLean. Era un'immagine in bianco e nero, in stile miniatura medievale, che mostrava una figura femminile distesa a braccia e gambe spalancate. Sul busto aveva uno squarcio, dal quale spuntava solo inchiostro nero. Tutto intorno a lei si estendeva un circolo di linee attorcigliate e interconnesse, che formavano dei nodi elaborati all'altezza di piedi, mani, testa e inguine. Sotto l'immagine si leggevano le parole «Opus Diabvli». McLean fece per tirare a sé il libro, ma Madame Rose glielo tolse.

«Risale al diciassettesimo secolo. Probabilmente vale più di quanto il suo giovane detective, qui, guadagni in un anno.»

«Dove l'ha preso?» chiese McLean.

«È interessante che abbia scelto di farmi proprio questa domanda.» Madame Rose passò un dito sulla pagina, con attenzione. «L'ho comprato da un antiquario, giù nel Royal Mile. Molti, molti anni fa. Credo che l'avesse a sua volta acquistato, insieme a diversi altri, dalla collezione appartenuta al defunto Albert Farquhar. Ho sentito dire che l'amante dell'occulto era Bertie Farquhar.»

Un'altra tessera del puzzle che andava al suo posto. «Quale doveva essere lo scopo del rituale?»

«È qui che la questione si fa interessante.» Madame Rose voltò pagina con attenzione, prima di ridargli il libro. McLean guardò il nuovo capitolo, per un attimo rapito dall'eleganza del capolettera miniato. Poi notò che una pagina era stata strappata. E non di recente.

«L'ho trovato così, nel caso se lo stia chiedendo.» Madame Rose riprese il volume, lo chiuse con attenzione e lo rimise sulla scrivania, dandogli dei colpetti sulla copertina come se fosse un gattino ubbidiente. «Sono vent'anni che ne sto cercando un'altra copia.»

«Quindi non ha idea di quale fosse…» McLean fece un cenno

con la mano verso il libro e l'immagine macabra che conteneva. «Di quale fosse lo scopo.»

«Opus Diabuli, ispettore. L'opera del diavolo.»

Fu solo quando uscirono in strada che McLean si rese conto di quanto facesse freddo nello studio di Madame Rose. Forse perché erano nel lato nord dell'edificio, nella parte non esposta al sole. O forse era qualcos'altro. Come se quel posto si trovasse in una dimensione tutta sua. Si voltò verso la porta, ma il cartello diceva ancora LETTURA DELLA MANO. TAROCCHI. PREVISIONE DEL FUTURO. Le pareti erano ancora sporche, le imposte delle finestre stavano marcendo e andavano riverniciate. Scosse il capo e fu colto da un brivido, mentre si riabituava al calore del sole.

«Un po' bizzarra…» commentò il detective MacBride.

«Un po' tanto.» McLean si mise le mani nelle tasche dei pantaloni e cominciarono a camminare verso la centrale. «Ma forse sarebbe meglio dire bizzarro.»

«Bizzarro?» MacBride proseguì a camminare. Fece tre passi, forse quattro, poi si voltò verso McLean. «Dice che era… un lui?»

«Non si vedono spesso pomi d'Adamo del genere in una donna, Stuart. O mani così grandi. Scommetto che quel petto era tanta imbottitura e poca natura…»

«Perciò Madame Rose è davvero un ciarlatano. In tutti i sensi.»

«Oh, non essere troppo severo nei confronti dell'arte divinatoria. Personalmente ritengo che chiunque sia tanto sciocco da spendere soldi per questo genere di cose si meriti di diventare povero. E la signora… il signore ci ha aiutati, dopotutto.»

MacBride strinse tra le braccia il pacchetto nel quale Madame Rose aveva avvolto il libro. Aveva insistito per farsi fare la ricevuta, quando McLean le aveva chiesto di prenderlo come prova. La cifra a cinque zeri con cui ne aveva indicato il valore era forse un'esagerazione, ma il detective non era per nulla ansioso di sincerarsene.

«Avevamo già i gemelli» disse. «Abbiamo davvero bisogno anche del libro? Lo sappiamo che è stato Bertie Farquhar.»

«È sempre bello trovare conferme.» E sentiva che in quel libro c'era qualcosa di strano. Voleva avere la possibilità di studiarlo meglio, anche se le pagine davvero fondamentali erano state strappate.

«C'è solo una cosa che non mi torna, signore.»

«Solo una?»

«Sì, be'...» MacBride fece una pausa, cercando le parole. O forse era solo insicuro. «Il libro, Madame Rose, uomo o donna che sia, ce l'aveva sulla scrivania. Aveva anche fatto un segno alla pagina giusta.»

«Ho notato.»

«Come faceva a sapere cosa stavamo cercando?»

40

«Gli assomiglia un po', ma forse era più scuro? No, questo. O aspetti, forse questo?»

McLean non era mai stato nell'appartamento della signora McCutcheon, anche se aveva vissuto nel suo stesso condominio negli ultimi quindici anni. Eppure, non si sorprese affatto; era esattamente come se l'era immaginato. La disposizione dei mobili in soggiorno non era diversa da quella di casa sua, tre piani più su, ma le somiglianze finivano lì. La signora aveva ninnoli ovunque, per lo più vezzose scatole vittoriane di cioccolatini. La stanza, di per sé grande, sembrava minuscola con tutta quella roba. E i gatti. Aveva smesso di contarli dopo essere arrivato a dieci, anche perché con ogni probabilità ne aveva contato qualcuno due volte. Lo fissavano dagli scaffali, dalle sedie, gli giravano intorno alle gambe. Sedersi era fuori questione.

«Non lo so, cara. Sono tutti così imbronciati, vero? Non ne ha qualcuno che sorrida? Il tizio che ho visto sorrideva.»

L'agente Kydd era seduta accanto all'anziana signora su un divano sicuramente più vecchio di entrambe. Lo schienale era stato coperto con un delicato pizzo antipolvere, così come le due poltrone abbinate, in quel momento occupate da occhi sospettosi e vibrisse tremanti. Nonostante i gatti, comunque, tutta la stanza era pulita e in ordine; era soltanto... piena. Sorprendentemente, odorava di pulito e di antico. A giudicare dalla puzza che c'era sul pianerottolo, fuori dall'appartamento, la signora McCutcheon aveva addestrato i suoi gatti a fare i bisogni all'esterno.

«Questo. Sì, penso proprio che sia lui.» La vecchia signora stava guardando lo schermo del portatile dell'agente Kydd da dietro i suoi occhiali a mezzaluna. Il computer era pieno di fotografie segnaletiche. Finora ne avevano passate in rassegna una serie, tra cui era stata strategicamente posizionata anche quella di McReadie, e avevano cercato di ricordarsi di non bere il tè: al loro arrivo McLean aveva assistito alla preparazione. Una bustina per ogni tazza e una per la teiera, aveva detto la signora McCutcheon. Peccato che la teiera potesse contenere al massimo mezzo litro d'acqua.

«Sì, ne sono sicura. Aveva quegli occhi strani. Troppo vicini. Lo faceva sembrare un po'... un po' ebete.»

McLean sorrise della definizione e si avvicinò per osservare lo schermo. La Kydd lo girò verso di lui, con un'espressione di trionfo sul viso.

«È lui» disse, ma McLean non aveva bisogno di conferme. Sullo schermo c'era la foto che voleva vedere. Quella di Fergus McReadie.

«Dobbiamo andare alla centrale. Voglio che prelevino McReadie il prima possibile. Stavolta quel bastardo non se la caverà.»

Stavano camminando verso il teatro Pleasance in direzione del centro città. Riuscire ad andarsene dall'appartamento della signora McCutcheon era stato più difficile del previsto e per tutto il tempo aveva cercato di non pensare a Fergus McReadie a bordo della sua BMW, diretto verso qualche località con troppo sole e poca voglia di estradare criminali.

«Vuole che telefoni, signore?» L'agente Kydd lottò con la borsa del computer che aveva in spalla, tentando di raggiungere il cellulare. McLean si fermò per aiutarla.

«Dammi qua. No, il computer. Non ho la minima idea di come funzioni quel coso.» Le prese la borsa e se la mise in spalla. La Kydd tirò fuori il telefonino, schiacciò qualche pulsante e se lo accostò all'orecchio.

«Pronto, Controllo? Qui è due-tre-nove… Oh, mio Dio. Attento!»

Accadde troppo velocemente per riuscire a reagire. La Kydd lasciò cadere il telefono e si gettò su McLean, colpendolo con una spallata allo stomaco. Sbilanciandosi all'indietro, lui inciampò su alcuni gradini di pietra che conducevano all'ingresso di un condominio. Gli cedettero le ginocchia mentre roteava le braccia, in un futile tentativo di mantenere l'equilibrio. Rovinò sulle scale di pietra con forza sufficiente a fargli vibrare la spina dorsale e togliergli tutta l'aria dai polmoni. Sulle labbra gli si formò la domanda «Che cavolo…?», ma la risposta arrivò prima che potesse terminare la frase.

Un furgone Transit bianco salì a tutta velocità sul marciapiede, facendo volare in strada un cestino della spazzatura. L'agente Kydd rimase immobile, come un coniglio davanti ai fari di un'auto. Per un attimo che sembrò eterno rimase lì, piegata su se stessa, tentando di recuperare l'equilibrio, gli occhi spalancati più per lo stupore che per la paura. Poi il camioncino la colpì, la sollevò da terra, gettandola in aria come una vecchia bambola. Solo allora McLean sentì il rombo agonizzante di un motore lanciato a tutta potenza, il tonfo di un corpo che colpiva il marciapiede, vetri rotti. Una frenata improvvisa.

Lottando per riprendere fiato, si costrinse ad alzarsi e uscì dal vano della porta che l'aveva protetto. Il furgone ingranò retromarcia e si ributtò in strada, facendosi largo nel traffico come un pugile ubriaco. Non aveva la targa e in pochi secondi era sparito dietro un angolo, in direzione di Holyrood Park.

L'agente Kydd giaceva a una decina di metri dalla porta, il corpo crudelmente contorto. McLean si guardò intorno cercando il telefonino, ma trovò solo componenti elettroniche sparpagliate in strada. Il suo cellulare era del tutto inutile. Perché diavolo la batteria non funzionava mai? Estrasse il distintivo e corse verso la macchina più vicina, sbattendo la mano sul cofano.

«Ha un telefono?»

Il conducente spaventato indicò un apparecchio attaccato al parabrezza con una ventosa.

«Non lo stavo usando. Lo giuro.»

«Non me ne frega un cazzo. Me lo dia.» McLean lo prese infilando il braccio nel finestrino. Compose il numero della centrale. Non attese il preambolo che sapeva l'avrebbe accolto.

«Pete? McLean. Sono davanti al Pleasance. Incidente e omissione di soccorso. L'agente Kydd è a terra. Mi serve un'ambulanza subito. E allerta tutte le auto, Transit bianco, senza targa. Avrà anche una grossa ammaccatura sul cofano. Probabilmente il parabrezza rotto. L'ho visto imboccare Canongate, verso Holyrood.»

Ancora con il telefono in mano, McLean corse verso il corpo dell'agente Kydd. Da naso e bocca perdeva sangue chiaro e gorgogliante. Aveva gli occhi ancora aperti, le pupille dilatate per lo shock.

«Resta con me, Alison. Arriva l'ambulanza.» McLean le prese una mano. Non voleva muoverla più del necessario, anche se dubitava che avrebbe camminato ancora. Prima di tutto doveva superare i successivi cinque minuti.

Da qualche parte, in lontananza, si udì l'ululato di una sirena.

41

La sedia di plastica da due soldi era scomoda, ma McLean non ci fece caso mentre fissava la bacheca con i suoi dépliant, nella sala d'attesa vuota. Ricordava il tragitto in ambulanza attraverso la città come una serie di flash confusi. Un paramedico che gli parlava ma lui non riusciva a sentirlo; mani gentili ma decise che lo allontanavano dall'agente Kydd; professionisti esperti che tentavano di fare il miracolo, sistemando il collare e bloccandole la schiena; sollevavano da terra il corpo martoriato della donna e lo infilavano nell'ambulanza… era così piccola, così giovane; un viaggio attraverso la città verso un ospedale che sperava di non rivedere mai più; volti seri che pronunciavano parole pesanti come operazione, chirurgia d'emergenza, quadriplegica. E adesso l'interminabile attesa per notizie che non sarebbero state meno orribili.

Avvertì un leggero spostamento d'aria quando qualcuno gli si sedette accanto. McLean non dovette voltarsi per sapere chi fosse, avrebbe riconosciuto ovunque quell'odore. Un misto di carta, preoccupazione e una goccia di Chanel.

«Come sta?» Il sovrintendente capo McIntyre aveva l'aria stanca. Sapeva benissimo come stava.

«I dottori non capiscono come facesse a essere ancora viva quando è arrivata. Al momento è in sala operatoria.»

«Che è successo, Tony?»

«Ci hanno investiti e sono scappati. L'hanno fatto apposta. Credo che abbiano tentato di farmi fuori.» Ecco. L'aveva detto. Aveva dato voce alle sue paranoie.

La McIntyre fece un sospiro profondo, trattenendolo per un attimo come sfidandosi a dire qualcosa. «Ne sei sicuro?»

«Sicuro? No. Non credo che sarò più sicuro di qualcosa d'ora in poi.» McLean si stropicciò gli occhi asciutti. Si chiese se le lacrime sarebbero state fraintese. «L'ha visto arrivare. L'agente Kydd. Mi ha spinto via. Avrebbe potuto salvarsi, ma il suo primo istinto è stato salvare me.»

«È una brava poliziotta.» McLean notò che la McIntyre non aveva aggiunto «Se la caverà». Forse sarebbe uscita viva di lì, ma non senza sedia a rotelle.

«Che ci facevate in quella zona?»

E ora la parte difficile. «Stavamo tornando in centrale. L'agente Kydd mi stava aiutando a identificare la persona che ha tentato di entrare in casa mia l'altra notte. La mia vicina aveva notato atteggiamenti sospetti.» Quant'era patetico.

«McReadie?» L'aveva fatta sembrare una domanda, ma McLean sapeva che la McIntyre non si aspettava una risposta. Annuì comunque.

«Perché non se ne stava occupando il sergente Laird? Te l'ho detto, Tony. Stai alla larga da McReadie. Quello sta giocando con te.»

«Sta cercando di uccidermi, ecco che sta facendo.»

«Ne sei sicuro? Non esageri un po'?»

No, perché il bastardo ha nascosto cinquantamila sterline e un chilo di coca a casa mia e ha cercato di incastrarmi, ma io non ho reagito come si aspettava, perciò adesso è passato al piano B.

«La vedo dura testimoniare in tribunale, da morto.»

«Falla finita, Tony. Il melodramma non ti si addice. E comunque, secondo il sergente di servizio, alle quattro di oggi, quando hai denunciato l'incidente, Fergus McReadie veniva interrogato in centrale, insieme a un avvocato dalla lingua così tagliente che ogni parola era una ferita.»

«Non si sarebbe sporcato le mani di persona. Deve aver pagato qualcuno. Scommetto che è venuto di sua spontanea volontà, oggi pomeriggio. Per avere l'alibi perfetto.»

La McIntyre emise un lungo sospiro e appoggiò la testa alla parete.

«Non mi stai rendendo le cose facili, Tony.»

«Non le sto rendendo le cose facili?» Si voltò per guardare il suo capo, ma lei non ricambiò lo sguardo. Invece, parlò rivolta alla stanza vuota.

«Vai a casa. Dormi un po'. Non c'è nulla che tu possa fare, qui.»

«Ma devo...»

«Devi andare a casa. Se ancora non sei sotto shock, lo sarai presto. Devo ordinartelo?»

McLean si accasciò sulla sedia, sconfitto. Odiava darle ragione. «No.»

«Bene, perché questo invece è un ordine: non voglio vederti in centrale fino alla settimana prossima.»

«Che cosa? Ma oggi è mercoledì.»

«La settimana prossima, Tony.» La McIntyre, finalmente, lo guardò. «Puoi scrivermi una dichiarazione in cui spieghi esattamente cos'è successo oggi. Poi non voglio più sentirti né vederti fino a lunedì.»

«Ma... e McReadie?»

«Non preoccuparti di lui. Hai un testimone che afferma che

si aggirava attorno a casa tua, il che è una chiara violazione dei termini della sua cauzione.» La McIntyre tirò fuori il telefonino, ma non chiamò. «Non disturberà più nessuno per un bel pezzo.»

«Grazie.» McLean colpì piano la parete con la nuca. «È sicura che...»

«Stanne fuori. Se hai ragione e qualcuno sta cercando di farti fuori, non posso permetterti di indagare. Così come non posso permetterti di infastidire ogni volta McReadie. Rispetta la procedura, Tony. Lascialo in pace. Guiderò di persona quest'indagine, perciò lo saprò subito se comincerai a ficcare il naso dove non dovresti.»

«Io...»

«Fila a casa, ispettore. Non una parola di più.» La McIntyre si alzò, lisciandosi l'uniforme con un gesto automatico delle mani. McLean la guardò allontanarsi, poi tornò a fissare la parete.

L'agente di polizia Alison Kydd venne trasferita dalla sala operatoria al reparto di terapia intensiva alle una e un quarto del mattino. Un'operazione di otto ore le aveva salvato la vita, ma i dottori la stavano mantenendo in coma farmacologico, per ogni evenienza. Sicuramente non avrebbe mai più camminato, a meno che non avessero inventato un modo per far ricrescere il midollo spinale. Solo con il tempo si poteva capire se avrebbe mai recuperato l'uso delle braccia e il controllo della vescica. E c'era sempre la possibilità che non si svegliasse più.

La dottoressa che aveva detto tutto questo a McLean era troppo giovane per avere grande esperienza, ma sembrava sapere il fatto suo. Era stata cautamente ottimista; un po' più del cinquanta per cento delle possibilità, erano state le sue parole. L'aveva detto come se fosse una cosa buona, con un sorriso stanco. Quelle frasi e quel sorriso l'avevano perseguitato fino a casa, durante tutto il tragitto in taxi, sotto la pioggia. Erano rimasti con lui anche quando aveva iniziato a stilare il rapporto per il sovrintendente capo, in compagnia di una bottiglia di whisky. La finì al tramonto, ma non ne trasse alcun sollievo. Ubriacarsi da solo non era nel suo stile; aveva bisogno di qualche buon amico. E, all'improvviso, cominciò a ripetersi che non era colpa sua. Magari, ripetendoselo, avrebbe anche potuto iniziare a crederci.

Chiamò l'ospedale alle sei e gli dissero che non c'erano novità, né era probabile che ce ne fossero nel prossimo futuro. L'infermiera non aveva detto granché, ma McLean aveva capito dal tono della sua voce che non sarebbe stata ancora così educata se avesse richiamato entro breve. Avrebbe dovuto sentirsi stanco, non dormiva da ventiquattro ore, ma il senso di colpa e la rabbia gli impedivano di prendere sonno. Fece una doccia, rilesse il rapporto e vi apportò un paio di modifiche prima di spedirlo via mail. Non era colpa sua. Non c'era modo di prevedere quello che sarebbe successo.

Ma in un certo senso, lo era. Come aveva detto la McIntyre, avrebbe dovuto essere Bob a fare visita alla McCutcheon con un agente. McReadie, quindi, avrebbe detto al suo sicario di far fuori McLean in tutt'altro posto, dove non ci sarebbe stato qualcuno pronto a sacrificarsi per lui. *Dannazione, per quale motivo? Perché quella piccola sciocca...?*

Il pugno stava per colpire il vetro della finestra prima ancora che si accorgesse di averlo sferrato. Si trattenne e sbatté forte il palmo della mano sullo stipite, sentendo salirgli agli occhi lacrime calde, che nulla avevano a che fare con il dolore. Non con il dolore fisico.

Riusciva a essere così stupido a volte... Forse, se avesse ascoltato gli altri, magari delegando il lavoro di tanto in tanto, tutto questo non sarebbe mai successo. E ora era bloccato lì per una settimana, nervoso e sconvolto, soltanto perché gli era stato chiesto di starsene buono e lui non era riuscito a obbedire.

C'era troppo da fare, troppi casi che avevano bisogno della sua attenzione. La McIntyre si aspettava davvero che restasse con le mani in mano fino a lunedì? Sarebbe andato tutto liscio, purché fosse riuscito a tenersi alla larga dalla centrale e da tutto ciò che riguardava McReadie o la ricerca del camioncino che aveva investito Alison. Gli restavano sempre la ragazza morta e i due suicidi, per non parlare della fuga di notizie sulle scene del crimine.

Uscire di casa sarebbe stato un po' come fumarsi una sigaretta di nascosto, ma doveva andare a fare la spesa, se non altro. E non c'era niente di meglio di una buona passeggiata per aiutarlo a pensare.

«Ispettore. Che bella sorpresa.»

McLean si voltò e vide una Bentley nera fiammante scivolare lungo la strada con un finestrino abbassato, come se l'occupante dell'auto fosse in cerca di bellezze di dubbia morale. Non che qualcuno lavorasse sui marciapiedi della zona, ma non si sarebbe sorpreso di scoprire che una di quelle eleganti ed enormi case ospitasse un mercato di escort di lusso. Chinandosi leggermente scorse una mano guantata, un soprabito scuro e un volto coperto di cicatrici. L'auto accostò in silenzio. La portiera si aprì su interni in morbida pelle rossa, su cui sicuramente il dottor Freud avrebbe avuto molto da dire. Gavin Spenser si sporse verso di lui.

«Posso darle un passaggio?»

McLean guardò la strada deserta, poi si voltò in direzione del suo appartamento. Nonostante camminasse da mezz'ora, non era riuscito a scrollarsi di dosso il senso di colpa. Né la frustrazione.

«In realtà non ho una meta precisa.»

«Bene, allora forse vuole unirsi a me per un caffè. Casa mia non è lontana.»

Perché no? Non aveva nient'altro da fare. McLean salì in macchina, rivolgendo un cenno di saluto al possente autista strizzato dietro il volante e accomodandosi sulla soffice poltrona in pelle accanto a Spenser. L'auto partì senza fare alcun rumore, così come non ne provenivano dalla strada. Ecco come se la passavano i ricchi.

«Bella macchina» fu l'unica cosa che gli venne in mente di dire.

«Non posso più guidare, perciò preferisco la comodità alla potenza.» Spenser indicò con un cenno del capo la testa rasata dello chauffeur. «Più che altro è Jethro che la porta fuori e la fa divertire, ogni tanto.»

Allo specchietto, McLean vide la bocca dello chauffeur accennare un sorriso striminzito. Non c'erano pannelli di vetro che separavano i due ambienti, segno che Spenser si fidava di quell'uomo.

«L'ultima volta che ho visto sua madre guidava quell'abominio italiano, che cos'era?»

«L'Alfa Romeo?» McLean non ci pensava più da una vita. Probabilmente riposava ancora sotto un telone in fondo al garage, inutilizzata da quando sua nonna aveva deciso di essere troppo vecchia e cieca per guidare ancora. Non l'aveva mai venduta e non si ricordava l'ultima volta che le aveva dato un'occhiata. «Era l'auto di mio padre. La nonna ha speso una fortuna per mantenerla funzionante. Motore nuovo, riverniciatura, parti di carrozzeria sostituite anno dopo anno… era un po' come il paradosso della nave di Teseo.»

«Ah, sì, la celebre parsimonia dei McLean. Era una donna furba, Esther. Ah, eccoci arrivati.»

La Bentley superò un cancello di pietra e percorse un breve vialetto, verso una di quelle ville sorprendentemente grandi che si ergevano in angoli insospettabili di Edimburgo. Era circondata da un ampio terreno; di sicuro ogni agenzia immobiliare avrebbe ucciso per impossessarsene; ce n'era abbastanza per costruirci almeno venti condomini, ma al loro posto non si vedevano che antichi alberi e splendidi giardini. La casa era in stile edoardiano, imponente, ma ben proporzionata, costruita abbastanza in alto da garantire una vista straordinaria sulla città, sul castello, sull'Arthur's Seat e sul mare di tetti che li separava. Jethro, l'autista, si era già tolto la cintura, era sceso e aveva aperto la portiera per Spenser prima che McLean si accorgesse che si erano fermati. Il vecchio scese con un'agilità insospettabile. Nessun cigolio di articolazioni, né dolori alla schiena. McLean provò quasi una punta di invidia mentre si trascinava fuori, scricchiolando come la ghiaia sotto i suoi piedi.

«Venga» gli disse Spenser. «Dietro staremo un po' più tranquilli.»

Fecero il giro della casa, mentre il vecchio ne sottolineava alcune caratteristiche interessanti. Sul retro sorgeva un ampio aranceto e la casa era circondata da un patio rialzato che, probabilmente, doveva essere stato aggiunto negli anni Settanta. La pavimentazione era ancora immacolata, per quanto rustica, e al centro c'erano un tavolo e alcune sedie. Mancava solo la piscina. Anzi no, eccola lì, annidata tra un campo da tennis e un prato da croquet perfettamente pianeggiante. La manutenzione di un luogo simile doveva costare una fortuna, ma Spenser non sembrava il tipo a cui mancasse il denaro.

Un domestico taciturno portò loro il caffè. McLean lo osservò mentre lo versava nelle tazzine, con latte e zucchero. Sorseggiò la bevanda, buona come non gli capitava da moltissimo tempo, respirando il delizioso aroma dell'arabica perfettamente tostata.

«Ha detto di aver conosciuto mia nonna all'università. Senza offesa, ma deve essere stato diversi anni fa.»

«Intorno al 1933, mi pare.» Spenser fece una smorfia come se cercasse di ricordare, e le cicatrici assunsero un colore rosso vivo e biancastro. «Forse nel Trenta. La memoria inizia a fare cilecca.»

McLean ne dubitava. Spenser sembrava vispo come un giovanotto.

«Lei…? Voi due eravate…?» Perché era così difficile formulare quella domanda?

«Una coppia?» Spenser si adombrò e il suo viso assunse un'aria del tutto nuova. «Ah, magari… Eravamo solo ottimi amici. Amici stretti. Ma Esther non aveva tempo per queste cose, doveva faticare il doppio di tutti gli altri.»

«Davvero? Ho sempre pensato che fosse una donna intelligente.»

«E lo era. Una delle menti più brillanti che abbia mai incontrato. Era intelligentissima, imparava tutto con facilità. Ma aveva un grosso handicap: era una donna.»

«C'erano donne medico negli anni Trenta.»

«Oh, sì. Qualche anima intrepida. Ma non era facile riuscirci. Non bastava che fossero brave come gli uomini, dovevano essere migliori. Esther, be', amava quel tipo di sfida, ma alla lunga era diventata il suo tormento. Per quanto fascino potessi avere, non potevo proprio competere.»

«Non dev'essere stato piacevole, allora, quando è arrivato mio nonno.»

«Bill?» Spenser fece spallucce. «Lui c'era sempre. Ma era uno studente di medicina, perciò trascorreva con lei più tempo di noi-altri.»

«Voialtri?»

«Mi sta interrogando, ispettore?» Spenser sorrise. «O posso chiamarla Tony?»

«Naturalmente. Mi scusi. Anche per l'uscita infelice. Temo che sia diventata un'abitudine ormai. Fa tutto parte del mio lavoro.»

«Sono rimasto sorpreso quando l'ho saputo.» Spenser finì il suo caffè e appoggiò la tazza sul tavolo.

«Che sono un detective? Perché?»

«È una scelta strana. Voglio dire, sua nonna era un medico, Bill anche. Suo padre era un avvocato, sarebbe stato un buon avvocato se ne avesse avuto la possibilità. Perché ha deciso di entrare in polizia?»

«Be', tanto per cominciare non ero portato per la medicina.» McLean ricordava la delusione rassegnata sul volto della nonna quanto tornava a casa con una sfilza di brutti voti nelle materie scientifiche. «E quanto all'avvocatura, non mi è proprio mai passato per la testa. Mio padre non ha mai avuto una grossa influenza su di me, per così dire.»

Un'ombra di tristezza gli attraversò il volto.

«Suo padre. Già. John era un ragazzo brillante. Me lo ricordo bene. Gli ero molto affezionato.»

«Sembra che conosca la mia famiglia meglio di me, signor Spenser.»

«Gavin, per favore. Solo i miei impiegati mi chiamano signor Spenser, e solo quando sono a portata d'orecchio.»

Gavin. Suonava strano. Era come chiamare sua nonna Esther o suo nonno Bill. McLean fece roteare il fondo di caffè nella tazzina e lanciò un'occhiata alla caffettiera, sperando di poterne avere ancora. Non sapeva se ne voleva perché era così buono o solo perché aveva bisogno di qualcosa per vincere il disagio. Era proprio quello il punto. Perché si sentiva tanto a disagio in presenza di quell'uomo? Nonostante il suo volto fosse sfigurato, e non poteva essere quello il motivo, Spenser era un perfetto gentiluomo. Un vecchio amico di famiglia che voleva rendersi utile in un momento di difficoltà. Eppure, dentro di sé McLean sentiva che in quell'uomo c'era qualcosa che non andava.

«In realtà, questo mi fa pensare a un'altra cosa» disse Spenser. «Che ne direbbe di venire a lavorare per me?»

McLean quasi fece cadere la tazzina. «Come?»

«Sono serio. È sprecato nella polizia e, se ciò che ho sentito è vero, non farà molta carriera. Non diventerà certo un politico, ho ragione?»

McLean annuì, incerto su cosa rispondere. A quanto pareva, non era l'unico detective nella stanza.

«A me non importa un accidente di queste cose. Mi interessano solo le capacità di una persona. Come Jethro. Nessuno gli avrebbe dato una possibilità, per via del suo aspetto, del suo modo di parlare. Non è bravo con le parole, il caro Jethro. Ma è più brillante di quanto sembri e fa bene il suo lavoro. Come lei, Tony. È quello che ho sentito in giro. Un uomo con le sue abilità mi sarebbe molto utile. Con le sue abilità e, diciamolo, anche con il suo addestramento.»

«Non so proprio cosa dire.» Tranne che Bob il Burbero l'avrebbe ucciso se avesse lasciato il corpo. E perché ci stava anche solo riflettendo? Adorava fare il detective, gli era sempre piaciuto. Ma fare l'ispettore non era così divertente come si era immaginato quando ancora era un semplice sergente. Ed era anche vero che prima o poi ci si stancava a nuotare di continuo in un mare di merda. Sarebbe stato bello fermarsi un po', di tanto in tanto, a osservare i propri successi con orgoglio. Ora come ora aveva a malapena il tempo di prendere fiato, prima di rituffarsi nel fetido mare che lo circondava.

«Ci pensi e basta, ok?» Spenser sorrise di nuovo e sul suo volto apparve una luce familiare. C'era qualcosa in quegli occhi scuri, resi ancora più profondi dalle cicatrici rosa e bianca che li circondavano. Quale terribile incidente l'aveva ridotto così? E che male c'era a riflettere su quell'offerta? Non significava che l'avrebbe accettata, dopotutto.

«D'accordo, Gavin. Ci penserò.»

42

La macchina era ancora lì, nascosta in fondo al vecchio deposito delle carrozze convertito in garage. Vi si era diretto immediatamente una volta congedatosi da Gavin Spenser, riflettendo sulla strana offerta che gli aveva fatto. Ovviamente non aveva alcuna intenzione di lasciare la polizia, ma era comunque divertente immaginarsi in giro per il mondo, a risolvere i problemi dell'esteso impero delle Spenser Industries, qualunque fosse il campo in cui operavano; si ricordava vagamente solo di un logo su qualche attrezzatura elettronica e brandelli di una notizia letta sul giornale o vista in televisione, che per qualche ignoto motivo gli era rimasta in testa.

Scuotendo la testa, McLean rivolse la propria attenzione all'altro mistero che la conversazione con Spenser aveva riportato a galla. Dovette spostare la vecchia falciatrice e diverse scatole, prima di avvicinarsi abbastanza da riuscire a togliere il telone. La macchina che scoprì gli riportò alla mente un mondo di ricordi.

Era di un rosso più cupo di quanto ricordasse, la vernice era ancora lucida. Gli specchietti, il radiatore a forma di cuore e i coprimozzi erano cromati e luccicanti, anche se il sale gettato sulle strade d'inverno aveva scavato minuscoli fori sul metallo. Passò una mano sul tettuccio e tirò la maniglia della portiera. Era chiusa, ma le chiavi erano appese al loro gancio nella scatolina avvitata al muro, accanto alla porta di quella che un tempo era una selleria. La serratura all'inizio fece resistenza, poi cedette con un cigolio che presagiva un'altra, costosa riparazione in vista. Fu in quell'istante che capì che, come sua nonna prima di lui, avrebbe mantenuto in vita quell'auto, l'ultimo ricordo del suo defunto padre. Cosa aveva detto MacBride, quando erano stati alla Penstemmin Alarms? «Dicono che non abbia neanche una macchina»? Be', ora ce l'aveva.

All'interno, i sedili di cuoio nero erano assurdamente piccoli e stretti a confronto di quei giganti imbottiti delle auto della polizia su cui si sedeva ogni giorno. Il volante sembrava minuscolo, con le sue razze di metallo unite in un piccolo cerchio centrale, progettato in un'epoca in cui l'airbag era una fantasia e la lista d'attesa per i trapianti di organi molto più breve. Anche le cinture di sicurezza erano un optional a quei tempi. Gli venne in mente che tanto tempo addietro gliel'aveva detto suo padre. Quei fine settimana in cui i suoi lo portavano a fare lunghe gite nei Borders. L'infinita sfilata di rovine di castelli e abbazie l'aveva annoiato a morte, ma l'odore di quei sedili e il rombo del motore erano tutta un'altra cosa.

Fece un respiro profondo. L'odore era proprio come se lo ricordava. Infilò la chiave nel quadro e la girò. Niente. Be', non c'era da stupirsi. Era ferma da due anni. Doveva ritrovare il numero di quel meccanico di Loanhead e riportargliela per un check-up completo, o per quello che si fa di solito con le vecchie auto. Controllare i freni, cambiare le gomme, cose così. Di malavoglia, McLean scese dall'auto, rimise tutto al suo posto e richiuse il garage.

I documenti dell'auto erano nello schedario, esattamente dove avrebbero dovuto essere. McLean si sorprese nel constatare che l'assicurazione era stata rinnovata. Si chiese se gli avvocati avessero continuato a pagarla regolarmente; magari gli avevano inviato una nota in proposito, che lui aveva subito archiviato nella pila dei documenti da controllare. Prima o poi avrebbe dovuto dargli un'occhiata.

Lo squillo del telefono lo fece sobbalzare come se avesse preso la scossa. C'era un tale silenzio in garage, e adesso in casa... Chi poteva essere? Pochissimi avevano quel numero. Rispose velocemente e con voce più forte di quanto volesse.

«McLean.»

«Le sembra un modo cortese di rispondere al telefono, ispettore?» Riconobbe la voce.

«Scusa, Emma. È stata una lunga giornata.»

«Non mi dire. Pensa che conosco qualcuno che ha confrontato per tutto il giorno campioni di coca. Hai la minima idea di quanti elementi chimici diversi ci siano in una sola striscia?»

C'era stato un briefing, l'anno prima. Quelli dell'antidroga avevano tentato di spiegare ai poveri detective quanto fosse infinitamente più importante e difficile il loro lavoro. McLean ricordava vagamente alcuni dati tecnici su come si faceva la cocaina e su tutta la merda che ci aggiungevano durante il tragitto dalla foresta colombiana all'utente finale, con la sua brava banconota arrotolata. «Non credere che non lo apprezzi. Trovato nulla?»

«No. Be', non proprio. Non combacia con nessun tipo di cocaina pervenuta nel Regno Unito, ma non sorprende, dato che è pura.»

«Non tagliata?»

«Assolutamente. Non ho mai visto niente del genere. Vale come minimo il doppio di quanto si credeva. E meno male non sei un cocainomane. Solo un paio di strisce sarebbero bastate a ucciderti.»

«E le impronte? Ne hai ricavato qualcosa?»

«No, mi spiace. Troppo degradate. Le ho confrontate innanzitutto con quelle di McReadie, ma non sono abbastanza precise da farne una prova inoppugnabile. Se dovessi tirare a indovinare direi che sono le sue, ma non reggerebbe mai in tribunale.»

McLean guardò la cartellina sulla scrivania, prima di ricordarsi che conteneva i documenti dell'auto.

«Eh, vabbè. Ci hai provato. Grazie mille. Sono in debito.»

«Proprio così, ispettore. Di una cena, se non ricordo male. E mi pare di capire che al momento non ha nulla da fare.»

Ha una brutta reputazione, Bob il Burbero gli aveva detto così. Be', non aveva nulla da eccepire alla capacità di analisi del sergente, né alla logica schiacciante di Emma. McLean guardò l'orologio. Le sette. Si domandò dove fosse finita la giornata.

«Dove sei? A casa?»

«No, sono in centrale. Ho dovuto portare della roba al deposito delle prove. Sono passata nel tuo ufficio ma mi hanno detto che...»

I poliziotti erano dei veri chiacchieroni. Sicuramente la sua sospensione era ormai sulla bocca di tutti.

«Va bene. Vediamoci fra un'ora, d'accordo?» Le diede l'indirizzo di un ristorantino economico, poi riagganciò. Rimase per un po' a fissare il muro. Fuori, la gente si preparava a un'altra serata di Fringe, locali e divertimento. Non era sicuro di essere dell'umore giusto per questo. La sua vecchia e noiosa vita si stava sgretolando lentamente, e non poteva farci nulla. L'istinto gli diceva di nascondersi. Lui, però, decise di combattere. Prendere il controllo della situazione, era questo che doveva fare.

La cartellina giaceva ancora aperta sulla scrivania di fronte a lui. Avrebbe potuto occuparsene l'indomani. Riordinò i fogli per metterli via e fu allora che si accorse della fotografia nascosta in fondo. Doveva essere stata scattata quando l'auto era nuova fiammante: i colori erano quasi surreali. Sua madre e suo padre erano in piedi davanti all'Alfa, a sua volta parcheggiata di fronte a un vecchio garage. C'era anche lui, con i pantaloncini corti e una giacca linda, una mano che stringeva l'orsacchiotto e l'altra quella di sua madre. Girò la fotografia, ma non vi trovò nulla se non il marchio dello stampatore. Osservando l'immagine tentò di richiamare alla mente quel ricordo. Aveva davvero memoria di quel giorno, quell'ora, quel secondo esatto? Oppure si stava solo costruendo uno scenario possibile basato su quell'immagine?

La rimise sulla pila di fogli e chiuse la cartellina. Non conosceva quelle persone, non provava più alcuna emozione quando le vedeva. Eppure, riponendo la cartellina nello schedario e chiudendo il cassetto, non riusciva a togliersi dalla testa il sorriso negli occhi scuri di suo padre.

43

Andarono in un ristorante thailandese vicino alla stazione. McLean ci aveva mangiato spesso, per lo più insieme a diversi poliziotti.

«Cosa mi consigli? Non credo di aver mai mangiato thailandese» disse Emma bevendo un sorso di birra; McLean notò che aveva ordinato una pinta.

«Dipende. Ti piace il piccante o preferisci qualcosa di più moderato?»

«Piccante, sempre. Più piccante è, meglio è.»

McLean sorrise; accettò la sfida. «Bene, allora. Ti consiglio di iniziare con il Gung Dong, seguito da un Panang. Poi valuta tu se hai ancora spazio per uno dei loro pudding al latte di cocco.»

«Sei sempre così informato su ogni cosa, ispettore?» Emma alzò un sopracciglio e si scostò dal viso i capelli corti e neri. McLean sapeva che lo stava prendendo in giro, ma non poté fare a meno di abboccare all'amo.

«Mi dicono che anche gli ispettori sono fuori servizio, di tanto in tanto. E io sono in congedo fino a lunedì. Puoi anche chiamarmi Tony, sai?»

«E che fa un ispettore quando non lavora, Tony?»

Negli ultimi diciotto mesi, da quando l'ho trovata priva di conoscenza sulla poltrona, ho fatto visita a mia nonna in ospedale.

Per il resto ho lavorato o sono rimasto a casa a dormire. McLean non riusciva a ricordarsi l'ultima volta che era stato al cinema o a teatro. Non si era mai preso una vacanza che fosse durata più di due giorni e, anche in quel caso, si era limitato a fare un giro sulla sua vecchia mountain bike per le Pentland Hills, chiedendosi perché gli sembrassero ogni volta più ripide.

«Per lo più vado al pub» disse, facendo spallucce. «O mangio thailandese.»

«Non da solo, spero» rise Emma. «Sarebbe tristissimo.»

McLean non rispose e la risata di Emma svanì, trasformandosi in un silenzio imbarazzato. Era passato troppo tempo dall'ultima volta che si era trovato in una situazione simile; non aveva proprio idea di cosa dire.

«Una volta ci ho portato mia nonna» disse alla fine. «Prima che le venisse l'infarto.»

«Era una persona speciale per te, vero?»

«Puoi dirlo forte. Quando avevo quattro anni i miei sono rimasti uccisi in un incidente aereo a sud di Inverness. La nonna mi ha cresciuto come se fossi figlio suo.»

«Oh, Tony, mi dispiace tanto. Non lo sapevo.»

«Tranquilla. L'ho superata da un pezzo. Quando hai quattro anni ti adatti velocemente. Ma quando è morta mia nonna, be', per me è stato più orribile che perdere un genitore. È rimasta in coma per tanto tempo. È stato tremendo vederla sfiorire in quel modo.»

«Mio padre è morto qualche anno fa» disse Emma. «Ha bevuto fino a restarci secco. Ammetto che né io né mia madre abbiamo sofferto troppo. È una cosa sbagliata?»

«Non saprei. No. Non penso. Era un uomo violento?»

«Non proprio, solo noncurante.»

«Hai fratelli o sorelle?» McLean tentò di cambiare argomento.

«No, sono solo io.»

«Che cosa fa un agente della scientifica nel tempo libero? Sempre ammesso che ne abbia.»

Emma rise. «Probabilmente non più di un ispettore detective. È molto facile farsi assorbire dal lavoro, senza contare che la reperibilità ventiquattro ore al giorno è devastante per la vita sociale.»

«Da come parli, sembra che tu abbia avuto alcune esperienze sgradevoli.»

«Non ne abbiamo avute tutti?»

«Quindi non ti vedi con nessuno, al momento?»

«Sei tu il detective, Tony. Pensi che me ne starei seduta qui a bere birra e mangiare curry con te, altrimenti?»

«Scusa, domanda stupida. Raccontami della cocaina e di tutto quello che ci mischiano.»

Forse era un po' triste, ma trovava molto più semplice parlare di lavoro che di qualsiasi altra cosa. Anche Emma sembrava più a suo agio con quell'argomento e McLean sospettò che suo padre fosse stato ben più che noncurante. Le vite di tutti sono sempre segnate da infinite, piccole tragedie. Quando arrivò il cibo, erano presi da una conversazione sulla necessità dell'igiene più assoluta in laboratorio. La cena trascorse segnata da una serie di aneddoti sui colleghi di lavoro; entro breve McLean aveva pagato il conto ed erano usciti dal ristorante.

«Quel pudding era favoloso. Come si chiamava?» Emma lo prese a braccetto mentre camminavano lungo la strada.

«Kanom bliak bun, o almeno penso che si pronunci così.» McLean non aveva idea di dove stessero andando. Aveva considerato quella cena come un dovere, un obbligo per ripagarla del favore che gli aveva fatto. Era rimasto sorpreso nel trovare quella compagnia così gradevole. E non aveva fatto programmi. La serata si era fatta fresca per via della brezza che soffiava da est, dal mare. Il corpo di Emma era caldo contro il suo. Anni e anni di abitudine a restare solo gli fecero venire voglia di allontanarla, di mantenere le distanze. Ma, per la prima volta da chissà quanto, non la assecondò. «Ti va di bere qualcosa?»

Finirono al Guildford Arms, perché era lì vicino e serviva birra decente. Più tardi, Emma propose di cercare uno spettacolo del festival che non fosse ancora tutto esaurito. McLean sospettò che avesse pianificato in anticipo quella mossa, ma fu lieto di farsi guidare. Il bar in cui entrarono era piccolo e pieno di gente. Era una serata *open mic* e una serie di comici speranzosi sfidavano con coraggio un pubblico ostile e alticcio per qualche minuto di celebrità. Alcuni di loro erano piuttosto bravi, altri talmente scarsi da fare comunque ridere. Quando tutto finì e il bar si svuotò, erano le due del mattino e le strade si facevano notare per la totale assenza di taxi. McLean si frugò in tasca alla ricerca del cellulare, lo tirò fuori e fissò costernato lo schermo nero.

«Questa maledetta batteria è morta di nuovo. Ho una sfiga nera con queste stronzate tecnologiche.»

«Dovresti parlare con Malky Watt, della scientifica. Ha una teoria tutta sua sull'aura delle persone; dice che può succhiare via l'energia agli apparecchi elettronici. Specialmente se la persona in questione ha nemici potenti.»

«Il tuo amico è fuori di testa.»

«Corretto.»

«Non mi è mai successo. Solo nell'ultimo mese. Ho provato a cambiare telefono, batterie, ogni cosa. Questi aggeggi sono perfettamente inutili se li stacco dall'alimentazione, cosa che ne vanifica la funzione principale.»

«Capisco.» Emma guardò lo schermo nero del telefono. «Non

importa. Abito a cinque minuti da qui. Puoi chiamare un taxi da casa mia.»

«In realtà volevo chiamarne uno per te, non per me. Da qui posso tornare a Newington a piedi, non preoccuparti. Mi piace la città di notte. Mi ricorda quando ero di pattuglia. Forza, ti accompagno a casa.» McLean le offrì il braccio ed Emma lo accettò.

L'appartamento faceva parte di un condominio a Warriston, e dava sul Water of Leith. McLean si sentì attraversare da un brivido quando arrivarono in fondo alla strada.

«Freddo, ispettore?» Emma lo cinse con un braccio e lo tirò a sé. Lui s'irrigidì.

«No, non ho freddo. È qualcos'altro. Preferisco non parlarne.»

Lei lo guardò stranita. «Ok.» Continuarono a camminare. McLean tenne il passo ma non riusciva a smettere di guardare indietro, verso quel ponte dove aveva trovato il corpo di Kirsty, tanti anni fa.

Raggiunsero il portone dopo un altro centinaio di metri. Emma frugò nella borsa in cerca delle chiavi. «Vuoi entrare a bere un caffè?»

Era tentato, e molto. Emma era gentile e amichevole, profumava di spensieratezza. Per tutta la sera era riuscita a scacciare i suoi fantasmi, che adesso, però, tornavano a tormentarlo. Se avesse abitato in un'altra via, una qualsiasi, avrebbe detto sì.

«Non posso.» Fece finta di guardare l'orologio. «Devo tornare a casa. È stata una lunga giornata e temo che domani sarà ancora peggio.»

«Bugiardo, sei in congedo. Puoi dormire fino a tardi. Non immagini quanto ti invidio.» Emma gli diede un colpetto scherzoso sul petto. «Ma va bene. Devo essere in laboratorio alle otto. È stato divertente, comunque.»

«Sì, davvero. Dovremmo rifarlo.»

«Mi sta invitando a cena, ispettore McLean?»

«Non cucino male.»

«Va bene. Io porto il vino.» Emma gli si avvicinò e lo baciò delicatamente sulle labbra, allontanandosi e salendo le scale di casa prima che lui avesse il tempo di reagire. «Notte, Tony» esclamò, aprendo la porta e scomparendo dentro l'edificio.

Fu solo a metà strada verso casa che McLean si accorse che quel giorno non aveva mai pensato all'agente Kydd.

44

Un ronzio penetrante si insinuò nei suoi sogni, riportandolo nel regno dei vivi. Aprì un occhio e guardò la sveglia sul comodino. Le sei. Si sentiva malissimo, e gli sembrava così ingiusto, dopo aver passato una serata tanto piacevole. E dire che aveva intenzione di restare a letto fino a tardi.

Allungò un braccio e premette il pulsante della sveglia. Il ronzio continuò e McLean si accorse che proveniva dalla cassettiera dall'altra parte della stanza. Scese dal letto e raggiunse la giacca tutta spiegazzata proprio quando la vibrazione cessò. Sotto, collegato all'alimentazione, il telefono mostrava un unico messaggio, nel quale gli si ordinava di contattare la centrale. Stava per chiamare, quando il telefono di casa cominciò a squillare.

Ancora in mutande, McLean afferrò la cornetta e, ovviamente, il telefono smise di suonare. Non aveva ancora sostituito la cassetta nella segreteria. Magari ne avrebbe comprata un'altra. Qualcosa di digitale, che non conservasse la voce di persone morte. Guardò il messaggio sul cellulare che teneva in mano, premette il tasto di chiamata rapida e chiese di parlare con la centrale. Dieci minuti dopo era lavato, vestito e in strada. La colazione poteva aspettare.

Il vento freddo del mattino spazzava le strade strette, reso ancora più tagliente dagli alti edifici che le affiancavano. Sua nonna l'avrebbe definito un vento pigro; ti colpiva in pieno viso, invece di fare lo sforzo di aggirarti. McLean tremò nel suo abito estivo. Aveva freddo perché non aveva ancora fatto colazione, aveva dormito troppo poco ed era stato svegliato bruscamente con notizie di cui avrebbe fatto volentieri a meno. A volte la vita dell'impiegato gli sembrava così affascinante; un timbro sul cartellino e via, a casa, con la sicurezza che nessuno ti avrebbe chiamato in piena notte chiedendoti di andare in ufficio a sbrigare un altro paio di pratiche, o qualsiasi cosa facessero le persone normali con lavori normali.

Il detective MacBride lo attendeva all'ingresso dell'obitorio, gironzolando nervosamente lungo la strada come uno studentello del primo anno non abbastanza sfrontato da entrare da solo in uno dei pub più famigerati di Cowgate. Sembrava che avesse ancora più freddo di McLean, se possibile.

«Che succede, detective?» chiese, mostrando il distintivo a un agente in uniforme che stava srotolando con attenzione il nastro giallo e nero davanti all'ingresso riservato ai veicoli.

«È la ragazza, signore. Quella della casa di Sighthill. È… Be', credo che farebbe meglio a parlare con il dottor Sharp.»

All'interno dell'edificio c'era un'insolita agitazione. Una squadra della scientifica stava cospargendo tutto di polvere alla ricerca di impronte e altri indizi, sotto lo sguardo nervoso dell'assistente medico.

«Che succede, Tracy?» domandò McLean. Sembrò sollevata nel vederlo, un volto familiare in quel caos.

«Qualcuno ha fatto irruzione e ha rubato uno dei corpi. La ragazza mutilata. Hanno anche preso gli organi.»

«È sparito altro?»

«Sparito, no. Ma hanno spulciato i computer. Hanno le password, quando sono entrata il mio era acceso. Sono sicura di averlo spento, ieri sera. Non ci ho dato peso finché non ci siamo accorti del corpo scomparso. Per quanto ne so non hanno cancellato niente, ma possono aver copiato tutti i miei file.»

«E gli altri corpi che avete qui?»

McLean guardò attraverso il pannello di vetro che separava l'ufficio dalla sala per le autopsie. Emma Baird si aggirava per la stanza con la sua macchina fotografica. Quando lo vide si fermò e lo salutò allegramente.

«Non sembra che siano stati toccati. Chiunque sia stato, sapeva cosa cercare.»

«Probabilmente la scientifica non troverà niente. Dovevano aver congegnato un bel piano. Sei sicura che sia successo ieri notte?»

«Non posso esserne certa al cento per cento. Non controlliamo i corpi ogni giorno. Ma i suoi organi li tenevamo nella stanza di sicurezza, laggiù.» Indicò una pesante porta di legno, al centro della quale, ad altezza d'uomo, c'era uno spioncino di vetro rinforzato. «L'altro ieri c'erano, quando ho messo via i vestiti della suicida. Stamani, però, quando sono andata a prendere altre cose, non c'erano più. Appena l'ho notato, ho controllato i corpi e la ragazza era sparita.»

«A che ora te ne sei andata, ieri sera?»

«Alle otto circa, credo. Ma c'è sempre qualcuno, ventiquattro ore al giorno. Non si sa mai quando può arrivare un corpo.»

«Presumo che non possa entrare chiunque, no?»

McLean conosceva le misure di sicurezza. Non erano così impeccabili, ma finora erano sembrate più che adeguate o almeno sufficienti a impedire l'ingresso a persone non autorizzate.

«Come pensi che abbiano fatto a portare via un cadavere? Voglio dire, non è che puoi mettertelo in spalla e percorrere Cowgate come se nulla fosse.»

«I corpi ci arrivano con l'ambulanza o con i carri funebri. Forse hanno usato un mezzo simile?»

«Ha senso. Quanti corpi vi sono arrivati ieri sera?»

«Mi faccia controllare.» Andò al computer, poi si fermò. «Posso usarlo?»

McLean ripeté la domanda a un agente della scientifica che passava di lì.

«L'ho già cosparso di polvere per le impronte, ma è poco probabile che si trovi qualcosa. Non ce ne sono né sul tastierino all'ingresso, né sulle porte delle celle frigorifere. Credo che chiunque sia stato indossasse i guanti.»

«Procedi pure, allora.» McLean fece cenno a Tracy che premette qualche tasto.

«La suicida è arrivata alle una e mezza. Alle otto, una probabile vittima di attacco cardiaco. Sì, mi ricordo quando l'hanno portato. Dopo, nient'altro. Notte tranquilla.»

«La guardia all'ingresso lo conferma?»

«Glielo chiedo.» Tracy sollevò la cornetta senza chiedere il permesso a quelli della scientifica. Disse qualche parola, si appuntò un numero, poi riattaccò e fece un'altra telefonata. Ci fu silenzio per un bel po'. Poi: «Pete? Ciao, sono Tracy, qui dal lavoro. Sì, scusa. Lo so che eri di notte. Ma qualcuno è entrato, ci sono poliziotti dappertutto. No, non sto scherzando. Vogliono parlare con te. Senti, è arrivato un altro corpo dopo il signor Lentin, ieri sera?». Pausa. «Che cosa? Sei sicuro? Ok. Ok, grazie.» Riagganciò.

«È arrivata un'ambulanza alle due, stanotte. Pete giura di averla registrata, ma sul registro non c'è niente.»

«Lo tieni sul computer che hai trovato acceso stamattina?» McLean, suo malgrado, ammirava l'accuratezza di quel ladro. Era un lavoro da professionisti. Ma perché rubare un cadavere vecchio di sessant'anni che ancora non erano riusciti nemmeno a identificare?

«Avevi ragione, sai?»

«Davvero? Su cosa?» McLean era in piedi sulla soglia dell'ufficio del sovrintendente capo. Tutti sapevano che non chiudeva mai la porta, ma McLean esitava a entrare. Il sospiro stanco e rassegnato che la McIntyre aveva emesso nel vederlo entrare in centrale era bastato a fargli capire che stava sfidando la sorte.

«McReadie. Il suo interrogatorio era fissato per un altro giorno, ma l'avvocato ha telefonato e ha convinto Charles ad anticipare l'appuntamento. Ecco perché si trovava qui quando l'agente Kydd è stata investita. Cattive notizie, per lui. In questo momento è diretto a Saughton.»

Sarebbe stato di poca consolazione per la povera Alison. «Ho chiamato in ospedale.»

«Anch'io, Tony. Nessun cambiamento, lo so. È una ragazza forte, ma l'hanno quasi persa in sala operatoria. Non c'è bisogno che ti dica quanto siano poche le possibilità che si salvi.»

O che tipo di vita avrà, se anche riuscisse a cavarsela. McLean guardò la McIntyre strofinarsi stancamente il viso con una mano. Le avrebbe concesso il tempo di arrivarci da sola.

«Adesso spiegami esattamente che cosa ci fai qui. Dovresti essere a casa.»

Le raccontò del corpo trafugato. «Sappiamo che Bertie Farquhar era uno degli assassini, ma credo che almeno uno degli altri sia ancora vivo.»

«Pensi che l'abbiano rubato loro?»

«Sicuramente hanno organizzato il colpo, come minimo. Farquhar avrebbe novant'anni, se non si fosse schiantato con la macchina. Gli altri avranno più o meno la stessa età e dubito che abbiano fatto irruzione in un obitorio.»

«Magari su una sedia a rotelle.» La McIntyre tentò di sorridere, senza troppo successo.

«Chiunque sia stato, ha potere. O denaro. Anzi, entrambi. Non abbiamo diffuso la notizia del ritrovamento del cadavere, ma qualcuno ha saputo che ce l'avevamo noi e anche dove lo tenevamo. Credo che stiano cercando di insabbiare tutto.»

«Comunque avevo detto lunedì, lo sai vero? Non dovresti essere qui.»

«Lo so. Ma non posso lasciare il caso a Bob. Non adesso, con tutto quello di cui deve occuparsi. E impazzirò se resterò a casa sapendo che gli assassini stanno cancellando ogni più piccola traccia tra quelle che abbiamo trovato finora.»

Il sovrintendente capo non disse nulla per un po' e rimase a fissarlo, abbandonata contro lo schienale della sedia. McLean lasciò che si prendesse tutto il tempo che voleva.

«Che cosa farai?» gli chiese infine.

«Sto cercando di rintracciare gli amici di Bertie Farquhar. Il detective MacBride ha già spulciato gli archivi e abbiamo chiesto di dare un'occhiata al registro militare. Poi voglio vedere se Emily Johnson riesce a trovare altre tracce. Ha detto che avrebbe cercato dei vecchi album di fotografie di Farquhar o roba del genere, nel suo attico.»

«Perché ho il sentore che saresti andato lo stesso dalla signora

Johnson, oggi?» La McIntyre bloccò le proteste di McLean con un cenno della mano. «Vai, Tony. Trova la tua ragazza scomparsa e il suo vetusto assassino. Ma stai alla larga da McReadie. Se vengo a sapere che ti sei anche solo avvicinato a lui, chiamerò l'unità interna, ci siamo capiti?».

45

Bob il Burbero sembrava felicissimo, appollaiato sul bordo di un vecchio divano coperto di peli. I cani erano stati chiusi in cucina e gli avevano portato tè e biscotti. A quell'ora del giorno il sergente non poteva chiedere di più, e McLean lo sapeva.

Emily Johnson li aveva accolti annunciando che era stata a rovistare nell'attico. In quel momento si trovavano tutti e tre in soggiorno a passare in rassegna una serie infinita di fotografie in bianco e nero.

«Credo che farò venire un perito» disse. «Lassù c'è talmente tanta roba… Magari potrei dare un'asta di beneficenza. Regalare tutto ai bambini malati. Non ho bisogno di soldi e nessuno di quegli oggetti ha un valore sentimentale per me.»

McLean pensò alla propria situazione: improvvisamente si trovava pieno di vecchi cimeli di famiglia che non gli piacevano e che non aveva alcuna voglia di tenere. Forse era la soluzione giusta, vendere tutto all'asta e devolvere il ricavato a qualche associazione benefica.

«Le saremmo grati se ci lasciasse il tempo di fare una ricerca tra le cose di Albert prima di cominciare a venderle, signora Johnson.» L'ultima cosa che voleva era perdere all'asta una potenziale prova.

«Non si preoccupi, ispettore. Mi ci vorranno anni per organizzare tutto. Ah, a proposito, ho trovato questo.» La signora Johnson si alzò e prese un piccolo oggetto da una scodella di porcellana sul caminetto, passandolo a McLean. Lui studiò il portagioie lavorato a mano, leggermente consumato ai bordi. Sul retro, a lettere d'oro sbiadite, c'era una breve iscrizione: DOUGLAS AND FOOTES, GIOIELLIERI. All'interno era rivestito di velluto verde e recava la dedica: «Per Albert Menzies Farquhar, in occasione del raggiungimento della maggiore età, 13 agosto 1932». Riposte ordinatamente nelle loro nicchie di velluto c'erano quattro borchie per camicia, decorate con rubini rossi fiammanti simili a piccole gocce di sangue. Altre due avevano perso il rubino. Lo spazio per l'anello con sigillo era vuoto.

«Ha detto di aver trovato i gemelli mancanti.»

«Esatto, e questo conferma i miei sospetti.» McLean chiuse la scatolina e la restituì alla donna. «Suppongo che, tecnicamente, i gemelli rubati appartengano a lei. Bob, prendi nota di restituirli alla signora Johnson quando l'indagine sarà finita.»

«Non lo faccia, ispettore. Non voglio quella roba. Non sopportavo Bertie quando era in vita e, francamente, non mi sorprende che abbia ucciso qualcuno. Dopotutto ci si è schiantato lui contro quella fermata dell'autobus.»

«Lo conosceva bene?»

«Non benissimo, grazie a Dio. Aveva l'età di Toby, credo, ed era molto affezionato a mio marito John. Mi dava i brividi, mi fissava sempre con quegli occhi socchiusi. Soltanto a trovarmi nella stessa stanza con lui mi sentivo sporca.»

«Cosa sa della casa di Sighthill? C'è mai stata?»

«Oh cielo, la follia dell'imperatore Ming. La chiamavamo così. Sono sicura che un tempo era maestosa, ma aveva un'aria così ridicola, lì in mezzo agli altri condomini. E così vicina alla prigione, fra l'altro. Non ho mai capito come mai il vecchio non l'abbia spianata con i bulldozer. Se lo poteva permettere.»

«Io invece credo che cercasse di nascondere qualcosa.» McLean prese uno degli album in pelle che la signora Johnson aveva posato sul tavolino. Davanti a lui, Bob prese un altro biscotto e continuò a sfogliare l'album che aveva aperto. «Sapeva cos'aveva fatto il figlio e ha tentato di coprirlo. Anche dopo la sua morte, la banca Farquhar ha mantenuto la proprietà di quella casa vuota. Avevano venduto tutti gli altri immobili, perciò perché tenerla? Una società antica e affermata come quella avrebbe rispettato le ultime volontà del fondatore, ma dopo essere stata acquistata dalla Mid Eastern Finance, tutto è cambiato.»

«Ha trovato un cadavere, lì dentro?» La signora Johnson si portò una mano al collo, irrigidendosi improvvisamente.

«Mi dispiace, non gliel'ho detto. Sì, esatto. Una ragazza nascosta in cantina. Crediamo che sia stata uccisa appena dopo la fine della guerra.»

«Mio Dio. Per tutto quel tempo, quelle feste tremende e io non ne sapevo niente. Come è morta?»

«Diciamo solo che è stata assassinata. Le basti così, signora Johnson. Mi interessa di più scoprire chi potrebbe aver aiutato Albert Farquhar e se c'è qualcuno ancora vivo che possa essere stato coinvolto.»

«Naturalmente. Be', aveva degli amici, suppongo. Voglio dire, lui e Toby erano… Non crede che Toby possa essere coinvolto, vero?»

«Ora come ora non escludo niente. So che Farquhar era colpevole. Suo suocero è morto tanto tempo fa, perciò non c'è molto che possa fare. Ma là fuori c'è qualcuno ancora vivo legato a tutta questa storia, e non mi arrenderò finché non l'avrò chiamato a rispondere davanti alla legge.»

«Guardi qui.» Bob il Burbero interruppe la conversazione con una nota di trionfo nella voce. Tenne aperto l'album fotografico, girandolo e posandolo sugli altri sparpagliati sul tavolino. McLean si chinò in avanti per guardare meglio e fu ricompensato da una foto che ritraeva cinque uomini in pantaloni di flanella bianchi e blazer. Erano tutti giovani, poco più che adolescenti, e tutti portavano l'acconciatura che andava di moda prima della guerra. Quattro di loro erano fianco a fianco e reggevano un trofeo di legno. Il quinto era disteso a terra, davanti a loro. Dietro il gruppo, McLean scorse una canoa, dei remi e un fiume. Sotto la foto, qualcuno aveva incollato un'etichetta: I QUATTRO CANOTTIERI DELL'UNIVERSITÀ DI EDIMBURGO. REGATA HENLEY, GIUGNO 1938. Ciò che attirò la sua attenzione, però, furono le firme scribacchiate sull'immagine.

Tobias Johnson
Albert Farquhar
Barnaby Smythe
Buchan Stewart
Jonas Carstairs

46

«Ha un minuto, signore?»

McLean era in piedi sulla soglia della più grande centrale operativa dell'edificio. Sembrava una copia dell'indagine sul caso Barnaby Smythe, solo che al posto della foto del banchiere, adesso, al muro era stata appesa quella di Jonas Carstairs. Ancora una volta Duguid era riuscito a costringere, persuadere o ordinare a gran parte del personale attivo in centrale di partecipare all'indagine e, ancora una volta, sembrava che il suo approccio si basasse sull'interrogare chiunque finché non fosse spuntato qualche indizio. L'ispettore capo era in piedi nella stanza, con le mani sui fianchi, intento a osservare la frenesia che regnava intorno a lui, come se il fatto che tutti fossero impegnati indicasse che le cose andavano per il meglio. E probabilmente lo credeva davvero. Sarebbe stato un perfetto impiegato statale.

«Credevo che fossi in congedo forzato fino a lunedì.» L'ispettore capo non sembrava molto felice di vederlo.

«Le cose sono cambiate, mi sono accordato con il sovrintendente capo.»

«Ci avrei scommesso.»

McLean ignorò la frecciata. Aveva informazioni troppo importanti. «Mi stavo chiedendo se fosse giunto a qualcosa con l'indagine Carstairs.»

«Sei venuto per compiacerti, vero?» disse Duguid, con rabbia. L'ispettore arrossì.

«No di certo, signore. È solo che il suo nome è venuto fuori in una delle mie indagini, quella dell'omicidio rituale, ricorda?»

«Ah, sì. Il vecchio caso. Jayne te l'ha dato solo perché pensava che non avresti combinato troppi guai. Scommetto che se ne sta pentendo.»

«In realtà abbiamo già identificato uno degli assassini.»

«L'avete arrestato?»

«È morto, veramente. Da quasi cinquant'anni.»

«Perciò non avete ottenuto un accidente.»

«Non proprio, signore.» McLean lottò contro la voglia di sferrare al suo superiore un cazzotto in piena faccia. Sarebbe stato divertente, ma le ripercussioni sarebbero state pericolose. «In realtà ho scoperto nuove prove che lo collegano a Jonas Carstairs, Barnaby Smythe e a suo zio.»

Forse quest'ultima punzecchiatura non era stata una mossa saggia, ma Duguid se l'era cercata. McLean fece un involontario passo indietro vedendo l'ispettore capo irrigidirsi, con i pugni serrati lungo i fianchi.

«Non osare nominarlo qui dentro.» La voce di Duguid era un ringhio minaccioso. «Stai dicendo, quindi, che fa parte della lista dei sospettati. Ridicolo.»

«È proprio quello che sto dicendo. Lui, Carstairs, Smythe e un paio di altre persone. E credo anche che ci sia un sesto uomo coinvolto. Una persona ancora viva, che sta facendo tutto ciò che è in suo potere per non farsi trovare.»

«Come uccidere i suoi compagni di cospirazione?» Duguid si fece una risata, che alleviò un po' la rabbia. «Sappiamo chi ha ucciso Smythe e Buchan Stewart. È solo una questione di tempo e acchiapperemo il maniaco bastardo che si è occupato del tuo amico avvocato.»

Oh, Signore. Come diavolo hai fatto a diventare ispettore capo? «Quindi ci siete vicini? Avete un sospetto?»

«In verità vorrei farti delle domande circa il tuo rapporto con Carstairs.»

«Non l'ha già fatto? Lo conoscevo a malapena.»

«E ciò nonostante, hai avuto contatti con il suo studio negli ultimi diciotto mesi.»

McLean si trattenne dal sospirare. Quante volte doveva ripeterlo per farglielo entrare in quella zucca pelata?

«Era un amico di mia nonna. Lo studio ha gestito i suoi affari per anni. Io ho solo detto loro di continuare a farlo anche dopo che ha avuto l'infarto. Mi è sembrato il modo più semplice. Non ho mai incontrato Carstairs, ho sempre parlato con un tizio di nome Stephenson.»

«E in diciotto mesi non l'hai mai visto? Non hai mai parlato con l'uomo a cui tua nonna ha messo in mano la sua non trascurabile fortuna, tanto lo considerava affidabile? L'uomo così affezionato a te da lasciarti tutti i suoi averi?»

«No. E ho saputo del testamento solo quando me l'ha detto lei, il giorno dopo che Carstairs è stato ucciso.» McLean sapeva che avrebbe dovuto smettere di parlare, limitarsi a rispondere alle domande e nulla più, ma in Duguid c'era qualcosa che lo faceva imbestialire, come il toro davanti a un drappo rosso. Non riusciva proprio a trattenersi. «Non so se ricorda, signore, ma a volte fare l'ispettore detective è un'attività che tiene piuttosto occupati. Ero felice che mia nonna avesse già organizzato tutto, prima dell'infarto, così da non dover aggiungere la gestione dei suoi beni alla montagna di pratiche che mi aspetta in ufficio.

Preferirei mille volte stare sul campo, a dare la caccia ai cattivi.»

«Non mi piace il tuo tono, McLean.»

«E a me non interessa, signore. Sono venuto qui per sapere se aveva una pista sull'omicidio Carstairs, ma dato che è ovvio che non ne ha nessuna, non le farò perdere altro tempo.»

McLean fece per voltarsi, non volendo dare a Duguid il tempo di reagire, poi pensò, al diavolo! Gliele avrebbe dette tutte!

«E un'altra cosa. Dovrebbe proprio riaprire i casi Smythe e Stewart, signore. Fossi in lei tornerei da quelli della scientifica, ricontrollerei tutte le dichiarazioni dei testimoni, cose del genere.»

«Non dirmi come devo gestire la mia indagine, maledizione.» Duguid lo afferrò per un braccio, ma lui si liberò.

«Si conoscevano tutti, signore. Carstairs, Smythe, il suo stramaledetto zio. Facevano l'università insieme, sono stati nell'esercito insieme. Hanno stuprato e ucciso una donna insieme. E sono tutti morti, in circostanze incredibilmente simili. Non crede che questo meriti almeno un rapido approfondimento?»

Non attese una risposta e lasciò Duguid a cuocere nel suo brodo. L'ispettore capo avrebbe ordinato a qualcuno di seguire quella pista o sarebbe andato dal sovrintendente capo a lamentarsi. Né l'una né l'altra cosa lo preoccupavano mentre percorreva il corridoio, diretto alla sua centrale operativa. No, quello che lo preoccupava era la certezza di avere ragione. Sapeva che i tre uomini erano coinvolti nell'omicidio rituale e che le loro morti erano in qualche modo collegate. Un organo per ciascuno degli assassini; un organo che era stato prima rimosso e poi infilato in bocca alle vittime. Le somiglianze erano ormai troppe per essere solo coincidenze. Non ci sarebbe voluto molto prima che il castello di carte crollasse.

«E se fosse ancora vivo?»

Sguardi stupiti accolsero McLean nella centrale operativa. Bob il Burbero almeno aveva posato il giornale, anche se teneva ancora i piedi sul tavolo. MacBride era ingobbito sul suo portatile, intento a scrutare delle immagini in miniatura. Quando alzò lo sguardo, McLean fu sorpreso nel constatare quanto sembrasse pallido. Aveva gli occhi cerchiati di rosso, come se non dormisse da giorni. L'abito che indossava non era impeccabile come al solito e i capelli non vedevano un pettine da un bel po'.

«Il sesto uomo. L'unico che non appare lì.» McLean indicò la fotografia appesa alla parete che ritraeva i giovani canottieri. «Se sapesse che abbiamo scoperto il corpo e stesse cercando di far perdere le proprie tracce?»

Bob il Burbero continuò a guardarlo con lo sguardo vacuo di chi si è svegliato da poco.

«Ascoltate. Il corpo è sparito, così come gli organi e i loro vasi. L'unica cosa che ancora abbiamo sono gli oggetti che si sono lasciati dietro. Sappiamo che sono puliti, niente impronte né tracce di DNA, perciò non ci serviranno a granché. Anche se ci portassero a un nome, avremmo difficoltà a incriminarlo. Aver avuto un legame con Bertie Farquhar non è sufficiente. Maledizione, mia nonna conosceva almeno tre di queste persone, e non credo avesse niente a che fare con loro. Ma fino a un mese fa, tre di questi cinque uomini erano ancora vivi.»

MacBride fu il primo a intervenire: «Ma sappiamo che Jonathan Okolo ha ucciso Barnaby Smythe. E Buchan Stewart è stato ucciso da un amante geloso».

«Ne sei sicuro, detective? Perché io non lo sono. Credo che l'indagine sia stata chiusa in fretta per risparmiare imbarazzi a un ispettore capo. Proprio come è stato chiuso il caso Smythe una volta preso Okolo. E Duguid non ha la minima idea di chi abbia ucciso Carstairs. Sappiamo che tutti hanno avuto a che fare con l'omicidio rituale e che qualcuno ha strappato loro gli organi. Tre omicidi, tutti troppo simili per essere coincidenze.»

«Ehm, in realtà c'è un dettaglio che potrebbe spiegare tutto, signore.» MacBride girò lo schermo verso McLean. «Stavo cercando di individuare la nostra talpa. Sa, per scoprire come era possibile che si conoscessero i dettagli dell'omicidio Smythe visto che non abbiamo detto niente alla stampa. E mi è venuto in mente che ormai le foto della scientifica sono tutte digitali. È facile farne delle copie. Se ne possono mettere migliaia su una scheda di memoria grande come un francobollo. Ma non si può certo andare dai ragazzi della scientifica e chiedergliele, e non riesco proprio a capire cosa se ne possa fare uno di foto del genere, se non venderle alla stampa.»

«Ci fanno i soldi in Brasile.»

«Come?»

«Laggiù la morte fa parte della cultura. Hanno persino dei giornali specializzati che pubblicano immagini di incidenti letali. A volte i fotografi arrivano prima delle ambulanze e della polizia. Quei giornali li vendono per strada. Foto come le nostre andrebbero a ruba.»

MacBride rabbrividì. «Come fa a saperlo, signore?»

«I benefici di un'educazione costosa. Ho un'infarinatura superficiale su un sacco di cose. E guardo un sacco Discovery Channel, ovviamente. Comunque, mi stavi dicendo di Smythe e delle sue foto…»

«Davvero? Ah, sì. Insomma, ho immaginato che, se avessero voluto venderle, l'avrebbero fatto online. Perciò sono andato su Internet a cercare foto sospette.»

«Su un computer della centrale? Che coraggio!»

«Nessun problema, signore. Questo portatile me l'ha dato Mike. È fuori dai radar. Altrimenti avrei dovuto chiedere a Poldo di firmarmi una deroga, e sa bene cosa sarebbe successo.»

«Le foto, detective.» McLean tornò a guardare lo schermo.

«Sì, signore. Ne ho trovate parecchie. Foto di scene del crimine, di incidenti d'auto. Penso che avessero a che fare con la questione brasiliana di cui parlava, anche se non capivo la lingua. Sembrava spagnolo, ma un po' più strano.»

«In Brasile parlano portoghese.»

«Portoghese, giusto. Comunque, alla fine ho trovato questo gruppo protetto da sistemi di sicurezza piuttosto potenti. Lì avevano tutto: la scena del delitto Smythe, del delitto Buchan Stewart e di quello di Jonas Carstairs. Anche di quei due suicidi. C'è anche un sacco di altra roba, ma le foto che ho riconosciuto sono state tutte postate da un tizio che si fa chiamare MB.»

McLean cliccò la pagina delle fotografie. Ne contò oltre un centinaio e notò che c'erano dozzine di altre pagine simili.

«Chiunque stia facendo questo, deve avere accesso a tutte le foto che abbiamo scattato» disse. «Quanti fotografi ci sono nella squadra della scientifica?»

«Circa una dozzina specializzati, ma lì dentro sono tutti addestrati all'uso delle fotocamere. E credo che anche i tecnici e lo staff di supporto abbiano accesso ai database. Ma potrebbe benissimo essere un agente, tutti noi possiamo vedere tranquillamente le foto.»

«Non si può rintracciare questo MB dal sito?»

«Ne dubito, signore. Mike ci darà un'occhiata domani, ma è tutto su server anonimi ed è instradato da un account oltreoceano. Ben oltre la mia portata. Ma potrebbe spiegare come mai qualcuno conosca bene i dettagli dell'omicidio Smythe. E suppongo che se ti piace guardare questo genere di cose, è solo questione di tempo prima di passare al livello successivo.»

Maledizione. Eppure ne era così sicuro. E lo era ancora. Ma queste erano tracce troppo evidenti per essere ignorate. «Ottimo lavoro, Stuart. Fammi avere un rapporto il prima possibile e io mi accerterò che il sovrintendente capo sappia chi è stato a fare tutto il lavoro. Nel frattempo voglio continuare a lavorare sulla teoria secondo la quale il nostro sesto uomo è ancora là fuori e sta facendo il possibile per non farsi trovare.»

«Qualcuno mi ha nominata?»

McLean si voltò e vide il sovrintendente capo in piedi sulla soglia. MacBride balzò in piedi come se fosse stato appena toccato con un Taser. Bob il Burbero annuì e tolse i piedi dal tavolo.

«Ho chiesto al detective MacBride di indagare sulla fuga di notizie relative alle scene del crimine. Credo che abbia trovato qualcosa.» McLean fece alla McIntyre un breve riassunto di quello che avevano appena scoperto. Lei si agitò di continuo durante quella breve presentazione, come una ragazzina che doveva andare in bagno ma si vergognava a chiedere il permesso.

«Ottimo lavoro, detective» disse alla fine. «E Dio solo sa quanto abbiamo bisogno di buone notizie, adesso.»

McLean sapeva già cosa avrebbe detto. Ce l'aveva scritto in faccia.

«Vuole che…?» indicò la porta.

«No, va bene così, Tony. È il mio lavoro. E ho pensato che fosse giusto dirtelo di persona. Dirlo a tutti voi.» La McIntyre si lisciò la giacca dell'uniforme, per un attimo incerta su come proseguire. «Si tratta dell'agente Kydd. È peggiorata all'improvviso. I dottori hanno fatto il possibile, ma le ferite erano troppo gravi. È deceduta circa un'ora fa.»

47

Non c'erano molti posti dove andare quando cominciava a piovere merda. C'era Phil, certo, ma le sue cure prevedevano sempre l'uso di svariate bottiglie, e McLean non aveva voglia di ubriacarsi. Bob il Burbero di solito riusciva a impedirgli di incupirsi troppo, ma il vecchio sergente aveva preso molto a cuore l'agente Kydd e la notizia della sua morte lo aveva prostrato in un modo per lui insolito. La McIntyre aveva detto loro di prendersi la giornata libera, avvertendoli, con quel suo fare da maestra di scuola, che non voleva rivederli per almeno ventiquattro ore. Il sovrintendente aveva già abbastanza grattacapi, perciò McLean non volle gravarla ulteriormente con il suo senso di colpa. Prima aveva sua nonna: anche sul letto di ospedale, in coma, era bravissima ad ascoltare. Ma adesso anche lei l'aveva lasciato. Per questo, meno di un'ora dopo aver appreso la notizia, ancora leggermente stordito, McLean si ritrovò all'obitorio. Niente male come vita sociale.

«Abbiamo una definizione per questo, Tony. Si chiama sindrome del sopravvissuto.» Angus Cadwallader indossava ancora il camice dall'ultima autopsia della giornata.

«Lo so, Angus. Psicologia. Università. Ho una laurea, ricordi? È solo che saperlo non mi aiuta. Mi ha spinto via. Ha dato la vita per me. Come fa a essere giusto?»

«"Giusto" è una parola che diciamo ai bambini perché si comportino bene.»

«Mmm. Nemmeno questo aiuta.»

«Faccio del mio meglio.» Cadwallader si tolse i lunghi guanti di gomma e li gettò nel cestino sterile. McLean osservò l'obitorio, accorgendosi per la prima volta che non c'era alcun segno di presenza della scientifica.

«I ragazzi non sono rimasti qui a lungo» disse. «Di solito ci mettono giorni a cercare indizi.»

«Be', sono contento che non l'abbiano fatto. È stato già abbastanza insopportabile perdere un giorno di lavoro. La gente non smette mai di morire, lo sai. Ho lavoro arretrato per settimane grazie al tuo ladro misterioso.»

«Chi è quello?» McLean indicò con un cenno del capo un corpo coperto, mentre Cadwallader cercava qualcosa in un cassetto.

«È la suicida. Quella della stazione di Waverley. Non ha ancora un nome, poverina. L'abbiamo esaminata stamattina. Tracy deve ancora finire di pulirla e deve aspettare qui finché non verrà identificata. Strano, comunque. Ricordi che aveva le mani e i capelli pieni di sangue e non capivamo da dove venisse?»

McLean annuì, anche se in verità erano successe talmente tante cose che se n'era proprio scordato.

«Be', non era sangue suo.»

Quasi si scontrò con Emma Baird uscendo dall'obitorio. La donna lottava con un enorme contenitore di plastica, il cui contenuto McLean era felice di non conoscere, ed entrò di spalle proprio mentre lui apriva la porta. In qualsiasi altro momento, il fatto che le cadesse tra le braccia camminando all'indietro sarebbe stato divertente.

«Attenta.»

«Cretino. Ma che cazzo…» Emma si divincolò, poi capì chi era ad aver parlato. «Oddio, Tony. Ehm, ispettore. Signore.»

McLean la aiutò a rimettersi in piedi, cercando di soffocare una risatina. Aveva un'aria così arrabbiata, sconvolta e piena di vita. Sapeva che se avesse cominciato a ridere probabilmente non si sarebbe più fermato.

«Scusa, Em. Non ti ho vista entrare. E Tony va benissimo, davvero. Queste sciocchezze del signore e dell'ispettore non le reggo proprio in momenti come questo.»

«Sì, ho sentito. Mi dispiace tanto. Era una ragazza in gamba.»

Una ragazza in gamba. Non era granché come epitaffio. Era solo una ragazza appena uscita dalla scuola di polizia, ansiosa di diventare detective. Brillante, entusiasta, socievole… morta.

«Stai entrando o uscendo?» La domanda di Emma ruppe il silenzio imbarazzato.

«Che? Oh, uscendo.» McLean guardò l'orologio. Il suo turno era finito da un po', anche se il sovrintendente capo non aveva mandato ancora a casa la sua squadra. Indicò il contenitore. «E tu? Consegna o prelievo?»

«Questo? Oh, devo consegnarlo. Il dottor Sharp ce l'ha prestato la settimana scorsa, ce ne mancava uno. Stavo andando a casa perciò mi sono offerta di riconsegnarlo io.»

«Aspetta, ti do una mano.» McLean fece per aiutarla.

«No, sono a posto, grazie.» Emma strinse a sé il contenitore come se fosse un prezioso ricordo. «Ma non mi dispiacerebbe avere compagnia.»

Non ci volle molto per riconsegnare tutto e andarsene. McLean non dovette neanche dire nulla: Emma era perfettamente in grado di parlare per due.

«Anche tu sei libero stasera, quindi?» chiese, mentre le teneva la porta aperta.

«Probabilmente dovrò tornare in centrale. Ho un sacco di arretrato da sbrigare.» Quel pensiero lo riempì di rassegnazione. Sarebbe entrato dal retro per non essere visto, si sarebbe seduto in ufficio e avrebbe lavorato a quelle carte fino all'esaurimento, degli arretrati o al suo. E anche se fosse riuscito a finirle, presto sarebbero state sostituite da altre. Era in momenti come questi che si chiedeva per quale motivo avesse scelto quel lavoro. Avrebbe potuto andare a lavorare per Gavin Spenser e vivere in una bella villa con tanto di piscina.

«Se lo dici così, mi viene voglia di aiutarti. Alcune pratiche non sono niente male.»

«Be', se proprio insisti…»

«Senti la mia idea. Vieni a farti un drink, prima, poi vediamo quanta voglia ti resta» disse Emma e si avviò in direzione di Cowgate, verso il Grassmarket, senza dargli il tempo di rispondere. Dovette raggiungerla di corsa, afferrandola per la spalla.

«Emma.»

«Onestamente, ispettore. Le ha mai detto nessuno che non sa divertirsi?»

«Non di recente, no. Ma ti ho fermata perché forse non conosci Edimburgo poi così bene.» Indicò la direzione opposta lungo la strada. «L'unico pub decente nei paraggi è da quella parte.»

Una birra e poi una seconda, alle quali si unirono un rapido tour dei pub del centro e un curry. Fu quasi sufficiente a distrarlo dalla morte di Alison Kydd. Quasi. McLean evitò tutti i posti dove di solito si radunavano i poliziotti, sapendo che sarebbero stati pieni di agenti intenti a brindare alla memoria della defunta collega.

Non se la sentiva di ricevere la loro compassione e non voleva avere a che fare con quelli che, inevitabilmente, avrebbero dato la colpa a lui invece che al pirata della strada. Intuiva che anche Emma la pensava così. Parlava continuamente, ma per lo più del suo lavoro e del trasloco da Aberdeen a Edimburgo. Si separarono con un semplice: «È stato divertente, dovremmo rifarlo». Un tocco leggero sul braccio e se n'era andata, scomparendo lungo la strada buia fino alla zona dei suoi incubi. Li scacciò, si infilò le mani in tasca e si diresse verso casa.

La città non dormiva mai, specialmente durante il festival. Alla solita folla di pendolari e nottambuli si univano gli studenti ubriachi e gli artisti di strada, i netturbini e le macchine pulisci strade. Le vie erano silenziose rispetto al giorno, ma era ancora presto e un flusso continuo di auto si dirigeva verso destinazioni ignote. I furgoni passavano da un punto di consegna all'altro come grosse api maleodoranti. McLean tentò di dimenticare il senso di colpa camminando, sperando che il rumore dei suoi passi sul marciapiede lo aiutasse a trovare delle risposte a tutte le domande che gli ronzavano in testa. C'era qualcosa che gli sfuggiva, qualcosa che non riusciva a mettere a fuoco. Erano molte in realtà le cose che non riusciva a mettere a fuoco. Non ultima, la macabra somiglianza tra le morti di tre anziani, tutti amici di vecchia data e tutti collegati a un crimine violento. Una persona dotata di fervida immaginazione avrebbe pensato che avessero avuto ciò che meritavano. Opus Diabuli. Avevano stuzzicato il diavolo e lui era venuto a reclamarli. Ma la realtà era molto più ordinaria: Barnaby Smythe era stato sventrato da un immigrato che ce l'aveva con lui; Buchan Stewart era caduto vittima di un amante geloso; e Jonas Carstairs? Be', di sicuro Duguid avrebbe trovato qualcuno da incolpare anche in quel caso.

Clic, clac, clic, clac. I suoi piedi scandivano un ritmo regolare sul selciato, di pari passo con i suoi pensieri. Sapeva che Okolo aveva ucciso Smythe, quella era una certezza almeno. Avrebbe scommesso qualsiasi cosa, però, che Timothy Gardner non aveva ucciso Buchan Stewart, il che significava che c'era ancora un assassino in libertà. Qualcuno aveva trovato l'archivio brasiliano scoperto da MacBride e si era dato da fare? Stavano cercando la prossima vittima? E se così fosse stato, con quale criterio le sceglievano? Era possibile che qualcun altro sapesse dell'omicidio rituale e fosse riuscito a risalire agli assassini?

O forse era il sesto uomo a coprire le proprie tracce, uccidendo i vecchi compagni di crimine, rubando il corpo che rappresentava l'unica prova dell'indagine, pagando qualcuno per investire il poliziotto che stava investigando? Quella era l'alternativa più probabile, e anche la meno rassicurante. McLean si fermò all'improvviso, accorgendosi di essere rimasto solo nella via. Tremò, si guardò attorno aspettandosi di vedere un furgone bianco lanciato a tutta velocità verso di lui. Le gambe l'avevano portato di loro spontanea volontà al Pleasance. Un grosso cartello blu con su scritto Avviso della Polizia lo fece sussultare. Qui si è verificato un incidente mortale. Se avete assistito, contattateci. McLean si rese conto di essere in piedi nel punto esatto in cui Alison era stata colpita, sacrificandosi per lui. *Che vita sprecata,* pensò. Strinse i pugni giurando a se stesso che avrebbe trovato il responsabile. Ma non si sentì affatto meglio.

Non era lontano dal suo appartamento. Il senso di colpa e la rabbia gli annebbiavano la mente. Trovò la porta di casa tenuta aperta con delle pietre; maledetti studenti, perdevano sempre le chiavi ed erano troppo tirchi per farsele rifare. Almeno a quell'ora la signora McCutcheon dormiva. Si sarebbe risparmiato la fatica di dover sorridere, mentre lei gli diceva che lavorava troppo. Salì le scale, sentendo la stanchezza penetrargli sotto le palpebre. Il letto lo chiamava e lui era più che pronto a rispondere.

Ma in cima alle scale c'era qualcuno.

48

La donna era raggomitolata contro la porta dell'appartamento, le ginocchia strette al petto, il cappotto leggero avvolto attorno alle spalle per proteggersi dal fresco della sera. Pensò che si fosse addormentata, ma appena si avvicinò lei lo guardò e lui la riconobbe.

«Jenny? Che ci fai qui?»

Jenny Spiers lo fissò con occhi gonfi, rossi di pianto. Era pallida, i capelli le scendevano disordinati ai lati del viso, incorniciandone la tristezza. La punta del naso era rossa, come se avesse il raffreddore da giorni.

«Chloe» disse. «È scomparsa.» E scoppiò in lacrime.

McLean salì gli ultimi gradini di corsa. Si accucciò e le prese la mano.

«Ehi, va tutto bene. La troveremo.» Poi si accorse che non sapeva di chi stesse parlando. «Chi è Chloe?»

Forse non era la cosa più giusta da dire. Jenny cominciò a piangere ancora più forte.

«Forza, Jenny, vieni. Alzati.» La aiutò ad alzarsi, poi aprì la porta e la guidò verso la cucina, facendola sedere. Addio letto. Riempì il bollitore e lo mise sul fuoco, tirando fuori due tazze e il caffè istantaneo.

«Raccontami cos'è successo. Perché sei venuta qui?» Passò a

Jenny un rotolo di carta assorbente per sostituire il fazzolettino fradicio che stringeva in mano.

«Chloe è scomparsa. Avrebbe dovuto rientrare per le undici. Non fa mai tardi. Se ritarda mi telefona sempre.»

«Aspetta un secondo, Jenny. Devi farmi capire. Chi è Chloe?»

Jenny lo guardò con occhi increduli. «Mia figlia. Lo sai. L'hai incontrata in negozio.»

McLean frugò nella memoria. Se la ricordava, vestita come una ragazzina degli anni Venti, con tanto di carré. Stava alla cassa mentre Jenny lavorava sul retro.

«Scusa, non avevo capito. Non ci siamo presentati. A essere onesto, non avevo neanche idea che fossi sposata.»

«Non sono sposata. Chloe era... be', diciamo che suo padre è stato un errore. Mi ha messa incinta e non l'ho più visto. Ma Chloe è una brava ragazza, Tony. Non resta mai fuori fino a tardi e, se non riesce a tornare in tempo, mi chiama.»

McLean tentò di elaborare le nuove informazioni. *Concentrati sul problema.* «A che ora è uscita?»

«Alle otto e mezza. Aveva i biglietti per vedere Bill Bailey all'Assembly Rooms. Valgono oro, era eccitatissima.»

«E hai detto che sarebbe dovuta tornare alle undici.»

«Esatto. Le ho dato i soldi per il taxi. Non volevo che tornasse a piedi a quell'ora.»

«È andata allo spettacolo da sola?»

«No, con un paio di compagne di scuola che però vivono dall'altra parte della città.»

«E loro sono rientrate, mi pare di capire.»

«Ho chiamato e ho controllato. Sono rientrate entrambe a mezzanotte meno un quarto.»

«Quanti anni ha Chloe?» McLean tentò di pensare alla ragazza del negozio, ma i suoi abiti esotici gli rendevano difficile stabilire un'età.

«Quasi sedici.» Abbastanza grande per uscire da sola e stabilire cosa potesse o non potesse fare.

«Hai chiamato la polizia?»

Jenny annuì. «Sono venuti a casa, mi hanno fatto riempire un modulo. Ho dato loro una foto. Hanno perfino cercato in negozio, in caso si stesse nascondendo da qualche parte lì dentro.»

«Bene. Seguono la procedura.» McLean versò l'acqua bollente nelle tazze e aggiunse il caffè. «Ma devi capire che potrebbe benissimo essere stato un atto di ribellione adolescenziale. Potrebbe aver deciso di restare fuori e tanti saluti.»

«Ma non lo fa mai.» Il viso di Jenny divenne paonazzo. Strinse i pugni. «Non lo farebbe mai.»

«Ti credo. Chiamerò in centrale e vedrò se hanno trovato qualcosa. Tu torna a casa, Jenny. Non dovresti essere qui. Se torna e non ti trova?»

Il dubbio passò per un attimo nello sguardo di Jenny. «Ho lasciato un biglietto sul tavolo in cucina. Ma all'una non era ancora rientrata. Dovevo fare qualcosa.»

McLean si rese conto che non sapeva neanche dove abitasse Jenny Spiers. Non sapeva di sua figlia; sapeva solo che sua sorella era fidanzata con il suo migliore amico. A essere sincero, non sapeva molto neanche di Rachel. Da tempo aveva smesso di tentare di ricordare tutte le ragazze del suo ex coinquilino. Sapeva solo che era l'unica che era riuscita a portare a casa il premio tanto agognato dalle altre. Perché Jenny avesse scelto di venire da lui era un mistero.

«Vivi sopra il negozio?»

Jenny annuì, poi tirò su col naso e se lo asciugò. McLean andò in soggiorno e chiamò la centrale. Squillò a lungo prima che il sergente di servizio si decidesse a rispondere.

«Parla l'ispettore detective McLean. Vi è arrivata la denuncia di una ragazza scomparsa, Chloe Spiers?»

«Sì, mi pare di sì. Attenda un minuto.» McLean sentì il fruscio dei fogli mentre il sergente spulciava il registro. «Perché le interessa?»

«Sua madre è nella mia cucina.»

«Beato lei, ispettore. È una bella donna, se ricordo bene. Ah, eccoci qua. Denunciata la scomparsa alle ventitré e cinquantotto. La pattuglia più vicina è arrivata sul posto a mezzanotte e nove minuti. La descrizione della ragazza è stata inviata a tutte le stazioni e i dettagli sono sul computer. Controlleremo gli ospedali, se non si è fatta viva per domattina.»

«Fammi un favore, Tom. Avverti di nuovo tutte le auto e, se hai tempo, chiama ora gli ospedali.»

«Ok, signore. È una serata tranquilla, per ora, vedrò che posso fare.»

«Grazie, Tom. Ti devo un favore.»

«Quindi una cena, signore?»

McLean si bloccò. «Come?»

«Mi pare di capire che sia questa la sua ricompensa per un favore, signore. O la signorina Baird è stata un'eccezione?»

«Ma… io… chi te l'ha detto?» balbettò McLean al telefono mentre il sergente di servizio scoppiava a ridere. «In quanti lo sanno?»

«Direi tutti, signore. Sa com'è, vi siete dati appuntamento qui davanti. E l'ha portata al Red Dragon… ci vanno a mangiare diversi agenti praticamente ogni sera, anche se prendono cibo da asporto.»

McLean era furioso quando riagganciò. Maledetti poliziotti,

erano peggio delle portinaie quanto a pettegolezzi. Non che la sua reputazione ne avrebbe risentito…

«L'hanno trovata?» La voce preoccupata di Jenny lo riportò a problemi più pressanti.

«No, mi spiace. Ma stanno cercando.» McLean le disse cosa aveva promesso di fare il sergente di servizio. Nel sentire la parola "ospedale" Jenny si fece ancora più pallida.

«Potrebbe essere…?»

«Non credo, Jenny. Ti avrebbero già contattata se fosse stata ferita. È più probabile che si sia vista con altri amici e sia andata a farsi una bevuta. Tornerà a casa domattina con i postumi di una sbronza e allora potrai farle una bella lavata di capo.»

Dentro di sé, però, sapeva di dirlo solo per confortarla.

49

Non sa da quanto si trova in quel giardino a fissare la casa silenziosa. Prima era buio e adesso si sta facendo più chiaro. Quanti giorni come quello erano passati? La sua mente aveva smesso di funzionare a dovere parecchio tempo fa e tutto quello che riesce a fare adesso è obbedire. Le voci non gli parlano, ma guidano tutte le sue azioni. Non riesce a controllare il proprio corpo, non più di quanto faccia una marionetta. Ma prova dolore, e non può farci niente.

La preda è lì dentro, lui lo sa. Ne sente l'odore, anche se non è certo di che odore si tratti. È muffa e terra asciutta; gli scarichi lontani delle auto e il dolce odore di malto della distilleria. Il suo stomaco è una tinozza piena di acido, che penetra nelle sue viscere procurandogli ondate di agonia. Ma rimane lì. Aspetta, e osserva.

Qualcosa si muove tra i cespugli, si fa largo con un ringhio maligno. Abbassa lo sguardo e vede un cane, un doberman con le orecchie appuntite. Gli mostra i denti e ringhia sommesso, minaccioso. Le voci gli fanno arricciare le labbra, costringendolo a emettere un sibilo dal profondo della gola. Spaventato, il cane guaisce, con la coda tra le zampe. Il terreno sotto l'animale si bagna e l'odore forte dell'urina riempie l'aria.

Un altro sibilo e il cane fugge via, infilandosi di nuovo nei cespugli da dove è arrivato, senza neanche più guaire tanto è ansioso di mettersi al riparo. Ha sempre avuto una paura matta dei cani, ma le voci sono più forti.

Gli scoppia la testa, come se tutte le emicranie del mondo si fossero date appuntamento dentro di lui. Si sente il ventre gonfio e dilatato, come quei bambini africani affamati che si vedono in televisione. Ogni articolazione gli brucia; la cartilagine non c'è più, è stata sostituita da carta vetrata. Eppure è ancora in piedi, e osserva.

Altro rumore. Una figura più grande si fa strada fino al suo nascondiglio. Si volta lentamente per accoglierla, mentre il suo corpo grida di dolore a ogni più piccolo movimento. Le voci lo fanno restare in silenzio.

«Che stai facendo?» chiede l'uomo, ma le parole sembrano distanti mille chilometri. Le voci gridano di attaccare, e lui deve obbedire.

Salta su, ma è debole per la fame e per migliaia di terribili malattie. In mano ha un coltello; non ricorda come l'ha avuto, né ricorda un momento in cui non l'abbia tenuto stretto in mano. Non importa. Conta solo attaccare. E il dolore.

Qualcosa si spezza e lui capisce che è il suo braccio. Quell'uomo è grosso, molto più di lui, come quegli uomini che si sforzava di non guardare quando andava in palestra. Ma le voci dicono che deve attaccarlo e così fa, cercando gli occhi, graffiando la pelle.

«Brutto pezzo di merda. Ti ammazzo, cazzo!» L'uomo è arrabbiato adesso e le voci gridano di gioia. Colpisce di nuovo, con un pugno fa uscire il sangue dal naso dell'uomo. Prova un fugace attimo di trionfo, più forte dell'agonia del suo corpo devastato.

Poi è il suo viso a essere colpito. Una mano come una chela gigante gli afferra la gola, strizzandogli via la vita. Viene sollevato da terra, lanciato lontano. Colpisce il terreno con un tonfo sordo e tutto diventa nero. Il dolore è ovunque, diventa più forte e lo reclama. Un caldo umido, con un retrogusto di ferro gorgogliante, gli riempie gola e bocca. Non riesce più a respirare, non ci vede più, non sente più niente. Solo le risate delle voci, che lo lasciano lì, a morire.

50

Mandy Cowie sembrava il tipo di ragazza che non andava molto d'accordo con il mattino. McLean aveva poca esperienza di adolescenti, almeno di quelli che non si trovavano alle pensiline degli autobus a bere birra e a insultare chiunque passasse loro vicino. Mandy era più educata delle reginette sboccate che abitavano nei palazzoni di Trinity e Craigmillar, ma era altrettanto accigliata mentre sedeva al tavolo della cucina, di fronte a lui, fissando una ciotola di corn flakes ormai fradici.

«Non sei nei guai, Mandy. Al contrario.» Dalla sua reazione, immaginò che la ragazza facesse parte di un programma che le impedisse di rendersi utile alla polizia. «Non sono qui neppure in veste di poliziotto. Sono qui come amico della madre di Chloe. È preoccupatissima perché Chloe non è rientrata, ieri notte. Hai idea di dove possa essere andata?»

Mandy si sistemò nervosamente sulla sedia. Fossero stati in sala interrogatori, McLean avrebbe interpretato quel gesto come segno che sapeva qualcosa ma che non voleva dirla. Lì, invece, poteva solo supporlo.

«Aveva un ragazzo? Magari si sono visti.» Lasciò l'ipotesi aleggiare per un po' nell'aria. Con suo grande disappunto, intervenne la madre di Mandy.

«Va tutto bene, tesoro. Puoi parlare con l'ispettore. Non ti arresta mica.»

«Signora Cowie, sarebbe possibile parlare in privato con sua figlia per un minuto?»

Lei lo guardò come se fosse un idiota. Afferrò alla svelta la sua tazza di caffè, versando un po' di liquido bruno sul tavolo.

«Solo un minuto, però. Deve fare i compiti.» E uscì con le sue pantofole rosa a forma di coniglio. Quando la porta si chiuse, McLean attese qualche istante udire lo scricchiolio delle scale. Gli occhi di Mandy guardarono per un attimo il soffitto, poi tornarono sui cereali.

«Senti, Mandy. Sarò franco con te. Se c'è qualcosa che sai che potrebbe aiutarci a ritrovare Chloe, puoi dirmelo. Non dirò una parola ai tuoi, promesso. Non riguarda te, riguarda Chloe. Dobbiamo ritrovarla. E più tempo passa, meno possibilità avremo.»

Il silenzio riempì l'aria, disturbato solo dai rumori provenienti dal piano di sopra mentre la signora Cowie si muoveva pesantemente in bagno. McLean tentò di incrociare lo sguardo di Mandy, ma la ragazza sembrava affascinata dalla sua tazza di cereali. Era sul punto di arrendersi, quando alla fine lei parlò.

«Non lo dirà alla mamma?»

«No, Mandy, hai la mia parola. E non lo dirò neanche alla madre di Chloe.»

«C'era questo tizio. Si erano conosciuti su Internet.»

Eccoci.

«Sembrava... non lo so... ok. Gli piaceva la commedia ed era entusiasta quando Chloe gli ha detto di avere i biglietti per Bill Bailey. Ha detto che ci sarebbe stato anche lui allo spettacolo. Solo che non si è presentato.»

«Dove avrebbero dovuto incontrarsi?» McLean cercò di ricordarsi il nome dell'altra ragazza, quella che avrebbe dovuto interrogare dopo. «Sapeva che ci sareste state anche tu e Karen?»

«Non so cosa gli ha detto Chloe. Non credo gli abbia dato il suo numero; non è così stupida. Ma si era messa dei vestiti assurdi presi dal negozio della madre. Forse gli aveva detto di cercare una ragazza vestita anni Venti. Non sarebbe stata certo difficile da individuare.»

E nemmeno da adescare per strada, dopo lo show. Forse Chloe aveva deciso di tornare a casa a piedi perché non era lontano e di usare i soldi del taxi per qualcosa di più interessante.

«Questo ragazzo ha un nome?»

«Sì, si faceva chiamare Fergie. Non so se era il suo vero nome, comunque.»

«Da quanto tempo… da quanto Chloe ci parlava?» McLean non aveva idea di come funzionassero le chat room online.

«Da poco, un paio di giorni, forse una settimana.»

Troppo poco tempo per fidarsi di un estraneo. Anche lui alla loro età era stato così sprovveduto? McLean dovette ammettere di sì. Ma prima di Internet, quando bisognava raccogliere tutto il proprio coraggio e andare a parlare di persona con la ragazza che ti piaceva, le cose sembravano molto più innocenti. Oggi i ragazzini erano più sofisticati, certo, ma ingenui come non mai. Fergie. Il nome lo fece pensare all'istante a McReadie, anche se dovevano esserci migliaia di Fergus e Ferguson in città. Doveva riflettere lucidamente, senza saltare alle conclusioni sulla base di speculazioni infondate.

«Ho bisogno di sapere con esattezza a che ora tu e Chloe vi siete separate ieri sera, Mandy.» Solo allora McLean estrasse il bloc notes. «Ripercorri la serata sin dal momento in cui è finito lo spettacolo.»

Karen Beckwith raccontò la stessa storia, solo che non si fece pregare così tanto prima di parlare. McLean confrontò le due dichiarazioni di fronte all'Assembly Rooms, su George Street, osservando il traffico della giornata e cercando di immaginarsi come poteva essere stato quel posto alle undici della sera prima. All'incirca a quell'ora lui ed Emma erano seduti al Guildford Arms, a neanche cinque minuti da lì. Karen e Mandy avevano preso un taxi verso casa, e Chloe le aveva accompagnate alla fermata di Castle Street. Ripercorse i suoi passi, scrutando gli edifici accanto e annotandosi mentalmente le posizioni delle telecamere di sicurezza. In centro nulla accadeva senza essere filmato.

Dalla fermata dei taxi c'era solo una strada possibile per tornare al negozio: lungo Princes Street, oltre i North e South Bridge e lungo Clerk Street. Non ci sarebbe voluta più di mezz'ora e c'erano le telecamere per un tratto abbondante del percorso. Sapeva a che ora Chloe era stata vista per l'ultima volta. Sapeva cosa indossava. Ora si trattava solo di analizzare i nastri e, a giudicare dal numero delle telecamere, ci sarebbe voluto un po'.

«Qui c'è qualcosa, signore. Vuole dare un'occhiata?»

McLean distolse lo sguardo dagli schermi pieni di gente sfocata che si muoveva su strade dalle tinte arancioni. Il detective MacBride sedeva davanti a una console lì accanto, a suo agio con la tecnologia in maniera quasi imbarazzante.

«Cosa?» Spostò la sedia sulla moquette, finché non fu in grado di vedere l'altro schermo. MacBride manovrò il controller e riavvolse il nastro fino alle undici e un quarto.

«Questa è la fermata dei taxi in Castle Street, signore.» Premette *Play* e indicò lo schermo. L'estate e il festival in pieno svolgimento significavano che le strade della città, di notte, erano ancora più affollate che di giorno. «Credo che queste siano le nostre tre ragazze.» Mise in pausa e indicò tre figure che camminavano a braccetto. Quella nel mezzo indossava una gonna a pieghe, un top senza maniche e un cappello a cloche. Portava un boa di piume di struzzo avvolto attorno al collo. Accanto a lei, Karen e Mandy risultavano piuttosto banali con i loro jeans stretti e maglietta.

«È lei» disse McLean. «Riusciamo a vedere dove va?»

MacBride mandò avanti il nastro e videro le ragazze mettersi in coda per un taxi. Chloe attese che le amiche se ne andassero, dopodiché si avviò a piedi in direzione di Princes Street.

«Qui dobbiamo cambiare telecamera.» MacBride digitò qualcosa alla console e apparve lo stesso scenario ripreso da un angolo diverso. Chloe camminava lungo la strada, sola e sicura di sé. La seguirono con altre due telecamere e la videro fermarsi quando un'auto nera le passò accanto.

Se non avesse conosciuto tutta la storia, McLean avrebbe detto che si trattava di un classico esempio di adescamento. Chloe si chinò sul finestrino dell'auto, ovviamente parlando con chiunque fosse alla guida. Il linguaggio del corpo non mostrava alcun segno di allarme e, dopo qualche istante, aprì la portiera e salì in macchina. L'auto partì in direzione del North British Hotel.

«Possiamo migliorare l'immagine? Prendere la targa dell'auto?» chiese McLean.

«Ahimé no. Non sono telecamere ad alta risoluzione e la luce è atroce. Dovremmo riuscire a vedere meglio usando l'altra telecamera, ma pare che si sia fusa ieri notte.»

«Forse riusciamo a rintracciarla. bmw serie 3 nera o blu scura. La rivediamo in qualche altra telecamera?»

MacBride premette una serie di pulsanti, osservando le macchine svoltare sul Mound da Princes Street. La bmw apparve per un attimo in un'altra immagine, poi più nulla. «La copertura non è così buona se ci si allontana dai punti nevralgici della città. Possiamo tentare con le altre, controllando in quel lasso di tempo. Vedere se riappare.»

«Quanto ci vorrà?»

«Non lo so, signore. Possiamo essere fortunati o metterci tutto il giorno.»

«Va bene. Tu comincia. Vedi se riesci a ricavare un numero di targa. Anche parziale aiuterebbe. Mandala a Emma, è brava con le fotografie.»

A quelle parole McLean si bloccò. *Era brava con le fotografie.* Aveva elaborato le immagini della scena del crimine di Sighthill, facendo emergere gli strani ghirigori che lui aveva visto sul pavimento. E prima, c'era qualcos'altro sul monitor del suo computer. Piccole icone di fotografie. Le stava elaborando per l'archiviazione o stava facendo tutt'altro? MB. Em B. Emma Baird.

«Tutto bene, signore? È un po' pallido.» Lo sguardo stanco del detective MacBride era puntato su di lui nella penombra della stanza.

«Credo di sapere chi ha postato in rete le immagini delle scene del crimine.»

Ma sperava tanto di sbagliarsi.

51

«Il suo telefono non funziona ancora, vero?»

Il sergente Pete lo salutò con un ghigno appena lo vide arrivare in centrale. McLean si frugò nelle tasche fino a trovare il cellulare, ma non si ricordava neanche se l'aveva ricaricato la sera precedente. Ovviamente, il telefono era morto.

«Che gli fa a quei poveri telefoni? È una maledizione.» Pete gli allungò un'alta pila di fogli, indicando con la testa un punto dall'altra parte dell'ingresso. «Qui c'è un bel po' di messaggi a cui rispondere; quel tizio laggiù ha chiesto di lei. Dice di essere della Hoggett Scotia Asset Management. A me pare un banchiere.»

Sorpreso, McLean si voltò cercando di ricordare dove avesse già sentito quel nome. Anche il viso del signor Masters, seduto su una delle panche di plastica della centrale, non gli diceva nulla. Aveva l'aspetto di una delle migliaia di uomini d'affari senza volto con i loro vestiti costosi: sulla quarantina, capelli brizzolati, un accenno di pancetta che due partite di squash a settimana non bastavano a bruciare, valigetta di pelle costosa piena di gadget elettronici, moglie e figli nei sobborghi, amante in un condominio della città vecchia.

«Ispettore McLean? Grazie per avermi ricevuto.» Masters si alzò in piedi ancora prima che McLean lo raggiungesse. Solo allora alcuni ricordi confusi cominciarono ad affiorargli nella mente.

«Signor Masters. Lei è uno dei testimoni del suicidio di Andrew Peters.»

Jonathan Masters trasalì nel sentir nominare l'ex collega. «È stata una settimana dura alla Hoggett Scotia, ispettore. Andy era uno dei nostri migliori analisti. Ci mancherà molto.»

Uno dei migliori analisti. Non un bravo ragazzo, né un simpaticone. O un amico.

«Ho parlato con il padre di Andrew, signor Masters. Sembrava che fosse parecchio attaccato alla vita, finché non ha scoperto di avere il cancro in fase terminale.»

«È stata una completa sorpresa. Non ci ha mai detto niente. Forse, se avesse…» Il signor Masters non finì la frase.

«Ma suppongo che non sia venuto qui per parlarmi di Andy Peters, signore.»

«Sì, naturalmente. Mi scusi, ispettore. È stata una settimana tremenda. Sembra che abbiamo perso una segretaria. Sally Dent.»

«Dent. Anche lei una testimone?»

«Sì, era alla reception. Le avevamo dato il resto della giornata libera, era il minimo che potessimo fare. Abbiamo sorvolato sul fatto che non si sia presentata il giorno dopo, poi è arrivato il fine settimana. Ma non è ancora tornata da, be', da quando Andy… insomma, lo sa.»

«Suppongo che abbiate cercato di mettervi in contatto con lei.» McLean sentì una terribile sensazione di *déjà vu* risalirgli lungo la spina dorsale.

«Certo. L'abbiamo chiamata a casa, ma sua madre ci ha detto che era partita per un viaggio all'estero. È una cosa davvero stupida, avrebbe dovuto andare a Tokyo con uno dei nostri soci fondatori, ma è stato cancellato tutto, dopo…»

«Perciò avete pensato che fosse a casa, mentre sua madre vi ha detto che era all'estero, ma nessuno sa dove sia dal giorno in cui Andy Peters si è ucciso.»

«Più o meno, ispettore.»

«Mi parli di Sally Dent, signor Masters» disse McLean. «Che aspetto ha?»

«Oh, posso fare molto di più. Ecco.» Masters appoggiò la valigetta sulla panca di plastica e la aprì. McLean vide un piccolo portatile, un palmare, un navigatore GPS e un sottile cellulare annidati negli interni in morbida pelle. Masters estrasse un foglio A4 e richiuse la valigetta. «Il suo file personale.»

Prese il foglio e lo tenne in alto, sotto la luce, così da poter guardare meglio la fotografia della ragazza che lo fissava e lo metteva a disagio. Ciò che lo sorprese di più non fu tanto che riconobbe quella donna, quanto che si aspettava di vedere il suo viso su quel foglio. Nella foto era più carina, sorrideva e sembrava piena di speranze per il futuro. L'ultima volta che l'aveva vista era stesa su un tavolo d'acciaio nell'obitorio di Angus Cadwallader; la prima volta, invece, aveva il corpo martoriato e contorto, i capelli impastati di sangue e giaceva nell'olio per motori e nella ghiaia dei binari, alla stazione di Waverley.

«Non riesci proprio a stare lontano da qui, vero Tony? Potremmo riaddestrarti come assistente e farla finita con questa pantomima.»

Angus Cadwallader sorrise dalla poltrona del suo ufficio. Nella reception li attendeva un Masters sempre più agitato, che gettava continue occhiate all'orologio.

«Mi tenti, Angus, ma so che hai occhi solo per Tracy.»

Il sorriso si affievolì leggermente. Il medico si era forse irrigidito? Interessante reazione.

«Sì, be'. Che posso fare per te?»

«La ragazza che è saltata giù dal ponte di Waverley la settimana scorsa. Credo che si chiami Sally Dent. Possiamo prepararla per l'identificazione? C'è il suo capo, qui fuori.»

«Nessun problema. La faccio portare fuori, ti chiamo quando è pronta.» Il medico legale si alzò e si diresse alla camera mortuaria afferrando un carrello d'acciaio con le ruote. McLean lo seguì.

«Hai già mandato il rapporto su di lei?»

«Cosa? Oh, sì. Credo di sì. Di solito Tracy li invia per mail appena sono pronti. Perché?»

«Non l'ho ancora letto.»

«Ah, allora non sai delle placche che le scavavano dei buchi nel cervello.»

«Le cosa?» McLean sentì un nodo allo stomaco. Complicazioni. C'erano sempre complicazioni.

«Creutzfeldt-Jakob. In stato avanzato. Credo che soffrisse di allucinazioni piuttosto vivide al momento del salto. Probabilmente è per questo che l'ha fatto.» Cadwallader aprì la cella frigorifera ed estrasse il corpo pallido di Sally Dent. I tagli che aveva sul viso erano stati accuratamente ricuciti, ma era ancora orribilmente sfigurata. La fece scivolare sul carrello e la coprì con un lungo lenzuolo bianco. Insieme la portarono alla camera di identificazione, dove un Jonathan Masters dall'aria ansiosa scattò in piedi, come se qualcuno gliel'avesse ordinato.

«Mi spiace di averla fatta aspettare, signor Masters. Avrei dovuto avvisarla che era rimasta ferita piuttosto gravemente al momento del decesso.»

Il viso di Masters si tinse di una sfumatura di verde. Annuì in silenzio, osservando la figura coperta. Cadwallader scostò il lenzuolo, mostrando solo il viso del cadavere. Il banchiere guardò e

McLean vide chiaramente l'orrore sul suo viso. Era una reazione che aveva visto tante, troppe volte.

«Che cosa le è successo?» La voce di Masters era allo stesso tempo acuta e roca, ma almeno non era svenuto come avevano fatto molti altri.

«È saltata giù dal North Bridge.»

«La suicida? Ho sentito la notizia. Ma Sally… No… Sally non avrebbe mai…»

«Soffriva di una malattia degenerativa neurologica.» Cadwallader ricoprì il volto martoriato di Sally. «È probabile che non sapesse neanche quello che stava facendo.»

«E sua madre?» Masters guardò McLean con sguardo supplichevole. «Chi glielo spiegherà?»

«È tutto a posto, signor Masters. Parlerò io alla signora Dent.» Prese il braccio dell'uomo d'affari e lo guidò fuori dalla stanza. «Tutto bene? Vuole che la faccia riaccompagnare in ufficio da uno dei miei uomini?»

Lontano dal cadavere, Masters sembrò recuperare tutta la sua compostezza. Raddrizzò le spalle e guardò l'orologio. «No, ispettore, la ringrazio, sto bene. Meglio che torni in ufficio. Oh, Dio, Sally.» Scosse la testa.

«Potrebbe sembrare una domanda indelicata, signor Masters, ma c'era per caso qualcosa tra la signorina Dent e il signor Peters?»

Masters guardò l'ispettore con un'espressione dalla quale si capiva che lo considerava un pazzo. «Che cosa intende?»

«Mi chiedevo se ci fosse tra loro un rapporto che andava oltre l'ambito professionale. Due suicidi in un lasso di tempo così breve…»

«Andy Peters era gay, ispettore. Non lo sapeva?»

McLean accompagnò Jonathan Masters fuori dall'edificio e tornò nell'obitorio. Cadwallader aveva già rimesso il cadavere nella sua fredda cella ed era tornato in ufficio. McLean si accorse solo in quel momento che l'assistente del medico non si vedeva da nessuna parte.

«Che ne hai fatto di Tracy?» chiese.

«Stai alla larga dalla mia assistente, Tony.»

McLean alzò le mani in un gesto difensivo. «Non è il mio tipo, Angus.»

«No, ho sentito che preferisci quelle della scientifica. Ma si sa, nessuno è perfetto.» Cadwallader rise. «Tracy ha portato alcuni campioni in laboratorio. La faccio uscire, una volta ogni tanto. Quando non mi riempi l'obitorio di cadaveri.»

«Chiedo umilmente scusa. Dimmi di più su Sally Dent. Avevi scoperto qualcosa sul suo sangue, mi pare di ricordare.»

«Sì, che non era il suo. Era coperta del sangue di qualcun altro.»

«Hai scoperto di chi era?»

Cadwallader scosse il capo. «Ci abbiamo provato, ma è di un tipo molto comune. 0 Rh positivo. Ho mandato un campione per l'analisi del DNA, ma a meno che tu non conosca qualcuno che ne abbia perso un bel po' di recente, ci vorrà del tempo per trovare a chi appartiene.»

Qualcuno che ne abbia perso un bel po' di recente. Un pensiero orribile, impossibile attraversò la mente di McLean. «Che ne dici di Jonas Carstairs?»

«Che cosa? Pensi che quella donnetta magrolina lì dentro» Cadwallader indicò le file di celle frigorifere «abbia potuto tenere fermo e sventrare un uomo forte e in salute come Carstairs?»

«Era anziano, non poteva essere poi così forte.» Mentre parlava,

McLean si rese conto di non aver ancora letto neanche il rapporto sulla morte di Carstairs.

«Era in forma come un atleta. Doveva seguire questo regime a base di yoga e muesli che va così di moda oggigiorno.» Il patologo si voltò verso il computer, fece qualche clic per aprire il rapporto e lo lesse. «Ecco. Analisi del sangue ritrovato su capelli e mani di Sally Dent.» Con un altro clic aprì un'altra finestra. «Campioni di sangue di Jonas Carstairs... Buon Dio!»

McLean guardò il rapporto sullo schermo, senza capire davvero cosa dicesse. Il medico legale si voltò lentamente. «Sono uguali.»

«Lo stesso tipo?»

«No, lo stesso sangue. Identico. Farò il test del DNA per accertarmene, ma tutti i marker sono uguali.»

«Fai comunque il test, per favore.» McLean si appoggiò alla scrivania, tentando di capire cosa avrebbe ricavato da tutte quelle informazioni contrastanti. Opus Diabuli. L'opera del diavolo. Niente di bello, sicuramente.

«Hai ancora il corpo di Andy Peters?» chiese.

Cadwallader annuì. «Una seccatura. Avrebbe dovuto essere spedito giù a Londra la settimana scorsa, ma questo furto ha incasinato tutti i programmi. Sono ancora in attesa che se lo vengano a prendere.»

«Il sangue che aveva addosso?»

«Si è tagliato la gola, Tony. Ne era ricoperto.»

«Sì, ma era tutto suo?»

«Direi di sì. L'abbiamo ripulito. O meglio, Tracy l'ha ripulito. Non mi ha detto di aver trovato nulla di strano. Dove vuoi arrivare, Tony?»

«Non ne sono sicuro. O almeno, non credo di voler esserne sicuro. Senti, Angus, puoi farmi un grosso favore?»

«Dipende. Se vuoi che ti sostituisca in occasione di un'altra delle splendide *soirée* dell'ispettore capo, scordatelo.»

«No, niente del genere. Mi chiedevo se potevi dare un'altra occhiata a Andy Peters.»

«L'ho esaminato accuratamente.» Il medico legale sembrò un po' piccato, ma McLean sapeva che stava solo facendo scena.

«Lo so, Angus, ma stavi analizzando un suicida. Vorrei che lo esaminassi come se sapessi di trovarti di fronte la vittima di un omicidio.»

52

L'ispettore capo Duguid stava aspettando nella piccola centrale operativa seduto sulla sedia di Bob il Burbero, intento a osservare le foto appese alla parete. McLean quasi si nascose dietro la porta quando lo vide, poi però si fece coraggio ed entrò.

«Posso aiutarla, signore?»

«Pensavo che ti avessero dato del tempo libero.»

«Io invece ho pensato che avrei potuto occupare meglio il mio tempo acchiappando criminali, signore. Si ricorda come si fa, vero?»

«Non mi piace il tuo tono, McLean.»

«Non sono felice neanch'io, soprattutto quando la gente tenta di uccidermi. Ma si sa, tutti abbiamo i nostri problemi. Per cosa voleva vedermi?»

Duguid si alzò, con un'espressione cupa. «Non sapevo neanche che ti trovassi in centrale. Cercavo quel tuo giovane detective, Mac qualcosa. Ha detto di avere una pista sulla fuga di notizie. Ha parlato di qualche sito Internet…»

«A cosa le serve, signore?»

«A cosa mi servirà, McLean? Come ti aspetti che possa indagare sull'omicidio Carstairs se non collabori? Trovare quella talpa è una delle piste principali che abbiamo.»

L'unica pista che hai è venire qui a fare il prepotente con la mia squadra, pensò McLean. Non se la sentì di dirgli che l'assassina che cercava giaceva morta in obitorio. Che Cadwallader facesse le analisi del DNA, prima, poi ci avrebbe pensato lui a comunicarglielo. Non voleva prendersi alcun merito per quella scoperta, se farlo avesse significato inimicarsi Duguid ancora di più. Aveva già commesso più volte l'errore di risolvere i casi assegnati all'ispettore capo.

«Il detective MacBride ha trovato un sito dove la gente pubblica e commercia immagini raccapriccianti, comprese fotografie di scene dei crimini, signore. Sembra che sulla rete ci sia una nutrita schiera di amanti dell'orrido. Ho riconosciuto alcune foto scattate nello studio di Barnaby Smythe.»

«Quindi chi ha ucciso Carstairs potrebbe essere un utente regolare. E se avesse deciso di mettere in atto le sue fantasie malate? Cristo, ne avevamo proprio bisogno.» Duguid si massaggiò le tempie. «Quindi, chi è? Chi posta quelle immagini e alimenta simili idee perverse?»

«Non lo so, signore.»

«Ma hai un sospetto, non è vero, McLean? So come lavora il tuo cervello.»

«Devo fare alcuni controlli, prima, signore. Prima di…»

«Stronzate, ispettore. Se hai un sospetto, allora condividilo. Non possiamo cazzeggiare. Là fuori c'è un assassino che probabilmente si sta scegliendo la prossima vittima.»

No, non c'è. Le vittime sono tutte morte. È riuscito a mettere al sicuro il suo piccolo segreto, anche se solo Dio sa come ha fatto. Quel sito è solo un depistaggio.

«Non credo si debba avere fretta, signore.» McLean scelse le parole con attenzione. Se aveva ragione ed Emma aveva davvero postato in rete quelle foto, voleva essere lui a prenderla. Cosa avrebbe fatto se avesse trovato una conferma ai suoi sospetti, ancora non lo sapeva.

«Stai proteggendo questa persona, vero, ispettore? Vuoi tenerti per te tutta la gloria?» Duguid gli passò accanto e uscì dalla stanza. «O c'è qualcos'altro?»

McLean lo guardò allontanarsi, poi prese il telefono e tentò di chiamare. Non funzionava. Estrasse il cellulare dalla tasca e provò ad accenderlo. Niente. Maledizione. Se Cadwallader sapeva della sua cena con Emma, sicuramente anche Poldo ne era al corrente e non gli ci sarebbe voluto molto a fare due più due; dopotutto era un detective, anche se a volte era difficile crederlo. Riguardò il telefono. Doveva davvero avvertirla che era tra i sospettati? Sì, doveva. Se era colpevole, avrebbero tentato di accusarla di concorso in omicidio. Anche se l'accusa non avesse retto, avrebbero dato il suo nome in pasto ai media. A essere sincero, non avrebbe voluto farsi infangare insieme a lei, ma non avrebbe neanche voluto che tutto quello accadesse a un'amica.

Corse fuori dalla stanza alla ricerca di un telefono e quasi si scontrò con il detective MacBride, che correva lungo il corridoio in direzione opposta.

«Maledizione. Che succede?»

«L'hanno trovato, signore.» Il viso di MacBride era rosso per l'eccitazione.

«Trovato cosa?»

«Il furgone, signore. Quello che ha ucciso Alison.»

Forti venti di cambiamento erano soffiati su Edimburgo negli ultimi anni, avevano fatto piazza pulita dei vecchi edifici, dei magazzini, delle aree di smistamento merci e delle case cadenti; al loro posto sorgevano nuove aree, centri benessere, appartamenti di lusso e centri commerciali. Ma c'erano alcune zone che resistevano ancora a questa nuova urbanizzazione, con tutta la grazia di un dito medio alzato. Newhaven si ergeva ancora a baluardo contro le forze del progresso, resistendo laddove Leith e Trinity avevano ceduto. La baia meridionale del Firth of Forth, spazzata dal vento, era troppo tetra per accogliere nuovi venuti e l'area era degradata per la presenza delle industrie.

McLean guardava fuori dal finestrino mentre MacBride attraversava il cancello spalancato di un complesso abbandonato. C'erano già due auto della polizia in attesa. Parcheggiarono accanto al furgone della scientifica e McLean sperò che ci fosse Emma. Se fosse riuscito a trovare un attimo per parlarle in privato, avrebbe potuto scoprire la verità su quelle foto; avvertirla, se necessario. Tuttavia, si sorprese anche a sperare che ci fosse per un semplice piacere personale. Non si ricordava quando era stata l'ultima volta che aveva provato una sensazione del genere nei confronti di qualcuno.

Un tempo quei magazzini contenevano forse qualcosa di valore, ma oggi il tetto era crollato e sotto le travi di ferro c'erano solo ruggine e colonie di piccioni. Perfino d'estate, dopo giorni e giorni di caldo torrido, il pavimento di cemento era coperto da pozze di acqua putrida. In inverno, quando il vento orientale soffiava dal Mare del Nord, quel posto doveva essere davvero accogliente. Un tanfo ripugnante riempiva l'aria; puzzo di carcasse marce e fumo, mescolato a escrementi di uccelli e al sentore di sale proveniente dal mare. Al centro del magazzino, circondato da agenti della scientifica, c'era il furgone Transit.

Sembravano tutti uguali, si disse McLean mentre si avvicinava. Ma qualcosa, in quel particolare furgone, gli dava la certezza che fosse proprio quello che aveva visto sgommare via dal Pleasance, diretto a Holyrood. Mancavano i cerchioni. Quasi sicuramente erano spariti anche i numeri di telaio. Eppure aveva un segno particolare: una lunga ammaccatura sul cofano, nel punto esatto dove era stata spezzata una giovane, promettente vita.

Osservò il furgone, tenendosi a distanza per evitare di contaminare la scena. Un agente della scientifica in tuta bianca si chinò vicino al mezzo, prelevando un campione della vernice scrostata con un paio di pinzette. Vedendo il lampo di un flash McLean si voltò, aspettandosi di trovarsi davanti Emma. Dietro la macchina fotografica, però, c'era un altro tecnico. Malky, il fotografo della scena del crimine a Farquhar House. Il tizio che profumava di sapone e riteneva che i pensieri negativi potessero risucchiare energia dai cellulari.

«Emma Baird non c'è?»

«Sta lavorando a un altro caso.» L'accento era di Glasgow, ma più colto di quello di Fergus McReadie.

«Tu devi essere Malky» disse McLean. Subito, però, si accorse di aver commesso un errore. Il viso dell'uomo si contorse in una maschera di disgusto da far sembrare un chierichetto l'ispettore capo Duguid.

«Malcolm, veramente. Malcolm Buchanan Watt.»

«Scusami, Malcolm, è solo che…»

«So come mi chiamano gli altri alla scientifica, ispettore. Mostrano la stessa incuria verso i dettagli anche in molti altri aspetti del loro lavoro. Farebbe meglio a ricordarselo la prossima volta che lavorerà con gente come la signorina Baird.»

«Suvvia, Malcolm, Emma è una professionista, proprio come te.»

Il fotografo non si disturbò a rispondere e continuò a scattare fotografie. McLean scosse la testa. Perché la gente era così permalosa? Stava per andare dall'altra parte del furgone, dove la portiera che dava sul mare era aperta, quando udì una voce familiare.

«Grazie al cielo. Un detective, finalmente.» Big Andy Houseman sorrise. «Sono contento che sia venuto lei, signore. Vogliamo tutti risolvere questo caso.»

«In realtà io non sono qui, Andy. Tu non mi hai mai visto, ok?»

«Che cosa? Non mi dica che affideranno anche questo caso a Poldo!»

«Sono una delle vittime anch'io, Andy. Non posso venire coinvolto.» McLean allargò le braccia, impotente, anche se condivideva la frustrazione del sergente. «Cosa abbiamo?»

«Un tizio stava portando in giro il cane sulla spiaggia, ha visto il furgone e ha chiamato. Un paio di agenti lo stanno interrogando dall'altra parte della strada, ma credo che non ci dirà niente. Anche se avesse visto qualcosa.»

«E il furgone? L'avete identificato?»

«Ci stiamo lavorando, signore. Ma da quello che vedo è stato ripulito in maniera professionale. Niente cerchioni, niente numeri di serie.»

«Come sapete che è quello che ha investito Alison?»

«Non lo sappiamo. Non per certo, almeno. Ma è probabile. Il cofano è ammaccato come se avesse colpito qualcosa. Lei è il testimone più attendibile che abbiamo, ma sappiamo che era un Transit. La scientifica ci sta lavorando, ma scommetto la paga di un anno che è quello giusto.»

«Qualche speranza di trovare impronte? Identificare chi lo guidava?»

«Possiamo fare di meglio. Abbiamo un corpo. Da questa parte.» Big Andy condusse McLean dall'altra parte del furgone. Una figura familiare era chinata su qualcosa di nero e carbonizzato. Angus Cadwallader si alzò, stirando i muscoli della schiena.

«Se continuiamo a incontrarci con questa frequenza, Tony, mi toccherà presentarti mia madre.»

«L'hai già fatto, Angus. A quella festa a Holyrood, ricordi? Cos'abbiamo, qui?»

Cadwallader riportò la propria attenzione all'oggetto del suo esame, indicando con un dito guantato quello che sembrava un tappeto arrotolato e mezzo bruciato posato all'interno del furgone. Il metallo era coperto di cenere oleosa. Fu sufficiente; dall'odore, McLean aveva già capito di cosa si trattava. «Non tanto "cosa abbiamo"» disse il medico legale, «quanto "chi abbiamo".»

53

Cadwallader aveva promesso che avrebbe fatto un esame preliminare del corpo non appena fosse tornato in obitorio. Quello, e la notizia che l'ispettore capo Duguid stava arrivando sulla scena, non lasciavano a McLean altra scelta se non andarsene. Fece guidare nuovamente il detective MacBride e rimase a osservare la città scivolargli accanto mentre avanzavano nel traffico, in direzione della centrale.

«Credi nei fantasmi, detective?» chiese, mentre erano fermi a un semaforo.

«Come quelli della televisione, dove la tizia se ne va in giro con una telecamera che fa sembrare tutto verde? No. Direi di no. Mio zio giura di averne visto uno, una volta, pensi.»

«E ai demoni? Al diavolo?»

«No. È solo roba inventata dai preti per farti rigare dritto. Perché? Crede che possano avere qualcosa a che fare con i nostri casi, signore?»

«Gesù, no. La vita è già abbastanza complicata solo con i criminali normali. Non voglio pensare anche di dover arrestare qualche abitante dell'inferno. Ma Bertie Farquhar e i suoi amici ci credevano davvero, tanto da uccidere quella ragazza. Che cos'è che rende un uomo così sicuro di qualcosa, e perché fare una cosa simile? Cosa speravano di ottenere?»

«Ricchezza? Immortalità? Non è questo che la gente vuole, di solito?»

«Allora non ha funzionato così bene.» Solo fino a un certo punto, in realtà. Tutti gli uomini coinvolti erano favolosamente ricchi e di successo e nessuno di loro è morto per cause naturali. Cos'aveva detto Angus su Smythe? Polmoni che avrebbero messo in imbarazzo un adolescente. E non aveva detto che anche Carstairs era in forma perfetta? Era davvero tutta autosuggestione o c'era qualche altra forza all'opera?

Procedevano a passo d'uomo nel traffico. Dall'altra parte della strada, gli edifici cadenti di quella zona povera della città si susseguivano con i loro muri sporchi, macchiati. Finestre luride davano su banchi dei pegni e negozi di *fish and chips* che probabilmente avrebbero provocato una bella intossicazione a chi non era cresciuto in quel quartiere. Lo sguardo di McLean cadde su una porta dall'aria familiare, con un cartello dove c'era scritto: LETTURA DELLA MANO. TAROCCHI. PREVISIONI DEL FUTURO.

«Accosta, detective. Parcheggia da qualche parte.»

MacBride fece come gli era stato ordinato, con gran disappunto delle auto dietro.

«Dove andiamo?» chiese. McLean indicò dall'altra parte della strada.

«Ho voglia di farmi leggere la mano.»

Madame Rose aveva appena finito con una cliente; una donna di mezz'età dall'aria sconcertata e i capelli raccolti in un foulard. Teneva sottobraccio la borsetta, dalla quale aveva attinto da poco. McLean alzò un sopracciglio ma non disse nulla mentre venivano accompagnati allo studio, sul retro dell'edificio.

«La signora Brown viene a trovarmi spesso da quando le è

morto il marito. Saranno tre anni, ormai. Viene una volta ogni due mesi, all'incirca.» Madame Rose liberò due poltrone occupate dai gatti e fece cenno di accomodarsi, prima di sedersi a sua volta. «Non posso fare niente per lei. Parlare con i morti non fa per me e ho la sensazione che il suo Donald non abbia comunque niente da dirle. Ma non posso impedirle di consegnarmi i suoi soldi, no?»

McLean sorrise. «Ecco che mi conferma che è tutta una messinscena.»

«Oh, no.» Madame Rose si portò una mano ingioiellata all'enorme, anche se fasullo, petto. «Credevo che proprio lei, fra tutti, avrebbe capito, ispettore. Con il suo passato…»

Il sorriso scomparve rapidamente come era arrivato. «Non capisco cosa intenda.»

«Eppure, eccola qui. È venuto da me per chiedere il mio parere sui demoni. Di nuovo.»

Forse non era stata una grande idea, dopotutto. McLean sapeva che erano tutte sciocchezze per i creduloni, ma doveva ammettere che la recita di Madame Rose era assolutamente convincente. Ancora una volta, il suo passato era diventato di dominio pubblico, per quanto desiderasse il contrario. Sapeva che faceva tutto parte dello spettacolo: conoscere una persona abbastanza bene da poterla mettere in imbarazzo. In quel modo, il malcapitato non avrebbe fatto attenzione a quello che accadeva intorno a lui. Avrebbe avuto difficoltà a seguire il copione che si era preparato.

«Sembra quasi che ci stesse aspettando.»

«Stavo aspettando lei, ispettore.» Madame Rose piegò la testa da un lato. «Ammetto che non ho visto il suo giovane amico, quando ho letto le carte.»

Probabilmente sarebbe stato più semplice chiedere quello che voleva sapere, senza che ci fosse lì MacBride. McLean dovette costringersi a non agitarsi sul posto come uno scolaretto che non osa chiedere il permesso per andare in bagno.

«Vuole sapere se esistono davvero. I demoni.» Madame Rose lo tolse d'impaccio ponendo la domanda al posto suo e rispondendo altrettanto velocemente: «Venga. Le mostro una cosa».

Si alzò, attirandosi gli sguardi incuriositi dei gatti. McLean la seguì ma, quando anche MacBride si alzò, Madame Rose lo fece rimanere seduto con un cenno.

«Non tu, caro. Questo è solo per l'ispettore. Resta qui e tieni d'occhio i miei tesorini.»

Come se gliel'avessero ordinato, uno dei gatti saltò in grembo a MacBride. Lui allungò una mano per allontanarlo, ma l'animale si strofinò a lui, facendo le fusa.

«Resta qui, detective. Non ci vorrà molto.» McLean seguì Madame Rose fuori dallo studio, passando da una porta diversa da quella da cui erano arrivati. Entrarono in un magazzino strapieno di libri, impilati su scaffali allineati alle pareti e sul pavimento. L'unico spazio libero era uno stretto corridoio, grande a malapena per la chiaroveggente, figurarsi per due persone. Si ritrovarono così molto vicini l'uno all'altra, scomodi, respirando aria che sapeva di carta vecchia e cuoio e che lo rendeva nervoso. Non amava molto i negozi di libri antichi e quella stanza ne rappresentava l'essenza.

«È a disagio circondato dalla conoscenza, ispettore McLean?» Madame Rose abbandonò il tono mistico che riservava ai clienti, facendo trapelare il vocione roco del travestito. «Ma anche lei è stato toccato dai demoni.»

«Non sono venuto qui per farmi leggere la mano, Madame Rose, o Stan, o come si chiama.» McLean voleva uscire da lì, ma le pile di libri lo intrappolavano. Madame Rose era così vicina a lui che poteva vederle i pori della pelle. Era un uomo e lo stava prendendo in giro. Che cazzo ci faceva lì?

«No. È venuto qui per imparare qualcosa sui demoni. E io l'ho portata qui perché ho capito che non vuole dar voce alle sue preoccupazioni di fronte al suo giovane detective.»

«I demoni non esistono.»

«Oh, credo che entrambi sappiamo che non è vero. E che si manifestano in molte forme.»

Madame Rose prese un pesante libro da uno scaffale e lo cullò tra le braccia come un bambino, mentre sfogliava le pagine rinsecchite. «Non tutti i demoni sono mostri malvagi, ispettore, e alcuni vivono solo nella nostra mente. Ma ce ne sono molti altri, creature rare che si spostano fra noi, che ci influenzano e, sì, ci esortano a fare cose terribili. Non che non si possano fare cose terribili senza il loro aiuto. Ecco.» Gli mostrò le pagine del libro. Si era aspettato un vecchio tomo, scritto a mano in latino, con grafia elegante. In realtà sembrava un po' un annuario scolastico che, a uno sguardo più approfondito, pareva ritrarre solo uomini di mezza età. Un viso in particolare spiccava più degli altri, anche se era più giovane di quello dell'uomo che conosceva. Il solo vederlo fu sufficiente a fargli salire un brivido lungo la schiena. Chiuse il libro di botto, lo ridiede a Madame Rose e fece per andarsene. Una mano pesante sul braccio lo fermò.

«So che cosa le è successo, ispettore. Non siamo una comunità numerosa, noi chiaroveggenti e medium della città, ma tutti conosciamo la sua storia.»

«È stato tanto tempo fa.» McLean si divincolò, ma la stretta di Madame Rose era forte.

«È stato toccato da un demone.»

«Donald Anderson non è un demone. È un bastardo che merita di marcire in galera per il resto dei suoi giorni.»

«Era un uomo, ispettore. Era come me, sotto molti aspetti. Più interessato ai vecchi libri che a qualsiasi altra cosa. Ma è entrato in contatto con un demone ed è cambiato.»

«Donald Anderson era uno stupratore bastardo assassino, fine della storia.» McLean si liberò e fissò Madame Rose. La rabbia lo sopraffece. Già doveva fare i conti tutti i giorni con gente come Poldo, ma quello era troppo. Non era per quello che era andato lì. Anzi, per quale motivo era andato lì, esattamente?

«Forse. Ma non si può mai dire, con i demoni.»

«Basta così. Non sono venuto qui per parlare del maledetto Donald Anderson e non mi interessa se i demoni esistono o meno. Voglio solo sapere cosa pensavano di ottenere quegli uomini. Cosa ci avrebbero guadagnato uccidendo in un rituale una giovane donna?»

«Una giovane donna?» Madame Rose alzò un sopracciglio. «Una vergine, non ho dubbi. Cosa ci avrebbero guadagnato? Credo che l'unico limite fosse rappresentato dalla loro immaginazione.»

«Quindi immortalità, ricchezza e cose così.» McLean ricordò cosa aveva detto MacBride poco prima.

«Sì, di solito è così. Gliel'ho detto, l'unico limite era la loro immaginazione.»

«E di solito com'è che vanno storte, queste cose?»

«Non c'è un "di solito", ispettore. Stiamo parlando di demoni.» Madame Rose si corresse. «O, almeno, di persone che credono fermamente di avere a che fare con i demoni. La procedura classica prevede che la persona che invoca il demone stia all'interno del circolo, per proteggersi mentre inoltra le sue richieste. Dopo che ha rimandato l'entità dall'inferno dal quale è sbucata, può lasciare il circolo e tornare nel mondo reale. Di solito la cerimonia va storta quando qualche altro idiota invoca lo stesso demone poco tempo dopo. Vede, i demoni hanno la memoria lunga, ispettore, e non gli piace essere comandati a bacchetta.»

«All'interno del circolo c'era il corpo» disse McLean.

«In questo caso hanno tentato di legare il demone alla ragazza. Il che va benissimo, fintanto che il circolo resta chiuso.»

McLean si immaginò la scena. Un muro abbattuto dagli operai. Calcinacci sparsi sul pavimento, sui simboli. «E se venisse rotto?»

«Be', in questo caso avremmo un demone che non solo è incazzato per essere stato invocato, ma che è rimasto intrappolato per anni, forse decenni. Come pensa che si sentirebbe?»

54

L'obitorio era sempre un posto tranquillo. Ma nel turno del pomeriggio tutto sembrava in qualche modo diverso, come se avessero aspirato via i suoni. Perfino i suoi passi sul linoleum suonavano distanti, mentre si avvicinava all'ufficio di Cadwallader. Forse, però, era solo suggestionato dall'incontro con Madame Rose. Il dottore non si vedeva da nessuna parte e la sua assistente era occupata a scrivere al computer, con le cuffie alle orecchie.

«Ehi, Tracy!» McLean bussò sullo stipite della porta, forse un po' troppo forte, per non spaventare la donna. Lei sobbalzò leggermente.

«Ispettore. Che sorpresa.»

McLean sorrise del tono sarcastico che percepì nella sua voce. «C'è il dottore?»

«Si sta facendo una doccia.» Qualcosa, nel modo in cui lo disse, fece pensare a McLean che Tracy avrebbe voluto condividere quel momento. Era strano: Cadwallader poteva essere suo padre. Cercò di scacciare l'immagine di loro due insieme.

«Giornataccia, in ufficio?»

«Brutta storia, i corpi bruciati non sono mai belli da vedere.»

«Ha finito, quindi?» McLean fu sollevato nel sapere che non avrebbe dovuto guardare.

«Già. Ecco perché la doccia. Sto copiando gli appunti al computer. Non è stato bello.»

«Perché?»

«È morto bruciato, immagino che non sia stato divertente. Ustioni di terzo grado sull'ottanta per cento del corpo; ferite ai polmoni provocate dall'inalazione del fuoco. Almeno era abbastanza ubriaco da non sentire troppo dolore. Lo spero per lui, insomma.»

«Ubriaco?»

«Il livello di alcol nel sangue era uno virgola otto per cento. Sufficiente a renderlo incosciente.»

«Ora della morte?»

«È ancora difficile saperlo con certezza, ma sono passati sicuramente giorni, non ore.»

McLean riportò la mente a quando aveva visto il furgoncino. Ci poteva stare. «Caratteristiche identificative? Ci stiamo avvicinando a qualcosa?»

«La fortuna ci ha dato una mano.» Tracy si alzò e si diresse al bancone verso la parete opposta dell'ufficio. Su un carrello d'acciaio immacolato c'era una serie di oggetti anneriti dal fuoco, tutti chiusi in sacchetti di plastica. «Abbiamo trovato questo portafoglio nella sua tasca interna. È bello bruciacchiato, fuori, ma il cuoio fatto come si deve sopporta un bel po' di fuoco. La patente e le carte di credito sono a nome di Donald R. Murdo.»

«Il signor McAllister è in riunione, ispettore. Non può entrare.»

McLean non era dell'umore giusto per aspettare. Oltrepassò la segretaria e spalancò la porta dell'ufficio di McAllister. Lo vide seduto all'angolo opposto della scrivania, immerso in una conversazione con un uomo d'affari in abito grigio che, in quella situazione, sembrava fuori posto come una suora in un bordello. Entrambi lo fissarono; l'uomo d'affari con lo sguardo spaventato di uno studentello beccato a fumare sul retro della scuola, McAllister con un lampo di furia negli occhi, che però svanì quasi subito.

«Ispettore McLean. Questa sì che è una sorpresa.»

«Signor McAllister, sono spiacente. Ho cercato di fermarlo…»

«Calmati, Janette. La mia porta è sempre aperta per i tutori della legge di Edimburgo.» McAllister si rivolse all'uomo d'affari, che a quelle parole sembrava ancora più spaventato. «Signor Roberts, penso che sia tutto in ordine, adesso, non crede?»

Roberts annuì senza dire nulla, poi raccolse le sue carte dalla scrivania, infilandole in fretta in una valigetta di pelle. Di tanto in tanto gettava un'occhiata a McLean, senza mai incontrare il suo sguardo. Dopo quelli che sembrarono diversi minuti, ma che in realtà erano solo pochi secondi, si infilò la valigetta ancora aperta sottobraccio, annuì rapidamente in direzione di McAllister e corse via.

«A cosa devo questa piacevole sorpresa, ispettore? È venuto a dirmi che posso ricominciare a lavorare alla casa di Sighthill? Solo che è troppo tardi. L'ho appena venduta al signor Roberts. Anzi, alla compagnia che rappresenta. Ci ho fatto un buon profitto, fra l'altro.»

«Anche se è stata il sito di un brutale omicidio?»

«Oh, sospetto che sia stato proprio per questo, ispettore. Il compratore era ansioso di conoscere tutti i dettagli che potessi fornirgli.»

McLean sapeva che McAllister stava cercando di pungolarlo per spingerlo a chiedergli chi fosse il compratore, per poi fingere che fossero informazioni riservate e rifiutarsi di rivelarglielo. Inutile, peraltro, dato che aveva scorto un logo in bella vista sui fogli che Roberts si era infilato nella valigetta. Non era certo difficile riprodurlo e trovare qualcuno che l'avesse riconosciuto.

«Abbiamo trovato qualcosa che le appartiene» disse invece.

«Ah, sì?» McAllister si rilassò sulla sedia. Non aveva invitato McLean a sedersi.

«Un furgone Transit bianco. Be', bianco lo era un tempo. Per lo più adesso è nero.»

«Un Transit? Non li usiamo, ispettore. Mio fratello gestisce la filiale Fiat qui in città, mi fornisce una splendida batteria di Ducato. Non sapevo di averne perso uno.»

«Questo furgone è stato coinvolto in un incidente con omissione di soccorso. È salito sul marciapiede davanti al Pleasant e ha investito un'agente di polizia. È morta due giorni fa. Si ricorda dell'agente Kydd, signor McAllister?»

«Mi faccia indovinare. La ragazza carina che era con lei l'ultima volta che è stato qui? Oh, che tragedia, ispettore.» L'ipocrisia di McAllister avrebbe fatto arrossire il più infido dei politici. Poi il viso gli si indurì. «Mi sta accusando di avere qualcosa a che fare con tutto ciò, ispettore?»

«Dov'è Murdo?» chiese McLean.

«Donnie? Non ne ho idea. Non ha più lavorato per me dall'ultima volta che è passato. Abbiamo discusso aspramente sulla casa di Sighthill. L'ho licenziato.»

McLean si sentì cadere le braccia. Ne era stato così sicuro, e adesso aveva la terribile sensazione di aver fatto la figura dell'idiota.

«L'ha licenziato? Perché?»

«Se proprio vuole saperlo, be', assumeva immigrati clandestini a nero. Pagava in contanti, senza fare domande.» Gli occhi di McAllister furono pervasi dalla rabbia che in precedenza era riuscito a tenere a freno. «Io non conduco così i miei affari. Non l'ho mai fatto e mai lo farò. La reputazione che mi sono costruito è tutto ciò che ho. Se chiede in giro se ne accorgerà. Dalla polizia non ho avuto altro che fastidi da quando ho denunciato il ritrovamento di quel corpo, e adesso lei viene da me con le sue insinuazioni prive di fondamento. Ha qualche prova? No, ovviamente no. Altrimenti mi arresterebbe. Non ha un cazzo, solo mezze teorie, e ha osato venire qui a infangare il mio buon nome. Mi assicurerò di inoltrare un reclamo al suo superiore. Ora, se non le dispiace, ho del lavoro da fare.»

55

Quando McLean entrò dal retro, si accorse che la centrale era immersa nel silenzio: un ambiente perfetto per il suo umore nero. Passare per un idiota riusciva a farlo imbestialire all'istante. Una ragazza dello staff gli comunicò che l'ispettore capo Duguid aveva indetto una riunione, poi scappò via con aria terrorizzata. Apparentemente, aveva detto, c'erano nuove prove che potevano dare una svolta fondamentale all'indagine. Impressionato dalla velocità con cui Cadwallader, o più probabilmente Tracy, aveva ottenuto i risultati delle analisi del sangue, si diresse verso la sua piccola centrale operativa per non farsi vedere. Ma non gli servì a nulla. Il sovrintendente capo McIntyre lo stava già aspettando.

«Com'è che sapevo che saresti venuto qui, invece di andare a casa?»

«Signora?»

«"Signora" un accidente, Tony. Ho appena avuto una conversazione telefonica con un gentiluomo molto adirato di nome McAllister. Sembra che uno dei miei uomini abbia fatto irruzione nel suo ufficio e l'abbia molestato verbalmente.»

«Io...»

«Quale parte della frase "stai fuori da questa indagine" non capisci?»

«Signora, io…» McLean tentò di far ragionare il sovrintendente capo, prima che perdesse del tutto le staffe. Un po' come prendere una tigre per la coda.

«Non ho ancora finito. Che diavolo ci facevi da McAllister? Che cosa c'entra lui con la ragazzina scomparsa?»

«Lui…»

«Niente. Ecco cosa. Assolutamente niente. Già non mi va bene che tu ci sia andato. Ma cosa diavolo ci facevi attorno a un furgone bruciato a Newhaven? E hai anche stressato Angus Cadwallader per identificare l'autista!»

«Mi dispiace, signora. Era il furgone che ha investito l'agente Kydd. Dovevo vederlo.»

«Sei una vittima in questo crimine, Tony. Non puoi partecipare alle indagini. Sai bene cosa farebbe un avvocato difensore anche solo decente, se lo scoprisse. Cristo santissimo, non bastava che dessi la caccia a McReadie.»

La McIntyre si sedette sul tavolo, sospirò profondamente e si premette i palmi delle mani sugli occhi. Aveva l'aria stanca e McLean immaginò che tipo di vita doveva condurre. A lui sembrava un lavoro immane soltanto organizzare gli orari della sua piccola squadra; lei, invece, doveva farlo per tutta la centrale, coordinando al contempo chissà quante indagini. Per non parlare del fatto che aveva appena perso un agente e c'era qualcuno che postava foto delle scene del crimine su Internet. Le stava rendendo la vita ancora più difficile.

«Mi dispiace. Non avevo intenzione di darle dei problemi.»

«Il potere comporta delle responsabilità, Tony. Ti ho raccomandato per la promozione a ispettore perché credevo fossi abbastanza responsabile per questo lavoro. Ti prego, non farmene pentire.»

«Non lo farò. E mi scuserò di persona con Tommy McAllister. È stato un mio errore. Mi sono fatto prendere dalle emozioni.»

«Fra un paio di giorni, ok? Vai a casa.»

«E Chloe?» McLean avrebbe voluto cucirsi la bocca, ma ormai era troppo tardi. La McIntyre lo guardò con un misto tra incredulità e disperazione.

«Non sei l'unico poliziotto che la sta cercando, sai? Stiamo interrogando i soliti sospetti e lavorando sulle registrazioni delle telecamere, per identificare quell'auto. La troveremo. E comunque il caso è di Bob. Lascia che se la sbrighi lui.»

«È solo che mi sento inutile.»

«Allora vai a parlare con la madre. È una tua amica. Magari puoi convincerla che qui stiamo facendo il possibile.»

Era tardo pomeriggio, nel pieno del festival, eppure il negozio era chiuso. McLean sbirciò dalla vetrina cercando di capire se dentro c'era qualcuno, ma sembrava tutto deserto. Accanto, una porta conduceva agli appartamenti al piano di sopra e su uno dei campanelli c'era il nome SPIERS. Suonò e, dopo qualche istante, una voce metallica rispose: «Sì?».

«Jenny? Sono Tony McLean. Posso salire?»

La porta si aprì. A differenza di quello del suo condominio, l'ingresso non puzzava di piscio di gatto. Il pavimento era pulito e qualcuno aveva messo dei vasi di fiori sui davanzali delle finestre, che davano su un giardino interno.

Jenny era in piedi sulla soglia dell'appartamento, il viso una maschera di apprensione. Indossava una vestaglia sopra una lunga camicia da notte ed era scalza. I capelli erano arruffati, gli occhi cerchiati di rosso e infossati.

«L'avete trovata?» La sua voce era un sussurro, pieno di speranza e paura.

«Non ancora, no. Posso entrare?»

Jenny si spostò e lo fece entrare nel piccolo ingresso. McLean si guardò intorno e notò il disordine. Si rese conto di quanto il caos potesse precipitare in fretta su una famiglia devastata. Voltandosi vide che Jenny guardava ancora fuori dalla porta, come se sperasse che la figlia l'avesse seguito su per le scale.

«La troveremo, Jenny.»

«Davvero? Lo farete veramente o me lo dici solo per tentare di confortarmi?» La voce di Jenny si indurì, la rabbia cominciò a trasparire. Chiuse la porta e andò in cucina. McLean la seguì.

«L'abbiamo individuata grazie ad alcune telecamere a circuito chiuso mentre percorreva Princes Street dopo lo spettacolo» disse McLean. Jenny aveva cominciato a preparare il caffè, ma si fermò e si voltò a guardarlo.

«Doveva prendere un taxi.»

«È un'adolescente. Scommetto che sono anni che risparmia i soldi che le dai per il taxi.»

«Che è successo? Dov'è andata?»

«Le si è avvicinata una macchina. Si è messa a parlare con il tizio che guidava, poi è salita. Crediamo che l'abbia conosciuto su Internet.»

Jenny si premette forte le mani sul viso, lasciandosi dei segni bianchi sulle guance. «Oh, mio Dio. È stata rapita da un pedofilo. La mia bambina!»

McLean si avvicinò, prendendole le mani e allontanandogliele dal viso. «Ci siamo vicini, Jenny. Abbiamo parte del numero di targa e il modello dell'auto. La stiamo cercando.»

«Ma la mia bambina… È… Lui…»

«Ascoltami, Jenny. Lo so che è una cosa terribile. Non ti mentirò al riguardo. Ma abbiamo un sacco di informazioni su cui lavorare. Ed è stata una cosa pianificata, non è successo per caso. Il che è una cosa buona.»

«Buona? Come può essere una cosa buona?»

McLean si maledisse per essere stato così insensibile. Non c'era niente di buono in quella situazione, che era solo meno peggio del previsto.

«Significa che chiunque sia stato, vuole Chloe viva.» Per adesso, almeno.

Il telefono squillò proprio mentre stava infilando le chiavi nella serratura. McLean considerò la possibilità di lasciar partire la segreteria, perché l'ora che aveva passato a tentare di calmare Jenny Spiers l'aveva esaurito. Poi si ricordò che il nastro era ancora nel cassetto della scrivania. Si affrettò a entrare e riuscì a rispondere appena in tempo.

«McLean.»

«Ah, signore. Felice di averla trovata in casa. Sono il detective MacBride.»

«Che posso fare per te, detective?»

«Si tratta di Pol… ehm, dell'ispettore capo Duguid, signore.» Quasi sicuramente MacBride si trovava in compagnia di agenti anziani.

«Che ha fatto, stavolta?»

«Si è presentato negli uffici della scientifica con un mandato di perquisizione. Ha preso con sé tutti i ragazzi della postale. Vuole arrestare Emma Baird.»

56

Arrivò troppo tardi per fare qualcosa. Duguid aveva fatto le cose in grande, indubbiamente per mostrare ai suoi superiori di essere scrupoloso nel proprio lavoro. Probabilmente non gli era neanche venuto in mente che tutti quegli uomini potessero essere utilizzati meglio per cercare Chloe Spiers.

L'ingresso del laboratorio della scientifica era sorvegliato da agenti in uniforme. McLean si avvicinò e, proprio in quel momento, Duguid ne uscì seguito da due sergenti, che scortavano Emma Baird, ammanettata. Sembrava terrorizzata e con lo sguardo cercava disperatamente un viso amico.

«Che accidenti ci fai qui, McLean?» Duguid lo vide per primo.

«Sto cercando di impedirle di commettere un grosso errore, signore. Non è la persona che sta cercando.»

«Tony, che succede?» chiese Emma. Duguid si voltò verso di lei e diede un ordine ai due sergenti.

«Portatela in centrale e chiudetela subito in cella.»

«È sicuro che sia una buona idea, ispettore capo?» McLean enfatizzò il «capo» del titolo.

«Ah, il galante cavaliere, accorso per salvare la sua fanciulla. Non dirmi come gestire la mia indagine, McLean.»

«È una di noi, signore. La sta trattando come se fosse una specie di tossica da due soldi.»

Duguid gli si avvicinò e gli piantò un dito nel petto. «È sospettata di concorso nell'omicidio di Jonas Carstairs. Sa chi l'ha ucciso, ne sono certo, e ho intenzione di farmi dare quest'informazione prima che muoia qualcun altro.»

Merda. Gli esami del sangue non erano arrivati, allora. Ancora una volta, Duguid era sulla pista sbagliata.

«Non ha fatto niente, signore. È stata Sally Dent a uccidere Jonas Carstairs.»

«Di che diavolo vai cianciando, McLean? Sei stato tu ad accusarla per primo. Non cercare di lavartene le mani, adesso.»

«È vero?» Emma lo fissò. Era ancora sbalordita, ma adesso stava cominciando ad arrabbiarsi.

«Perché questa donna è ancora qui?» sbraitò Duguid. Prima che McLean potesse dire qualcosa, i due sergenti l'avevano trascinata verso una volante.

«Avrebbe dovuto farla gestire a me, signore.» McLean dovette parlare stringendo i denti. Nel frattempo, quelli della postale avevano cominciato a portare via i computer dalla sede della scientifica, caricandoli su un furgone.

«Che cosa? E lasciare che avvertissi la tua amante così che potesse far sparire tutte le tracce? Non credo proprio, McLean.»

«Non è la mia "amante", signore. È una mia amica. E se l'avesse fatta gestire a me avrei scoperto cosa stava succedendo, senza bisogno di tutto questo.» McLean indicò gli agenti in uniforme e gli sbalorditi tecnici che assistevano alle operazioni. «Ora come ora lei ha bloccato i lavori della polizia scientifica, oltre a essersi inimicato definitivamente tutti i membri dello staff che conducono gran parte del lavoro di analisi sui nostri casi. Questa sì che è diplomazia, signore. Ben fatto.»

Se ne andò, lasciando Duguid a bocca aperta. Solo allora si

accorse che Emma lo stava fissando dal finestrino aperto della volante, a portata d'orecchio. I loro sguardi si incontrarono per un attimo troppo breve perché McLean potesse interpretare la sua espressione, poi lei si voltò di proposito.

McLean non voleva fare altro che andare a casa a dormire, o scolarsi un'intera bottiglia di whisky. Era andato tutto in malora. Aveva la testa piena di demoni, Chloe Spiers era sparita da quasi ventiquattro ore e non ricordava quando era stata l'ultima volta che aveva visto un letto. L'arresto di Emma era solo la ciliegina sulla torta. L'ultima cazzata di Duguid, la più spettacolare. Non riusciva a pensare lucidamente, ma c'era un'ultima cosa che doveva sapere. Perciò, invece di chiamare un taxi che lo portasse a casa, si fece dare un passaggio da una volante fino in centrale. Nonostante l'ora tarda, nel seminterrato l'attività era frenetica: una dozzina di computer provenienti dal laboratorio fotografico della scientifica erano stati scaricati e aperti per essere analizzati. Quando lo vide, Mike Simpson si accigliò immediatamente.

«Che cosa vuole?» Il suo tono era arrabbiato, accusatorio. McLean alzò le mani in un gesto impotente.

«Ehi, calmo, Mike. Cos'ho fatto per meritarmi questo?»

«Ha denunciato Emma, ecco cosa. E ci ha coperto di tutta questa merda.» Mike guardò i suoi colleghi tecnici, tutti intenti a scrutare schermi di computer o a fare strane operazioni con connettori a coccodrillo nelle parti interne delle macchine.

«Non ho denunciato Emma. Stavo cercando di proteggerla.»

«Non è quello che ha detto Poldo.»

«E credi a lui invece che a me? Credevo fossi un po' più furbo.» Il cipiglio di Mike si attenuò un po'. «Be', sì. Ma l'ha sospettata.»

«Sono un detective, Mike. È il mio lavoro. Cercavo qualcuno

che avesse accesso alle foto delle scene del crimine, che utilizzasse le iniziali MB come firma. Ovviamente avrei indagato. Sarebbe stato più facile chiederglielo di persona, tutto qui. Avrebbe risparmiato a tutti questo casino, di sicuro.»

Mike scrollò le spalle. «Siamo comunque ricoperti di merda, per questa cosa.»

«Be', se è colpa mia mi dispiace. Ti offrirò una birra per farmi perdonare.»

La proposta sembrò rallegrarlo molto. Era probabile che nessuno si fosse dimostrato così generoso con lui, prima d'ora.

«D'accordo, signore. Ora, se non le dispiace, devo venire a capo di questa cosa prima di mezzanotte. Vorremmo far ripartire il reparto scientifico entro domattina.»

«C'è un'altra cosa...» Il tecnico sospirò e abbassò le spalle con teatralità.

«Che cosa?»

«Fergus McReadie. Avete ancora il suo PC?»

«È un Mac, ma sì, ce l'abbiamo ancora. Perché?»

«Sappiamo della Penstemmin Security, ma di quanti altri codici di accesso dispone? Per chi altri ha installato gli allarmi?»

«Quanto indietro vuole risalire?» Il tecnico sembrava stanco e in difficoltà. «È nel campo della sicurezza da più di un decennio.»

«Non lo so. Forse solo fino all'anno scorso. Per chi lavorava quando l'abbiamo preso? Avete trovato nulla nelle sue mail?»

Mike si alzò e si avvicinò a un altro computer abbandonato in un angolo della stanza. McLean lo seguì e guardò il tecnico aprire una serie infinita di finestre. Infine apparve una lista in ordine alfabetico.

«Ecco qui, signore. Mail inviate e ricevute nella settimana prima che ci impadronissimo del computer del signor McReadie. Sembra che abbia avuto diversi contatti.»

Solo uno, però, attirò l'attenzione di McLean. Erano almeno due dozzine di messaggi, inviati tra Fergus McReadie e un uomo di nome Cristopher Roberts, dello studio Carstairs Weddell.

57

La sala interrogatori numero quattro era angusta. Le piccole finestre, poste troppo in alto, erano oscurate dalle condutture dell'impianto di areazione aggiunte di recente all'esterno dell'edificio. Il condizionatore gorgogliava e scattava, ma non sembrava funzionare affatto. Se non altro non faceva ancora troppo caldo, perché la giornata era appena cominciata.

Christopher Roberts sembrava non aver dormito neanche un minuto da quando McLean l'aveva visto nell'ufficio di McAllister, il giorno prima. Indossava lo stesso abito e non si era fatto la barba. Era stato prelevato da una volante al Bridge Motel di Queensferry, un alloggio molto strano per un uomo che viveva a Cramond. Il numero di targa della sua BMW nera corrispondeva al parziale che MacBride era riuscito a estrapolare dalle immagini dell'auto che aveva prelevato Chloe Spiers. Magari era solo un caso: era pieno di BMW scure con quel numero iniziale e con quelle prime due lettere sulla targa. Ma McLean, ormai, faticava a credere ancora alle coincidenze.

«Perché non è andato a casa ieri notte, signor Roberts?» chiese dopo aver terminato le formalità dell'interrogatorio. Roberts non rispose e continuò a studiarsi intensamente le mani.

«D'accordo, allora» disse McLean. «Cominciamo dalle cose semplici. Per chi lavora?»

«Lavoro per la Carstairs Weddell, lo studio legale. Sono uno dei loro partner per il settore trasferimenti di proprietà.»

«Questo lo so già. Mi dica perché ieri si trovava nell'ufficio di Tommy McAllister. Stavate organizzando la vendita di Farquhar House, a Sighthill. Chi era il compratore?»

Roberts divenne pallido e la fronte cominciò a imperlarglisi di sudore. «Non posso dirglielo. Obbligo di riservatezza.»

McLean sogghignò. Non sarebbe stato facile. «Bene, allora. Mi dica questo. Dove ha portato Chloe Spiers, dopo averla prelevata su Princes Street alle ventitré e trenta di due sere fa?»

«Io... non so di cosa stia parlando.»

«Signor Roberts, abbiamo una registrazione che ritrae la signorina Spiers mentre sale sulla sua auto. In questo momento i ragazzi della scientifica stanno passando al setaccio la BMW ed è solo questione di tempo prima che trovino qualcosa che dimostri che Chloe ci è effettivamente salita. Dunque? Dove l'ha portata?» Era una balla, ovviamente. L'auto si trovava nel garage della polizia, ma chissà quanto sarebbe passato prima che fossero riusciti a convincere quelli della scientifica ad analizzarla.

«Non posso dirglielo.»

«Ma l'ha portata da qualche parte.»

«La prego, non mi faccia dire niente. Mi uccideranno, se parlo. Uccideranno mia moglie.»

McLean si voltò verso Bob il Burbero, appoggiato alla parete dietro di lui. «Manda una volante a casa del signor Roberts e fai mettere sua moglie in custodia cautelare.»

Il sergente annuì e uscì dalla stanza. McLean tornò a concentrarsi su Roberts.

«Se qualcuno la minaccia, signor Roberts, allora è meglio che ci dica chi è. Possiamo proteggere lei e sua moglie. Ma se continua a tacere e a Chloe Spiers viene fatto del male, mi assicurerò che finisca in prigione per molto, molto tempo.» Lasciò che quelle parole restassero sospese nell'aria, tacendo per l'intero minuto in cui Bob rimase fuori dalla stanza. Roberts non disse nulla.

«Mi dica come ha convinto Chloe a salire» disse McLean dopo un po'. «È una ragazza in gamba, così mi hanno detto. Non sarebbe certo salita sull'auto di uno sconosciuto qualsiasi.»

Roberts continuò a tacere, con gli occhi spalancati per la paura.

«Non è stato un incontro casuale. La stava cercando, non è così?»

«Non… non avrei dovuto farlo io. Me l'hanno fatto fare. Hanno detto che avrebbero fatto del male a Irene.»

«Chi avrebbe dovuto farlo, signor Roberts? Forse Fergie? L'hanno costretta a fingere di essere lui?»

Roberts non disse niente, ma annuì impercettibilmente, come se non ne fosse nemmeno consapevole.

«E quindi chi è Fergie? E perché non poteva fare questa cosa di persona?»

Roberts sigillò le labbra, tormentandosi le mani in grembo. La paura gli bruciava dentro come febbre. Chissà cosa gli avevano detto per spaventarlo a morte in quel modo. Non andava affatto bene: non avrebbe detto una parola finché non avesse saputo che sua moglie era al sicuro. Magari non avrebbe parlato neppure allora. Ma era certo che sapesse perché Fergie non si era presentato all'appuntamento con Chloe Spiers. Tutto quello che doveva fare era provarlo.

La prigione di stato di Saughton era un luogo dove chiunque avrebbe voluto restarci il meno possibile. McLean la odiava, e non solo per la presenza dei detenuti, reclusi tra quelle mura inanimate. C'era qualcosa nella prigione che ti faceva scorrere via la gioia dal corpo, ti prosciugava tutta la voglia di vivere. Aveva visitato moltissime carceri nella sua carriera, e le odiava tutte. Ma Saughton era la peggiore.

Furono condotti in una piccola stanza senz'aria condizionata, con un'unica finestra, altissima. Pur essendo ancora mattina, il caldo era già sgradevole. L'avvocato di McReadie era già lì, in attesa. Il viso scarno, il naso adunco e la folta criniera di capelli argentei lo facevano sembrare un avvoltoio.

«Comprende bene che tutto ciò costituisce una molestia nei confronti del mio cliente, ispettore.» Niente stretta di mano, niente saluti o «salve» di circostanza.

«Il suo cliente è sospettato di rapimento di minore. Se la cosa si dovesse trasformare in un caso di omicidio, allora le mostrerò il vero significato della parola "molestia".» McLean fissò l'avvocato, che rimase impassibile e non rispose. Dopo qualche minuto arrivò un secondino spingendo nella stanza Fergus McReadie. Fece sedere il prigioniero, indicò la porta con il pollice, presumibilmente per far capire che sarebbe rimasto lì fuori in caso di bisogno, poi uscì. La serratura si richiuse e i quattro uomini restarono soli.

McReadie sembrava stanco, come se non avesse mai dormito bene da quando era stato rinchiuso. Era una sistemazione molto diversa da quella a cui era abituato, il lussuoso attico con vista. Si chinò verso l'avvocato, che gli bisbigliò qualcosa all'orecchio, poi si raddrizzò, scuotendo la testa e accigliandosi.

«La prigione ti dona, Fergus» disse McLean, appoggiandosi allo schienale della sedia.

«È un peccato, perché non pensavo di restarci a lungo.» Mc-Readie era seduto scomodo, i polsi ammanettati, la divisa della prigione che stava male indosso a un uomo abituato ai capi firmati.

«Mi pare di capire che credi di essere al sicuro, Fergus. Crimini da colletto bianco, un po' di hacking, un po' di furti in appartamento. Hai la fedina penale abbastanza pulita, perciò il giudice sarà clemente, anche se dovessi chiedere al commissario capo di convincerlo ad andarci pesante. Non si sa mai, con un bravo avvocato potresti anche cavartela con cinque anni. Che si ridurranno a diciotto mesi per buona condotta. In una prigione di minima sicurezza, visto che comunque non sei dentro per un crimine violento. Non molto, in effetti, per aver derubato i morti.»

McReadie non disse nulla, si limitava a guardarlo con aria insolente. McLean gli sorrise, avvicinandosi. «Ma pensa se si diffondesse la voce che hai spinto una sedicenne sui marciapiedi. I carcerati sono assai strani, sai? Hanno il loro contorto codice morale. A loro piace che la pena sia adeguata al crimine, se capisci cosa voglio dire.»

Nella stanza calò il silenzio, ma McLean vide che quelle parole avevano colto nel segno. L'insolenza scomparve dal volto di McReadie, sostituita dalla preoccupazione. Il prigioniero lanciò uno sguardo alla porta, poi al suo avvocato e infine di nuovo a McLean, che si era rilassato sulla sedia, lasciando che il silenzio si facesse pesante.

«Non ha nulla su di me. Non è vero?» Fu McReadie a romperlo.

«Signor McReadie, le consiglio di non dire niente» disse l'avvocato. McReadie lo fissò con sguardo risentito. McLean capì che fra i due c'era animosità e decise di approfittarne.

«Abbiamo le tue mail e quelle di Chloe. Oh, credo proprio che abbiamo parecchio su di te, Fergie. Credi che sia stato saggio usare il tuo vero nome?»

«Non... non è come sembra.»

«Com'è, allora? È amore?»

«Non posso dirtelo. Mi ucciderà.»

«Signor McReadie, come suo avvocato devo insistere…»

«Chi ti ucciderà?»

McReadie non rispose. McLean vide la paura nel suo sguardo: sarebbe stato difficile farlo parlare. Poteva capire Roberts, ma McReadie era un duro. Che gli avevano fatto per tenerlo in pugno così?

«Abbiamo arrestato Christopher Roberts, Fergus. Ci ha detto un bel po' di cose su di te. Come hai adescato la giovane Chloe. Che cosa ti ha attratto di lei? È quasi dell'età giusta. Pensavo ti piacessero più giovani.»

«Che vuoi dire, pezzo di merda? Non sono un pedofilo!» Un lampo di rabbia passò negli occhi di McReadie. Aveva toccato un nervo scoperto.

«Quindi ti piace solo adescare adolescenti nelle chat room, non è così?»

«Non l'ho scelta io. Mi hanno dato il suo nome. Io facevo solo il mio lavoro.»

«Chi ti ha dato il nome? Che lavoro?»

McReadie non disse nulla, ma McLean vide che era spaventato, preoccupato di aver già detto troppo. Decise di cambiare tattica.

«Perché hai tentato di farmi fuori, Fergus? Era la tua piccola vendetta perché ti ho catturato?»

McReadie rise, un rantolo nervoso. «E sprecare tutti quei soldi? Stai scherzando? Se mi hai preso è stato un mio errore. Non ti odio per questo.»

«Fa tutto parte del gioco, eh? Perché l'hai fatto, allora? Hai detto che qualcuno te l'ha fatto fare, giusto? Ti ha dato anche la droga?»

Il viso di McReadie divenne una maschera, mentre emozioni

contrastanti tentavano di prendere il sopravvento l'una sull'altra. Aveva davvero paura. Qualcuno gli aveva cacciato una bella fifa in corpo. Ma era anche disperato e voleva giocarsi il tutto per tutto per uscire di lì. «E io cosa ne ottengo? Fammi uscire da questo buco di merda. Fammi entrare nel programma di protezione testimoni e forse parlerò.»

«Vorrei parlare da solo con il mio cliente per un minuto» disse l'avvocato. Dalla sua espressione sembrava che fino a quel momento avesse mangiato limoni; aveva spalancato gli occhi sempre di più, man mano che McReadie confessava le sue colpe.

McLean annuì. «Non è una cattiva idea. Provi a inculcargli un po' di buon senso. Se è stato fatto del male alla ragazza ogni accordo salta, se lo ricordi.»

Si alzò. Bob il Burbero bussò per farsi aprire. Fuori, in corridoio, furono avvicinati da un'altra guardia.

«Ispettore McLean?»

«Sì?»

«Telefonata per lei, signore.»

McLean seguì l'uomo lungo il corridoio fino a un ufficio, dove un telefono lo attendeva su una scrivania. «McLean.»

«Sono MacBride, signore. Credo che debba venire. Hanno trovato un corpo. Dietro l'angolo della strada dove abitava sua nonna.»

Si ricordava di quando, da bambino, giocava in quella piccola strada buia senza uscita. A quei tempi c'erano un sacco di escursionisti, perché dopo un po' si trasformava in un sentiero sterrato che scendeva verso una stretta valle lungo il fiume. Dato che il percorso non era indicato né illuminato adeguatamente, nel corso degli anni era caduto in disuso e adesso la vegetazione era talmente fitta da risultare quasi invalicabile. Lattine di Coca vuote, sacchetti di patatine e preservativi usati erano sparpagliati tra le piante.

Fu costretto a parcheggiare lontano, perché alcune volanti bloccavano la strada. In compagnia di Bob il Burbero percorse l'asfalto irregolare all'ombra di enormi sicomori dirigendosi verso il gruppo di agenti in uniforme radunati all'inizio del sentiero.

«Quaggiù, signore.» Il detective MacBride richiamò la loro attenzione da una zona di vegetazione fitta, dove due persone in tute di carta bianca erano chinate su un corpo.

«Chi l'ha trovato?» chiese McLean.

«Un'anziana signora a spasso col cane, signore. Dato che l'animale non rispondeva ai richiami, è venuta quaggiù a vedere cosa avesse trovato di tanto interessante.»

«E dov'è adesso?»

«L'hanno portata in ospedale. È rimasta scioccata.»

Al suono della voce dell'ispettore, una delle figure in bianco si alzò e si voltò. «Con te i corpi sono sempre i più interessanti, Tony» disse Angus Cadwallader. «Questo qui sembra essere stato preso a pugni. Ho visto ferite simili nei pugili che combattono a mani nude. Solo che non sembra essere morto per i cazzotti.»

McLean si avvicinò al corpo. Era quello di un uomo basso e tarchiato, anche se forse era il gonfiore *post mortem* a rendergli lo stomaco prominente sotto la camicia blu. Giaceva steso sulle foglie, con le braccia larghe come se si fosse steso un attimo per schiacciare un pisolino. Aveva la testa piegata da un lato, il viso ferito, il naso rotto. I vestiti erano spiegazzati e sporchi, il logo rosso della «Virgin Rail» spiccava sulla giacca blu scuro.

«Sappiamo chi è?»

Il detective MacBride gli passò un sottile portafoglio in pelle.

«Aveva addosso questo, signore. Corrisponde alla foto sulla patente.»

«David Brown, South Queensferry. Perché questo nome mi dice qualcosa?»

Bob il Burbero si avvicinò e si chinò sul cadavere.

«Lo conosco, signore» disse piano. «L'ho interrogato pochi giorni fa. Guidava il treno che ha investito Sally Dent. Che ci fa qui, in nome di Dio?»

58

L'autopsia di David Brown era prevista per quel pomeriggio. McLean tentò di ammazzare il tempo dando un senso alla montagna di carte che gli invadeva la scrivania. Non gli importava che gli avessero detto di prendersi una settimana di riposo, non gli importava delle scartoffie urgenti, dei moduli di requisizione e delle migliaia di altre sciocchezze che continuavano ad accumularsi. Che sarebbe successo se fosse scomparso per un mese? Avrebbe ritrovato l'ufficio sommerso di carte? Oppure qualcun altro si sarebbe rimboccato le maniche e avrebbe fatto qualcosa al riguardo?

Fu distratto da un leggero bussare alla porta. Alzò lo sguardo e vide il detective MacBride che fissava quel caos a occhi spalancati.

«Entra, detective. Se ce la fai.»

«Non è necessario, signore. Volevo solo farle sapere che accuseranno ufficialmente Emma, oggi pomeriggio.»

«Di cosa?» McLean strinse i pugni, sopraffatto dall'imbarazzo e dalla rabbia. Con tutta la confusione scatenata dal ritrovamento del corpo di Brown, gli era passato di mente.

«Poldo vuole accusarla di concorso in omicidio, ma credo che il sovrintendente capo l'abbia convinto a limitarsi a ostacolo al corso della giustizia.»

«Merda. Credi che sia colpevole, Stuart?»

«E lei, signore?»

«No. Ma se la accusano ufficialmente, devono avere qualche prova.»

«È stato nel laboratorio della scientifica, signore. Sa bene che tutti i computer sono in rete fra loro con password condivise. La sicurezza è quasi inesistente.»

McLean ebbe un'illuminazione. «Quel sito delle fotografie è ancora attivo?»

MacBride annuì. «È collegato a un server oltreoceano. Potrebbero volerci mesi per chiuderlo.»

«E le scene del crimine non sono ancora state identificate, giusto? Ci sono solo le foto.»

«E le date, signore. Ma no, niente descrizioni dei luoghi. Solo roba come "petto squarciato" e "gola tagliata".»

«Fantastico. Siamo stati in grado di identificare le altre foto postate da MB, chiunque sia?»

«Non credo che ci abbia provato nessuno, signore. Sono bastate le foto dei casi Smythe e Stewart. Emma era l'ufficiale fotografo in entrambi.»

«Ma chiunque può avere accesso al suo computer, giusto? E anche noi abbiamo diffuso quelle foto nelle centrali operative come se fossero coriandoli. Fammi un favore, Stuart. Emma lavorava ad Aberdeen prima di venire qui. Scarica alcune delle fotografie più vecchie di MB e mandale a Queen Street. Vedi se qualcuno le riconosce come provenienti dalla propria zona. E scopri chi altro è stato trasferito alla scientifica, di recente. Anche nei vecchi reparti.»

«Ricevuto, signore.» MacBride corse via, entusiasta. McLean avrebbe voluto chiedergli in prestito un po' della sua passione. Aveva fatto pochissimi progressi con le scartoffie. Afferrando l'ennesima cartellina piena di numeri senza senso, fece cadere per sbaglio tutta la pila.

«Ma vaff…!» Si piegò per raccogliere i fogli. Nel mucchio c'erano alcuni fascicoli, e uno si era aperto. Il volto di Jonathan Okolo lo fissava con sguardo accusatorio. Raccolse la foto e fece per rimetterla nel fascicolo, quando vide lì accanto quello relativo al suicidio di Andy Peters. Lo aprì e fu accolto dallo stesso sguardo di rimprovero. Era come se i due defunti lo criticassero per non aver fatto abbastanza. Ma che cosa avevano in comune quei due, oltre al fatto di essere morti?

«Be', entrambi si sono tagliati la gola in un luogo pubblico.» McLean riconobbe a mala pena quella voce come sua. Gli venne in mente una teoria assurda, ma facilmente verificabile. E gli pareva di gran lunga più interessante che riordinare le statistiche dei rapporti mensili. Prese le due foto, se le mise nella tasca della giacca e uscì.

Di pomeriggio, il Feasting Fox era tranquillo; c'erano solo alcuni bevitori dell'ora di pranzo che si rinfrescavano la gola prima di tornare all'assalto dei negozi della zona. L'aria era resa pesante dall'odore di fritto, che quasi sovrastava l'aroma del caffè proveniente da una macchina per espressi troppo poco utilizzata, dietro il bancone del bar. Meno della metà dei tavoli era occupata e il barman puliva i bicchieri con sguardo assente.

«Una pinta di Deuchars» disse McLean, leggendo il nome sulla spina.

«La Deuchars è finita.» Il barman girò verso di sé l'etichetta per nasconderla ai clienti.

«Non importa, allora.» McLean si frugò in tasca e tirò fuori le due fotografie. Posò quella di Andy Peters sul bancone. «Quest'uomo è mai venuto qui?»

«Chi lo vuole sapere?»

McLean sospirò ed estrasse il distintivo. «Io. È un indagine per omicidio, perciò faccia il bravo e collabori.»

Il barista guardò la foto per un paio di secondi, poi disse: «Sì, viene qui a bere quasi tutte le sere. Lavora da qualche parte nell'isolato. Ma ora è da tanto che non lo vedo.»

«L'ha mai visto parlare con quest'uomo?» McLean mostrò la foto di Jonathan Okolo. Il barista sgranò gli occhi.

«Questo è quello che... insomma...»

«Sì, lo so» disse McLean. «Ma l'ha mai visto parlare con Andy Peters in questo pub?»

«Non credo. Non credo di averlo mai visto prima della sera in cui è venuto qui.»

«E che cosa ha visto esattamente, quella sera?»

«Be', come ho detto agli altri agenti, ero qui al bancone. C'era un sacco di gente, sa com'è, con il Fringe e tutto. Ma l'ho notato quando è entrato. Era sporco, aveva un'aria strana e si è diretto subito in bagno prima che potessi raggiungerlo. L'ho seguito, non vogliamo gente del genere in questo locale. Ma si era già ammazzato. Cristo, che macello.»

«C'era qualcun altro in bagno, quando si è ucciso?»

«Non lo so. Non credo.» Il barista si grattò la testa. «No, aspetti. Ho detto una sciocchezza. Un tizio è uscito dal bagno appena prima che ci entrassi io. Poteva essere lui, ora che mi mostra la foto.» Indicò Andy Peters.

«Suppongo che non abbiate telecamere a circuito chiuso.»

«Nei cessi? No, sarebbe disgustoso.»

«E nel resto del locale?»

«Sì, ce n'è un paio all'ingresso e una sul retro.»

«Per quanto tempo conservate i nastri?»

«Una settimana, forse dieci giorni. Dipende.»

«Quindi avete le registrazioni della sera in cui questi due erano qui?» McLean indicò di nuovo le foto.

«No, mi spiace. Le avete prese voi, e ancora non me le avete riportate.»

«Un po' più indietro. Ecco, qui.»

La qualità era peggiore di quella delle telecamere su Princes Street; in questi nastri le persone saltavano e scomparivano dallo schermo come stregoni ubriachi. I colori erano sgranati e le luci soffuse, ma almeno la telecamera che sorvegliava l'ingresso sul retro inquadrava anche la porta del bagno degli uomini.

Non era stato facile farsi dare quei nastri da Duguid. McLean sapeva che non avrebbe dovuto aspettarsi gentilezze da quell'uomo: era uno stronzo, dopotutto. Ma avrebbe voluto che, almeno una volta ogni tanto, non gli fosse così d'intralcio. In ogni caso adesso, nel buio della sala proiezioni, altrimenti nota come «sala interrogatori numero quattro con le tende chiuse», poteva guardare i clienti che affollavano il Feasting Fox quasi due settimane prima.

«Quelli della pubblica sicurezza andrebbero matti per questo video» disse MacBride, osservando un gruppo di avventori ammassati davanti alla porta del bagno, che ostruivano l'uscita di sicurezza. Nell'altro schermo era facile capire perché stessero così pigiati: il locale era strapieno e tutti stavano in piedi, stretti come sardine in un barile. A un certo punto videro aprirsi la porta e Jonathan Okolo fece il suo ingresso nel pub.

Era sporco, si vedeva anche da quelle immagini di scarsa qualità. Mentre si faceva largo nel locale, la folla sembrò aprirsi dinanzi a lui, come il Mar Rosso davanti a Mosè. McLean aveva letto le dichiarazioni dei testimoni e si chiese come mai nessuno era stato in grado di ricordarsi granché di quell'uomo. Doveva puzzare come una stalla per far spostare la gente in quel modo. Forse nessuno se lo ricordava perché stavano tutti bevendo come alla vigilia del proibizionismo. E poi, in fondo, chi voleva parlare con la polizia di questi tempi?

Pochi secondi dopo essere scomparso dal campo visivo della prima telecamera, Okolo ricomparve sulla seconda. La folla in corridoio si scansò e l'uomo entrò nel bagno. Qualche secondo di pausa, poi la porta si aprì nuovamente.

«Ferma qui» ordinò McLean. MacBride mise in pausa. L'immagine aveva un'angolazione strana – la telecamera pendeva dal soffitto. Inoltre, le lenti *fisheye* distorcevano i volti. Ma per qualche motivo, quell'uomo che usciva dal bagno aveva guardato in alto, come se avesse saputo che il suo momento era giunto.

E quell'uomo era indubbiamente Andy Peters.

59

«Sei in ritardo, Tony. Non è da te.»

«Scusa, Angus. Sono stato trattenuto. Hai cominciato senza di me?» McLean entrò in obitorio senza entusiasmo. Non era certo il suo luogo preferito e ultimamente ci aveva trascorso fin troppo tempo.

«In realtà, sì» rispose Cadwallader. Era chino sul cadavere nudo, intento a esaminare una mano. «Le hai passate ai raggi X, Tracy?»

«Sì, dottore. Le radiografie sono sul visore.»

Cadwallader si avvicinò alla parete, dove alcune radiografie erano appese agli illuminatori. McLean lo seguì, felice di non dover guardare il cadavere.

«Vedi queste?» Il dottore indicò alcune macchie chiare e scure nella radiografia. «Fratture multiple alle dita. Sono gravissime, mi verrebbe da pensare che le abbia infilate sotto uno schiacciasassi, o cose così. Con danni del genere di solito le mani diventano ammassi sanguinolenti. Lui, però, ha solo ferite superficiali. Ok, sono brutte, ma non mortali. Poi c'è questo.» Cambiò le radiografie sull'illuminatore. «Ha entrambi i femori rotti in diversi punti. Oltre a tibie e peroni. E qui» altra serie di radiografie «le costole sono devastate, credo che ce ne sia solo una non fratturata.»

McLean fece una smorfia di dolore. «Quindi è stato coinvolto in una rissa?»

«Niente rissa. In una rissa avrebbe potuto rispondere ai colpi, il che implicherebbe un certo grado di giustizia, se vogliamo. No, è stato aggredito, ma quasi sicuramente era impossibilitato a reagire. È affetto da osteoporosi allo stadio avanzato. Ha ossa fragili come porcellana. Si spaccano al minimo tocco. Non ci dev'essere voluto molto a ucciderlo. Suppongo che una costola gli abbia bucato un polmone e che sia annegato nel suo stesso sangue.»

McLean guardò l'uomo che giaceva sul tavolino. «Ma era un ferroviere. Come poteva fare un lavoro simile nelle sue condizioni?»

«Credo facendo molta, molta attenzione» disse Cadwallader. «Anche se dubito che sia stato in grado di mantenere il suo segreto molto a lungo.»

Il medico legale tornò a occuparsi del corpo e McLean osservò il procedere dell'autopsia. Tracy riuscì a rilevare alcune impronte digitali attorno alla ferita sul collo del cadavere, poi, insieme, gli aprirono il torace.

«Ah, come sospettavo» esclamò Cadwallader dopo aver rovistato fin troppo a lungo nelle viscere dell'uomo. «La quarta costola, e anche la quinta. Entrambe sul lato destro, infilate proprio nel polmone. E sulla sinistra, solo la quinta. Anche il cuore non è in buone condizioni. Probabilmente si è fermato prima che questo poveraccio annegasse.»

Quando fu tutto finito e Tracy cominciò a ricucire ciò che rimaneva di David Brown, McLean seguì Cadwallader nel piccolo ufficio.

«Qual è il verdetto, Angus?»

«È stato picchiato, probabilmente da un tizio piuttosto robusto, perché le impronte fanno pensare a dita grandi. Normalmente un uomo della sua età e del suo peso sarebbe sopravvissuto, ma con cuore e ossa così deboli, sarebbe potuto morire in qualsiasi momento. Era un ferroviere, hai detto?» McLean annuì.

Cadwallader rimase in silenzio per un po', poi sembrò ricordarsi di qualcosa. «Oh, avevi ragione, a proposito.»

«Sì? Su cosa?»

«Su quel caso di suicidio, Peters. Ho ricontrollato il corpo e ho scoperto minuscole tracce di sangue e pelle sotto le unghie. Se le era pulite accuratamente, sfregandosi addirittura via l'epidermide in alcuni punti, ma suo padre mi ha detto che era sempre stato un fanatico della pulizia. Il che rende strano il fatto che abbia scelto un modo tanto caotico per togliersi la vita.»

«Qualche idea sul proprietario di quella pelle e di quel sangue?»

«Ce n'erano a mala pena per un'analisi di base, ma sono sicuro che non appartenessero a lui. Posso mandare tutto in laboratorio per un test del DNA, se vuoi. Ma qualcosa mi dice che ti sei già fatto un'idea.»

McLean annuì, anche se quella volta sperava di sbagliarsi.

Era già pomeriggio inoltrato quando fece ritorno alla centrale. Un'altra giornata passata in un turbine di eventi poco chiari, che non l'avevano avvicinato al ritrovamento di Chloe, né all'arresto dell'assassino di Alison. O del misterioso sesto uomo. Almeno McReadie era in galera e non sarebbe andato da nessuna parte; era già qualcosa.

«Ah, ispettore. Il sovrintendente capo le vuole parlare.» Il sergente di servizio lo chiamò dal fondo della centrale.

«Ha detto di che si tratta?»

«No, solo che è urgente.»

McLean si affrettò lungo i corridoi, chiedendosi cosa volesse. Bussò alla porta aperta ed entrò nell'ufficio del sovrintendente con un po' d'ansia. La McIntyre alzò lo sguardo dal computer: «Ha appena chiamato il sovrintendente capo Jamieson da Glasgow, Tony. Sembra che il tuo giovane *protégé*, MacBride, gli abbia mandato delle interessanti foto ed era piuttosto ansioso di sapere da dove arrivassero.»

Glasgow, non Aberdeen. McLean sospirò di sollievo. «Suppongo che le abbia riconosciute, allora.»

«Sì, esatto. Erano quelle di una serie di casi su cui hanno lavorato negli ultimi tre anni. Forse ti ricorderai delle guerre del gelato.»

«Da quante diverse scene del crimine provenivano?»

«Non l'ha detto, ma suppongo si possa affermare con sicurezza che chiunque abbia postato quelle immagini su Internet abbia avuto accesso anche agli uffici della scientifica di Glasgow, in quel periodo. E dato che Emma Baird si stava addestrando ad Aberdeen, l'ispettore capo Duguid è stato costretto a rilasciarla, facendole anche le sue più sentite scuse.»

Oh, merda, pensò McLean. L'aveva fatto di nuovo. Era intervenuto nel caso di un altro detective e l'aveva risolto al posto suo.

«Si è rabbonito solo in parte quando si è accorto che il vero colpevole adesso occupa la cella che la signorina Baird ha reso vacante.»

«Mi dispiace, signora. Glielo dovevo, dovevo indagare a fondo su questa storia.»

«Le dovevi un favore anche dopo che l'hai portata a cena fuori?» La McIntyre alzò un sopracciglio. «Non fraintendermi, Tony. Sei un ottimo detective, ma se continui a pestare i piedi alla gente rimarrai ispettore per il resto della tua carriera.»

Poteva andare peggio. Lui non voleva certo risalire la scala gerarchica alle spalle degli altri. Lui voleva solo catturare i cattivi.

«Me lo ricorderò, signora.»

«Sarà bene, Tony. E tieniti alla larga da Charles Duguid per un paio di giorni, d'accordo? È furioso.»

McLean si precipitò in ufficio sperando di non incrociare nessuno che lo distraesse. Doveva appuntarsi da qualche parte le ultime informazioni che aveva raccolto, prima di dimenticarsele. C'era un legame che univa Okolo, Peters, la Dent e Brown. Ognuno aveva assistito alla morte dell'altro. Non voleva pensare a che legame avesse tutto questo con le parole di Madame Rose. Doveva esserci una spiegazione razionale, ma la migliore che gli veniva in mente era che qualcuno avesse manipolato queste persone, prima per uccidere, poi per togliersi la vita. Ma era possibile una cosa simile? E se così fosse, chi aveva ucciso Brown gettandolo in quel sentiero? E dov'era, adesso? E Brown, chi aveva ammazzato?

Sulla scrivania trovò una busta ad aspettarlo. L'indirizzo era scritto a mano e stampati sopra c'erano il logo e il nome dello studio legale Carstairs Weddell. Conteneva un unico foglio, spesso e coperto da parole scritte in fretta, con grafia sottilissima e difficile da decifrare. Sul retro c'era una firma e il nome di Jonas Carstairs scritto al computer. Si sedette e accese la lampada per leggere meglio.

Mio caro Anthony,

Se stai leggendo questa lettera, allora sono morto e ho finalmente riparato ai miei peccati di gioventù. Non ho scuse per ciò che ho fatto: è stato un crimine deplorevole per il quale brucerò senza dubbio all'inferno. Ma posso provare a spiegare e, forse, tentare di fare ammenda in qualche modo.

Conoscevo bene Barny Smythe. Eravamo compagni di scuola e ci siamo trasferiti a Edimburgo insieme. Qui ho conosciuto Buchan Stewart, Bertie Farquhar e Toby Johnson. Quando è scoppiata la guerra ci siamo tutti arruolati e ci hanno spediti in Africa Occidentale. Eravamo nell'intelligence e avevamo il compito di impedire a Hitler di acquisire informazioni che avrebbero potuto essergli utili – ed eravamo anche piuttosto bravi. Ma la guerra cambia gli uomini, e in Africa abbiamo visto cose che nessuno dovrebbe mai vedere.

Sto trovando delle scuse, lo so, e non ce ne sono per quello che abbiamo fatto quando siamo tornati a casa, nel 1945. Quella povera ragazza ci ha messo così tanto a morire; di notte sento ancora le sue grida. E oggi i suoi resti sono stati ritrovati, il povero Barny è stato assassinato e anche Buchan. Il prossimo sarò io. Sento che la fine si avvicina. Quando me ne sarò andato, rimarrà soltanto uno di noi, quello che ha dato inizio a tutto.

Non posso dirti il suo nome; infrangerei un giuramento che tradirebbe ben altro che il mio discutibile onore. Ma tu lo conosci, Tony. E lui conosce te. È l'uomo che tutti abbiamo ammirato, quello che ci ha salvato la vita più di una volta durante la guerra e che ci ha convinti tutti a prendere parte alla sua follia. Radunerà attorno a sé altri giovani sciocchi e riproverà a mettere in scena il suo rituale malato. È l'unico modo che ha per proteggersi. Ho paura che venga sacrificata un'altra anima innocente. Ma se dovesse fallire, allora la cosa che abbiamo intrappolato sarebbe libera di vagare, libera di uccidere. Vive di violenza, è l'unica cosa che conosce.

Tua nonna mi ha chiesto di trasmetterti una serie di messaggi. Cose che non voleva tu sapessi quando era ancora in vita. Cose che trovava profondamente imbarazzanti, dolorose, perfino umilianti, anche se in verità non aveva assolutamente nulla di cui rimproverarsi. Questa lettera non è la sede adatta, te li comunicherò a voce, oppure me li porterò nella tomba. Un tempo sembravano importanti, ma in realtà mi accorgo che sono di poco conto. Sei diventato sicuramente un uomo diverso da quello che temeva potessi essere, perciò forse è meglio lasciar perdere.

Oggi ho cambiato il mio testamento e ho lasciato a te tutta la mia fortuna. Ti prego, renditi conto che non è un tentativo di salvarmi la coscienza. Ormai sono dannato e lo so bene. Ma tu hai il potere di distruggere ciò che io, Barny e gli altri abbiamo creato e questo è l'unico modo in cui potrò aiutarti, quando sarò morto.

Tuo nel rimorso,
Jonas Carstairs.

McLean rimase a fissare la pagina per qualche minuto, voltandola di tanto in tanto come se quell'unica informazione che gli serviva si trovasse sull'altro lato. Ma Carstairs non gli aveva detto quello che veramente aveva bisogno di sapere. Non aveva fatto il nome del loro capo. E che voleva dire quel paragrafo su sua nonna? Era tipico degli avvocati non dire le cose fino in fondo. Era stato evasivo in ogni parola. Sarebbe stato meglio se non gli avesse mai scritto. Non conteneva altro che vaghi indizi e la minaccia di un altro, brutale omicidio.

Poi, però, nella mente gli scattò qualcosa. *Un altro omicidio. Ripetere il rituale. Una giovane sul punto di diventare una donna.* Sapeva perché avevano rapito Chloe Spiers! Era talmente ovvio che avrebbe voluto prendersi a calci per non esserci arrivato prima. Prese il telefono e fece per comporre un numero, ma l'apparecchio gli squillò in mano.

«McLean» abbaiò con impazienza, ansioso di concludere quella conversazione. Non c'era più tempo. Gli servivano delle risposte e nessun avvocato con la faccia da avvoltoio si sarebbe messo in mezzo, stavolta.

«Sono MacBride, signore. C'è una chiamata per lei da Saughton.»

«Ah, sì? Stavo per chiamarli io. Devo parlare urgentemente con McReadie, Stuart. Sa chi ha preso Chloe Spiers e io so cosa vogliono farle.»

«Ah. Sarà difficile, signore.»

McLean trattenne il fiato. «Perché?»

«McReadie si è impiccato in cella oggi. È morto.»

60

McLean era seduto nel centro di videosorveglianza della prigione di Saughton. Nella registrazione si vedeva un uomo enorme sedersi a un tavolo vuoto della sala visite. Vestiva casual: giacca di pelle nera e jeans sbiaditi, una T-shirt con un logo indecifrabile. In lui c'era qualcosa di molto familiare.

«Mi pare di conoscere quell'uomo. Come si chiama?»

L'agente di sicurezza che l'aveva scortato nell'edificio consultò un foglio in una cartellina.

«Ha firmato come Callum J. e ha dato un indirizzo di Joppa.»

«Qualcuno ha controllato?» McLean non credeva fosse fondamentale, ma la scrollata di spalle che ricevette in risposta fu sufficientemente chiara. Si annotò nome e indirizzo, poi si voltò di nuovo verso lo schermo, in tempo per vedere McReadie fare il suo ingresso in parlatorio. La sua reazione alla vista dell'omone fu di circospezione. Non mostrò il terrore che McLean si era atteso.

«C'è l'audio?» chiese.

La guardia scosse la testa. «No. Qualche anno fa hanno sollevato un gran polverone sui diritti umani. Mi sorprende che abbiamo ancora il permesso di metterli in galera.»

McLean scosse la testa, concordando con i paradossi introdotti da tutte quelle regole, poi tornò a guardare lo schermo. Vide i due uomini parlare per qualche minuto: McReadie mostrava un linguaggio del corpo che lasciava trasparire una crescente agitazione. Poi, all'improvviso, si immobilizzò, rilassò le braccia lungo i fianchi e fissò il visitatore con sguardo quasi ipnotizzato. Dopo una trentina di secondi, l'uomo si alzò e se ne andò. Arrivò un secondino che condusse via un docile McReadie, poi il nastro finì.

«Circa mezz'ora dopo abbiamo fatto il consueto giro delle celle e l'abbiamo trovato morto. Si era strappato la maglietta e l'aveva usata per strangolarsi.»

«Strano. Non mi sembrava tipo da suicidarsi.»

«No, infatti. Non ce l'avevamo sotto monitoraggio speciale o altro.» La guardia sembrava in ansia. Forse temeva di passare dei guai.

Per quanto riguardava McLean, impiccandosi McReadie aveva fatto un grosso favore al mondo. Ma sarebbe stato meglio se prima gli avesse detto dov'era Chloe e gli avesse parlato del suo misterioso datore di lavoro. Restava una sola persona con cui parlare.

«So cosa le faranno, signor Roberts. E lei?»

Era trascorsa un'altra ora, altri sessanta minuti passati a contare i secondi prima che scadesse il tempo. Se non era già troppo tardi. McLean era tornato in centrale, cercando di farsi dare qualche risposta da un terrorizzato Christopher Roberts.

«Le inchioderanno mani e piedi al pavimento. La stupreranno. Poi prenderanno un coltello e le apriranno la pancia. Mentre è ancora viva cominceranno a rimuoverle gli organi interni, uno dopo l'altro. Saranno in sei e ognuno ne terrà uno per sé. Doveva essere lei uno dei sei, signor Roberts? Insieme a Fergus McReadie? Solo che entrambi vi perderete la possibilità di diventare immortali, o qualunque cosa voi malati bastardi pensavate di ottenere da tutto ciò. Lei è qui con me, mentre Fergus è morto.»

Roberts emise un debole pigolio allarmato a quella notizia, ma non disse altro.

«Sono arrivati i risultati della scientifica. Sappiamo che Chloe era nella sua auto» mentì McLean. La scientifica stava ancora lavorando lentamente, anche se Emma era stata rilasciata. Ci sarebbe voluto un po' prima che Poldo si convincesse a scusarsi, soprattutto visto che una fuga di notizie c'era stata davvero. Ci sarebbe voluto ancora di più prima di convincere qualcuno ad analizzare la BMW di Roberts. «Dove l'ha portata? A chi l'ha consegnata? A Callum?»

Quel nome sortì qualche effetto. Roberts sbatté nervosamente gli occhi. «Com'è morto?» chiese con voce flebile, tremante.

«Chi?»

«Fergus. Com'è morto?»

McLean si chinò sul tavolo, avvicinando il viso a quello di Roberts. «Ha fatto a strisce la sua maglietta, ne ha legato un'estremità al soffitto della cella e si è passato l'altra intorno al collo. Poi ha usato il suo peso per soffocarsi a morte.»

Fu interrotto da un leggero bussare alla porta. McLean si allontanò dal tavolo. «Avanti.»

Il detective MacBride infilò la testa nella stanza. «Sono arrivati alcuni risultati che potrebbero interessarle, signore.»

«Su cosa, Stuart?»

«Le impronte digitali intorno al collo di David Brown, signore. Combaciano con quelle del suo uomo, Callum. Sembra che abbia dei precedenti, faceva parte di una banda di teppisti da strada a Trinity. Ma è scomparso dai radar una decina d'anni fa. Nessuno l'ha più visto da allora.»

«Be', ora è tornato. Grazie, detective.» McLean tornò a guardare Roberts. Era arrivato il momento di tentare con una tattica diversa.

«Senta, signor Roberts. Sappiamo che l'hanno costretta a farlo. Lei è un avvocato, non un assassino. Possiamo proteggerla, come stiamo già proteggendo sua moglie. Ma deve aiutarci. Se non troviamo Chloe, presto sarà troppo tardi.»

Roberts sedeva sulla scomoda sedia di plastica e fissava la parete davanti a sé. Non guardava McLean negli occhi ed era di un pallore cadaverico.

«Sono arrivati a Fergus. Sono stati loro. Non posso dire niente. Lo sapranno, e mi uccideranno.»

E Christopher Roberts non aprì più bocca.

«Diffondi un mandato di cattura per Callum.»

McLean sedeva nella piccola centrale operativa in compagnia del detective MacBride e di Bob il Burbero, tentando di non far trasparire la frustrazione per non essere riuscito ad avere la meglio su Roberts. Era irritato anche perché non era riuscito a riconoscere Callum. Il nome gli era familiare, ma le telecamere della prigione non lo mostravano bene in faccia. «Vedi se riesci a procurarti una sua foto decente, eh?»

Gli venne in mente che non avrebbe dovuto prendere parte all'indagine sulla scomparsa di Chloe. Era il caso di Bob. Ma il vecchio sergente sembrava felice di delegare a lui. MacBride prese il cellulare e cominciò a fare telefonate; la sua voce delicata riempiva il silenzio mentre McLean fissava le foto appese alla parete. Il cadavere scomparso e i suoi organi. Perché rubarli? Per quale motivo li volevano?

«Cristo, se sono stupido!» McLean balzò in piedi.

«Cosa?» Bob il Burbero lo guardò e MacBride smise di telefonare.

«È così maledettamente ovvio. Avrei dovuto pensarci giorni fa.»

«A cosa?»

«Dove hanno portato il cadavere.» McLean indicò le foto sulla parete. «Dove hanno intenzione di uccidere Chloe.»

61

Il cielo della sera bruciava di un rosso fuoco mentre sfrecciavano attraverso il cancello di Farquhar House. Tommy McAllister non aveva perso tempo nel far portare via tutti i suoi macchinari, ma la zona era comunque immersa nel caos, piena di nastri bianchi e blu rotti che fluttuavano nel vento. Le finestre del piano terra sembravano non essere state più toccate dall'ultima volta in cui erano stati lì e la porta era ancora chiusa con lucchetto e catena.

«Ci vuole un piede di porco, non posso perdere tempo a cercare le chiavi.» McLean mandò MacBride alla ricerca di qualcosa di adatto, mentre lui e Bob davano un'occhiata in giro per vedere se c'era qualcosa che non andasse. Ma il terreno era talmente devastato dai lavori edili che era impossibile rilevare eventuali stranezze.

Il detective tornò con una lunga trave di ferro e, dopo qualche sforzo, il lucchetto saltò via con un soddisfacente rumore metallico. All'interno, l'edificio sapeva di muffa e di chiuso ed era immerso nell'oscurità e nel silenzio più totali, come una tomba. McLean accese la torcia e attraversò il cavernoso ingresso fino alle scale della cantina. La porta era stata chiusa, ma bastò un violento calcio per buttarla giù, tanto era infestata dalle termiti. La polvere che fluttuava dappertutto li fece tossire, ma McLean continuò a scendere le scale, spinto da un'angoscia terribile.

In cantina non c'erano più le luci, ma il buco nella parete era ancora lì. McLean vi puntò la torcia e, per un attimo, il cuore gli si fermò. Un corpo giaceva disteso al centro della stanza, con mani e piedi inchiodati al pavimento di legno da chiodi nuovi. Aveva la testa piegata all'indietro in un infinito urlo di agonia e aveva lo stomaco aperto, da dove le costole brillavano sotto la luce elettrica. Puntò la torcia sulle pareti, sulle sei nicchie, dove vide i preziosi organi riposti nei loro vasi.

Poi udì un singhiozzo sommesso. Si guardò intorno e illuminò una seconda figura, rannicchiata contro la parete, polsi e caviglie incatenati a uno scintillante gancio nuovo di zecca piantato nel muro. Indossava ancora i suoi abiti anni Venti, anche se aveva perso la cloche. Le lacrime le avevano macchiato le guance di mascara nero e aveva i polsi scorticati a forza di provare a liberarsi. Ma era viva. Chloe Spiers era viva.

McLean entrò nella stanza, sentendo che la temperatura precipitava come all'interno di un frigorifero. Si puntò la torcia sul viso, per mostrare alla ragazza chi fosse, poi si chinò per toglierle il nastro adesivo con il quale l'avevano imbavagliata.

«Va tutto bene, Chloe, sono un poliziotto. Ora ti portiamo a casa.» Lei si strinse le ginocchia al petto e non disse nulla mentre McLean la liberava. Di tanto in tanto, con lo sguardo correva al centro della stanza, a quella figura poco visibile nell'oscurità. Per quanto tempo era rimasta chiusa lì dentro con il cadavere? Quanto aveva visto prima che spegnessero le luci e la lasciassero sola?

«Forza. Vieni.» La aiutò a rialzarsi, quasi trasportandola fuori dalla stanza dove gli altri due erano in attesa.

«Mi avrebbe sventrata. Come ha fatto con lei tanti anni fa. Me l'ha detto lei. Nel buio.» Mentre si teneva stretta a lui, Chloe parlava con voce tremante, un flebile simulacro di quella di sua madre. La paura le aveva fatto dimenticare il finto accento del South Fife.

«Va tutto bene, Chloe. Nessuno ti farà del male. Sei al sicuro.» McLean tentò di confortarla mentre si rendeva conto di quello che la ragazza aveva appena detto. «Chi ti avrebbe sventrata, Chloe?»

«L'uomo con le cicatrici. Ha ucciso lei. Vuole uccidere anche me.»

E tutto cominciò ad assumere un senso. Come se la pazzia potesse averne uno.

62

I rinforzi arrivarono appena furono fuori dalla casa. McLean trasportava Chloe, che gli si era aggrappata come se la sua vita dipendesse da quello. Ci volle parecchio per convincerla ad andare con i paramedici; si rilassò un po' solo quando McLean le disse che sarebbe andato a catturare l'uomo con le cicatrici. Lasciarono Bob a ripulire tutto e a prendersi i meriti della scoperta all'arrivo del sovrintendente capo, visto che l'indagine, dopotutto, era sua. Ci vollero diversi minuti per riuscire ad allontanarsi, perché stavano arrivando altre volanti della polizia.

«Dove andiamo, signore?» chiese, quando finalmente si immisero su Dalry Road. McLean gli comunicò l'indirizzo di una casa non lontana da quella di sua nonna. La stessa dove era stato accompagnato da un'auto guidata da Jethro Callum in abito scuro. Non lontano da dove era stato ritrovato il corpo senza vita di David Brown. Che anche quel vialetto dimenticato facesse parte della proprietà?

«Vai verso Grange. Meglio mettere la sirena.» Diede le indicazioni a MacBride, poi si rilassò sul sedile del passeggero mentre guardava le auto accostare al loro passaggio.

«Come lo sapeva, signore? Che l'avremmo trovata lì?»

«Ho ricevuto una lettera da Jonas Carstairs. Ha confessato

l'omicidio e ha fatto il nome di tutti gli uomini coinvolti. E ha detto che c'era un sesto uomo, come pensavamo. Non ne ha fatto il nome, il che non mi è stato molto d'aiuto, ma ha detto che era tornato a Edimburgo e che avrebbe tentato di eseguire di nuovo il rituale. Dove altro avrebbe potuto farlo?»

«Ha avuto una bella intuizione, eh, signore?»

«Non proprio. Avrei dovuto capirlo prima, appena abbiamo scoperto che era stato Roberts a rapire Chloe. Stava lavorando per qualcuno che voleva acquistare quella vecchia casa. Qualcuno pronto a pagare cifre folli per averla. Solo che non sapevo chi fosse. Mi sono concentrato su questo, quando invece avrei dovuto chiedermi "perché".»

«E adesso sa chi è?»

«L'uomo con le cicatrici, ha detto Chloe. Ho conosciuto un uomo con le cicatrici, qualche giorno fa. Un vecchio amico di mia nonna. Ha detto che era in città per portare a termine alcuni affari. Accidenti se sono stupido, a volte. Gavin Spenser. Jethro Callum è il suo chauffeur; e non solo, suppongo. E Roberts lavorava per la Spenser Industries, ho visto il loro logo sui documenti nell'ufficio di McAllister. L'ho riconosciuto solo adesso.»

Continuarono a guidare in un silenzio teso. Avvicinandosi alla casa, MacBride spense la sirena, per evitare di mettere in allarme il loro uomo. McLean lo guidò lungo la strada che conosceva da sempre, superando case che gli erano state familiari ma che ora sembravano estranee e minacciose.

«Accosta qui.» Indicò un cancello aperto. Da dietro la Bentley luccicante parcheggiata davanti alla veranda giungeva la luce che filtrava dalle finestre del pianoterra. Avvicinandosi all'edificio, McLean si sentì cogliere da un insolito brivido di paura, poi vide che la porta principale era aperta. Entrò; voleva correre, ma gli anni di esperienza lo spinsero a essere cauto. L'ingresso era dominato da una scalinata di scuro legno di quercia che saliva verso il retro della casa. Sui due lati c'erano diverse porte dai pannelli decorati, tutte chiuse. Tranne una.

«Non dovremmo...?» cominciò a dire MacBride. McLean lo interruppe alzando una mano, poi indicò verso il retro della casa e lo spedì a controllare.

Attraversò in silenzio l'ingresso in direzione della porta socchiusa e udì un rumore attutito provenire dalla stanza dietro di essa. Rumori sgradevoli, come se qualcuno stesse maneggiando qualcosa di viscido. Con un respiro profondo, spalancò la porta ed entrò.

Lo studio privato era pieno di mobili sorprendentemente moderni. La piccola scrivania vicino alla porta era probabilmente quella della segretaria, la cui sedia era vuota. Dietro la scrivania si apriva un ampio spazio, dove si notavano un paio di sofà separati da un tavolinetto. Ancora più in là c'era un scrivania enorme, dietro la quale era seduto Gavin Spenser.

Era nudo dalla vita in su, gli abiti ordinatamente piegati e posati su un basso schedario lì accanto. Alcune mosche camminavano pigramente sulla pelle pallida dell'uomo e volavano intorno al sangue rappreso che aveva sulle dita. Il suo viso sfigurato era bianco, gli occhi ciechi fissi in un'ultima espressione di terrore. Era morto da un po' e aveva il petto dilaniato. Se avesse dovuto tirare a indovinare, McLean avrebbe detto che qualcuno gli aveva strappato via il cuore.

Con la coda dell'occhio percepì un movimento alle sue spalle e reagì d'istinto. Si chinò e si voltò proprio mentre un uomo enorme si gettava su di lui. Jethro Callum reggeva un coltello da caccia e si muoveva con una grazia insospettabile per un uomo della sua stazza. McLean evitò la lama e si mise in guardia per parare il successivo colpo che si aspettava di ricevere. Ma, invece di attaccare di nuovo, Callum fece un passo indietro e si portò il coltello alla gola.

«Oh, non ci pensare neanche!» McLean si tuffò in avanti e fece saltare via l'arma dalla mano di Callum. Caddero entrambi sul pavimento. McLean aveva il vantaggio di trovarsi sopra, ma il suo aggressore era più alto di una trentina di centimetri buoni e probabilmente pesava il doppio di lui. Sotto la giacca di pelle leggera aveva muscoli duri come la roccia, tesi e guizzanti. Non fece troppa fatica per sollevarlo di peso e lanciarlo via, prima di rotolare da un lato e afferrare il coltello.

McLean estrasse un paio di manette dalla tasca e le aprì mentre si gettava nuovamente in avanti. Scivolò su qualcosa di viscido, perdendo l'equilibrio e rovinando sulla schiena di Callum. Finirono di nuovo a terra, ma stavolta McLean riuscì a chiudergli una manetta intorno al polso. Callum tentò di raggiungere il coltello che gli era caduto, graffiando la moquette con le dita per la disperazione. Usando la manetta come leva, McLean gli torse il braccio fino a piegargli la mano fra le scapole, piazzandogli poi un ginocchio sulla nuca e schiacciandogli il viso sul tappeto. Anche in quella posizione, l'uomo tentava di arrivare al coltello, agitando gambe e busto per togliersi dalla schiena il corpo dell'ispettore.

McLean non aveva alcun modo di riuscire a bloccare anche l'altro braccio di Callum, né di arrivare al coltello prima di lui. Si guardò intorno alla ricerca di qualcosa da usare come arma e vide un vaso di porcellana appoggiato su un tavolino lì vicino. Lo prese e, anche se con grande rammarico visto che era un prezioso Clarice Cliff, lo ruppe sulla testa di Callum.

L'uomo grugnì e si accasciò sul pavimento, privo di sensi. Dall'ingresso arrivarono dei passi; il detective MacBride apparve di corsa sulla porta.

«Grazie dell'aiuto» gli disse McLean.

63

«Spenser l'ha arruolato da una gang di strada più di dieci anni fa, assumendolo come guardia del corpo personale. Ha lavorato in America per il vecchio durante tutti questi anni, ecco perché è sparito dalla circolazione. E non si immaginerebbe mai chi era uno dei suoi soci, all'epoca.»

«Donnie Murdo?»

«Già. Secondo me Murdo lavorava per Spenser quando ha investito Alison. Probabilmente nel tentativo di distoglierci dalle ricerche di Chloe finché non avessero finito con lei. Cristo, che motivo stupido per uccidere qualcuno.» Bob il Burbero diede un calcio a un innocente cestino della carta straccia, scagliandolo lontano.

«Ti viene in mente qualche motivo per il quale abbia improvvisamente deciso di uccidere il suo capo?» McLean indicò con la testa la figura imponente di Jethro Callum, seduto dietro il vetro specchiato della sala interrogatori.

«Credo che faremmo meglio a chiederlo a lui.»

«Ok, Bob. Facciamola finita.» McLean si alzò sogghignando dalla sedia. Si era incrinato tre costole e su un fianco gli era venuto un livido delle dimensioni della Polonia. Stava cominciando a capire come doveva essersi sentito David Brown prima di morire.

Callum non si mosse quando entrarono nella sala, né sembrò registrare la loro presenza quando McLean si sedette lentamente sulla sedia di fronte a lui. Bob aprì due cassette e le inserì nel registratore, pronto a incidere su nastro l'interrogatorio. Anche in quel caso, il massiccio chauffeur non aprì bocca. McLean pronunciò tutte le formalità di rito, poi si chinò in avanti, posando i gomiti sul tavolo che lo separava dall'assassino.

«Perché ha ucciso Gavin Spenser, signor Callum?»

Lentamente, la guardia del corpo alzò la testa. Sembrava che avesse difficoltà a mettere a fuoco e aveva un'espressione scioccata, come se si fosse reso conto solo adesso di dove si trovava.

«Chi è lei?» chiese.

«Gliel'ho già detto, signor Callum. Sono l'ispettore detective McLean, e questo è il mio collega, il sergente Laird.»

«Dove sono?» Callum scosse le manette. «Perché sono qui?»

«Davvero si aspetta che me la beva, signor Callum?» McLean studiò il volto dell'uomo. Era un viso che solo una madre poteva amare; portava i segni di numerose risse, aveva il naso schiacciato e gli occhi leggermente troppo vicini per sperare di apparire intelligente. Ma nel suo sguardo c'era qualcosa, una scintilla nascosta dietro lo stupore. McLean la vedeva e, in quell'istante, capì che anche quella scintilla vedeva lui. Callum smise di scuotere le manette e si rilassò.

«Io la conosco. L'ho già vista. Ha tracciato un circolo attorno a se stesso, ma non riuscirà a proteggersi da me. Siamo destinati a stare insieme, lei e io. È il suo sangue che lo dice.» Se prima Callum aveva parlato con voce confusa ed esitante, ora parlava chiaramente, con tono tagliente. Era la voce di un uomo potente, abituato a essere obbedito. Una persona completamente diversa.

«Perché ha ucciso Gavin Spenser?» McLean ripeté la domanda.

«Era il loro capo. L'ultimo. L'ho ucciso per essere libero.»

«L'ultimo? Ha ucciso altre persone?»

«Sa bene chi ho ucciso, ispettore. E sa anche che tutti meritavano di morire.»

«No, non lo so. Chi ha ucciso? Come si chiamavano? Perché meritavano di morire?»

Callum lo fissò dritto negli occhi, con un'espressione di pietra. In quell'istante i suoi tratti si ammorbidirono nuovamente, come se si fosse improvvisamente ricordato di qualcosa di commovente. Spalancò gli occhi e la bocca. Si guardò intorno, voltando la testa con movimenti spaventati. Strattonò nuovamente le manette, una, due volte, poi si ingobbì in avanti quando capì che i suoi sforzi erano vani. Gli occhi gli si riempirono di lacrime che bagnarono le cicatrici sulle guance e cominciò a mormorare una litania impaurita con voce da bambino.

«*Oddio Oddio Oddio Oddio Oddio.*»

McLean guardò quell'uomo enorme dondolarsi debolmente sulla sedia. Se non fosse stato ammanettato, era certo che Callum si sarebbe raggomitolato in posizione fetale in un angolo della stanza. Prima, per un attimo, aveva visto qualcosa in lui, ma adesso l'istinto malato che aveva spinto quell'uomo a commettere un omicidio così brutale era sparito, lasciandosi dietro solo il ricordo dell'accaduto.

«Interrogatorio sospeso alle ventuno e cinquantadue.» McLean si alzò, trattenendo il respiro per il dolore alle costole, e spense il registratore. «Fallo riaccompagnare in cella. Ci riproviamo domani.»

Bob il Burbero aprì la porta della sala e chiamò un paio di agenti, che si misero accanto a Callum. Uno di loro cominciò ad aprire le manette.

Accadde tutto in un attimo. La guardia del corpo emise un

ruggito di rabbia, saltò in piedi e cominciò a mulinare i pugni. I due agenti volarono via, sbattendo contro la parete. Dietro di lui, McLean sentì Bob il Burbero correre a bloccare l'uscita, ma Callum non voleva affatto andarsene. Si voltò verso l'ampio vetro specchiato che copriva la parete. Barcollando si avvicinò, buttò indietro la testa e lo colpì con tutta la forza di cui era capace. Sul vetro si aprirono alcune crepe, ma non si ruppe. Furioso, Callum ricaricò il colpo e diede un'altra violentissima testata. Stavolta il vetro cedette, rompendosi in mille schegge affilatissime e letali. Dalla base dello specchio, lunga trenta centimetri e affilata come un ago, spuntava una scheggia sulla quale brillava una goccia del sangue di Callum. Questi si voltò, fissando McLean con quel suo sguardo potente e controllato. Non spaventato, non folle, ma consapevole. Non era una preda, ma il predatore.

«Presto capirai» disse, con una voce che non era la sua. Poi alzò la testa e arcuò la schiena, pronto a buttarsi in avanti e a infilarsi la scheggia di vetro nel cervello. Ma i due agenti gli si buttarono addosso, afferrandogli le braccia e lottando con tutte le loro forze. Subito la stanza si riempì di persone che sciamavano su Callum come formiche. L'uomo lottava e gridava, ma lentamente fu trascinato a terra e ammanettato con le mani dietro la schiena. Quando infine lo rimisero in piedi, McLean vide che aveva orribili ferite su fronte e naso. Una scheggia gli aveva bucato l'occhio sinistro, da cui colava un liquido acquoso in una parodia di lacrima.

«Porca puttana» imprecò. «Portatelo in ospedale, veloci. E tenetelo ammanettato, non voglio che provi a rifarlo.»

Nel corridoio, McLean si appoggiò al muro e tentò di controllare il tremore che l'aveva colto. Bob il Burbero gli si mise accanto, in silenzio.

«Non stava cercando di scappare, vero?» disse dopo un po'.

«No. Stava cercando di uccidersi. Come tutti gli altri.»

«Gli altri? Che intende?»

McLean guardò il suo vecchio amico. «Lascia perdere, Bob. Credo di avere bisogno di un drink.»

«Sono d'accordo. Ho finito il turno da ore e abbiamo un successo da festeggiare.»

«Dov'è MacBride?» chiese McLean. «Anche a lui farebbe bene staccare un po'.»

«Penso che sia giù in centrale operativa a stilare rapporti come un matto. Lo sa com'è fatto. Lavora solo lui.»

«Non criticarlo, Bob.»

«Assolutamente, signore.» Il vecchio sergente sogghignò, allentando un po' la tensione causata dagli eventi recenti. «Se vuole lavorare per due, ben venga. Io sono felicissimo di essere il secondo.»

Si inoltrarono nei corridoi, giungendo a destinazione dopo aver ricevuto le congratulazioni di molti colleghi. La notizia del salvataggio di Chloe si era diffusa rapidamente. La porta della piccola centrale operativa era tenuta aperta da una sedia d'acciaio per far circolare un po' d'aria. Dall'interno giungeva il mormorio di una conversazione. McLean entrò e vide il detective MacBride seduto dietro alla scrivania, con il portatile davanti. C'era un'altra persona con lui, che si voltò appena vide lo sguardo di MacBride posarsi sull'ispettore. Emma Baird fece due passi in direzione di McLean e lo schiaffeggiò con violenza.

«Questo per aver pensato che potessi fare qualcosa di così perverso come postare su Internet foto di scene del crimine.»

McLean si portò la mano alla guancia, pensando che probabilmente se l'era meritato. Ma subito lei lo prese, lo tirò a sé e gli diede un lungo bacio sulle labbra.

«E questo è per aver trovato un modo di dimostrare la mia innocenza» aggiunse, dopo essersi staccata. McLean sentì le orecchie diventargli di un rosso fuoco. Guardò MacBride, che all'improvviso sembrava interessatissimo al suo rapporto. Bob il Burbero guardava intenzionalmente da un'altra parte, lungo il corridoio.

«Ah, smettila con quel rapporto, Stuart. Puoi finirlo domani» esclamò McLean. «Andiamo al pub.»

64

Il ronzio della sveglia si fece largo nella testa dolorante, ricordandogli con fin troppo entusiasmo che erano le sei ed era l'ora di alzarsi. McLean gemette e rotolò su un fianco per spegnere l'allarme. Così facendo colpì qualcosa e, per quanto si sforzasse, non riusciva a ricordarsi cosa fosse. Quindi grugnì, si voltò e, all'improvviso, fu sveglissimo.

Sedendosi sul letto e strofinandosi gli occhi, osservò il corpo di Emma Baird e provò un curioso mix di rabbia e paura. Aveva dormito da solo per così tanto tempo, aveva sempre mantenuto i rapporti su un piano strettamente professionale, sempre tenuto le persone a distanza. Uno psicologo avrebbe detto che aveva paura di impegnarsi – e avrebbe avuto ragione. Dopo Kirsty, il pensiero di riavvicinarsi a un'altra era troppo doloroso. E ora, dopo un paio di cene e una serata passata a bere insieme a mezzo corpo di polizia di Edimburgo, lei stava dormendo accanto a lui.

Tentò di ricordarsi cos'era successo. Avevano festeggiato il ritrovamento di Chloe sana e salva, certo, ma anche in quei casi aveva un'efficace arma difensiva: non si arrivava mai a ubriacarsi così tanto da perdere il controllo o da non ricordarsi cosa avesse fatto.

Emma era arrabbiata con lui. Aveva sentito cosa aveva detto

a Duguid, davanti agli uffici della scientifica. Sapeva come aveva pianificato di sfruttare la loro amicizia per indagare sulla diffusione delle fotografie. Non era servito a niente cercare di spiegarsi, tentare di convincerla che non era come pensava. Dal punto di vista di lei, l'aveva usata. Si era intenerita solo quando lui si era scusato e aveva implorato il suo perdono.

Poi erano stati cacciati dal pub, che stava chiudendo. Nessuno sapeva che ore fossero, e in centrale ci sarebbero state diverse emicranie al cambio del turno. Era stato lui a proporre di andare a casa sua a bere whisky? O era stato Bob? Quel particolare ricordo era un po' confuso, ma era certo di aver pensato che, sicuramente, una compagnia qualsiasi sarebbe stata meglio che tornare da solo nel suo appartamento freddo, vuoto e silenzioso. Perciò erano andati tutti da lui e probabilmente avevano finito tutto il whisky che aveva. Questo, almeno, avrebbe spiegato l'emicrania che lo torturava.

Cercando di non lamentarsi, McLean rotolò giù dal letto. Indossava ancora i boxer, il che era già qualcosa. Il suo abito era appeso alla sedia, camicia e calzini erano nel cesto della lavanderia. Erano tutte azioni automatiche e le faceva ormai senza pensarci, ma di certo non sarebbe stato così coscienzioso se la sera prima fosse stato ubriachissimo o si fosse abbandonato alla passione. E più ci pensava, più era convinto di essere andato a letto da solo. Bob il Burbero aveva continuato a bere, mentre MacBride era svenuto sul pavimento. Ed Emma? Sì, Emma si era addormentata sulla poltrona. Aveva preso una coperta dall'armadio e gliel'aveva messa addosso prima di buttarsi a letto. Doveva essersi svegliata ed essersi infilata accanto a lui. Be', era un messaggio forte e chiaro.

La doccia riuscì a dissipare parte della grigia foschia che gli attanagliava la mente, ma aveva ancora i riflessi lenti quando uscì per asciugarsi. Le costole incrinate protestavano, i contorni del livido stavano diventando gialli. Con un asciugamano attorno alla vita, riempì il bollitore e lo mise sul fuoco. Poi, facendo un respiro profondo, tornò in camera da letto. Emma stava ancora dormendo ma si era girata, scostando il piumone. Aveva il viso coperto dai corti capelli neri, ma più o meno tutto il resto era in bella vista. Il pavimento era coperto da una scia di vestiti, capi d'abbigliamento intimo che non vedeva da diversi anni. Tranne che sulle scene del crimine, ovviamente. Cercando di far rumore il meno possibile prese l'abito, una camicia e della biancheria pulita dal guardaroba e andò a vestirsi nello studio.

La segreteria telefonica sembrava guardarlo dalla scrivania, accusandolo di recidiva inosservanza della memoria di una morta. Ignorò quel pensiero, sapendo che era solo autoindulgenza, un bozzolo protettivo fatto di sensi di colpa. Sapeva che non avrebbe mai gettato quella cassetta, così come sapeva che non avrebbe mai dimenticato Kirsty. Ma, forse, dopo tutti questi anni, avrebbe dovuto seguire i consigli degli amici e tentare di andare avanti. Le cose brutte accadevano sempre, ma a volte si risolvevano anche. Dopotutto, avevano trovato Chloe Spiers viva.

Quando si fu vestito andò in cucina e preparò il caffè. Il cartone di latte che trovò in frigo non era ancora scaduto, ma avrebbero dovuto berlo subito, prima che fosse troppo tardi. Sbirciando in salotto e nella camera degli ospiti vide il detective e il sergente addormentati e si rese conto che entrambi avrebbero avuto bisogno di una robusta colazione, al risveglio. Prese le chiavi e andò al negozio all'angolo.

Quando tornò, la porta del bagno era chiusa e da dietro proveniva il rumore della doccia. Bob il Burbero era seduto al tavolo della cucina, con l'aria di uno che aveva dormito vestito. McLean cominciò a preparare dei panini alla pancetta e il detective MacBride fece il suo ingresso nella stanza, leggermente nervoso.

«Buongiorno, detective» disse McLean, notando la smorfia di dolore del ragazzo nell'udire il suono della sua voce. Aveva bevuto più di tutti, ma aveva il fegato ancora giovane. Se la sarebbe cavata.

«Che cosa ho bevuto ieri sera?» chiese.

«Al pub o qui?» rispose Bob, grattandosi il mento. Avrebbe avuto bisogno del rasoio elettrico che teneva nell'armadietto della centrale.

MacBride sembrava confuso ma, prima che potesse dire qualcosa, si sentì bussare alla porta.

«Controlla la pancetta, Bob. La salsa è nella credenza.» McLean andò ad aprire. Jenny Spiers era sul pianerottolo.

«Tony. Io…»

«Jenny. Ciao…»

Entrambi parlarono all'unisono, poi si interruppero insieme per permettere all'altro di finire per primo. McLean si spostò di lato.

«Entra. Stavo facendo dei panini con la pancetta.»

Prima che potesse dire altro, si ritrovò stretto in un abbraccio. «Grazie per aver trovato la mia bambina» esclamò. Poi scoppiò in singhiozzi isterici.

Emma scelse proprio quell'istante per uscire dal bagno. Indossava un vecchio accappatoio di McLean, che lasciava scoperta una parte della coscia più ampia del consentito. Aveva i capelli dritti in testa laddove se li era strofinati con l'asciugamano e profumava di shampoo. Il tempo sembrò fermarsi mentre le due donne si fissavano in silenzio. McLean sentì Jenny irrigidirsi mentre ancora era stretta a lui.

«Ehm, Jenny, questa è Emma. Emma, Jenny.» La tensione non si allentò. Poi, però, si sentì qualcuno gridare «Attenzione!» e il detective MacBride corse fuori dalla cucina, in direzione del bagno. La porta sbatté e giunsero attutiti il rumore della tavoletta che veniva sollevata e quello di conati di vomito.

«Abbiamo festeggiato un po', ieri sera.» McLean tentò di districarsi con tatto dall'abbraccio di Jenny, anche se la donna sembrava riluttante a lasciarlo andare. «Sembra che il giovane detective MacBride abbia bevuto un po' troppo whisky.»

«Più probabilmente è colpa degli shot di tequila che si è fatto al pub» intervenne Emma, dirigendosi verso la camera da letto.

«Come sta Chloe, a proposito?» chiese, cercando di distrarre Jenny che stava osservando l'altra donna con uno sguardo spiritato, incredulo. Riportò l'attenzione su McLean e si stampò un sorriso sulla faccia.

«I dottori dicono che fisicamente sta bene. Era gravemente disidratata quando l'hai trovata. Grazie a Dio l'hai salvata. Non so proprio come ringraziarti.»

«È il mio lavoro, Jenny.» McLean lanciò uno sguardo in cucina, dove Bob stava armeggiando ai fornelli con indosso un lungo grembiule sul quale era stampato il disegno di un bikini.

«È solo che non so come reagirà a livello mentale. Incatenata in quel modo. Con un cadavere.»

McLean si chiese quanto sapesse. «Te l'ha detto?» domandò. Lei annuì, accettando una tazza di caffè. «Allora è nella direzione giusta per lasciarsi tutto alle spalle. È una ragazza in gamba. Sono sicuro che ha preso tutto da sua madre.»

Jenny sorseggiò il caffè e si sedette al tavolo della cucina, senza dire nulla. Bob il Burbero rimase in silenzio, preparando diligentemente una colazione in grado di sfamare un esercito. Si sentì il rumore dello sciacquone. Poi Jenny posò la tazza e guardò McLean dritto negli occhi.

«Ha detto che hanno scelto lei a causa tua. Volevano arrivare a te tramite lei. Ma perché l'hanno fatto? Ti conosco a malapena.»

«Sei venuta al funerale di mia nonna.» Era l'unica cosa che gli venne in mente. «Probabilmente Spenser mi stava controllando già da allora. C'era lui dietro a tutto, sin dall'inizio. Ha tentato di screditarmi, ha assunto McReadie per incastrarmi, ha ucciso Alison per rallentarmi. Voleva che abbandonassi l'indagine e aveva bisogno di qualcuno che prendesse il posto della ragazza morta. Chloe era dell'età giusta. Mi dispiace, Jenny. Se non mi avessi mai conosciuto, avrebbero scelto qualcun altro.»

«Uno di questi giorni, Tony, dovrai dirmi come fai.»

McLean era andato in obitorio per quella che gli sembrava la milionesima volta nelle ultime due settimane. Gli piaceva Angus Cadwallader, il suo spirito arguto e il suo senso dell'umorismo, ma avrebbe preferito scambiarci due chiacchiere al pub. O a teatro.

«Come faccio, cosa?» chiese, alzandosi in punta di piedi per osservare meglio l'esame del corpo di Gavin Spenser.

«Andrew Peters. Sapevi che gli avrei trovato tracce di pelle e sangue sotto le unghie, vero?»

«Chiamalo presentimento.»

«E questo presentimento ti ha detto anche di chi erano quel sangue e quella pelle?»

«Di Buchan Stewart.»

«Vedi, è questo che intendo, Tony.» Cadwallader si alzò a guardare l'ispettore, dimentico del fatto che teneva in mano il fegato di Spenser. «Disponiamo di tutti questi costosi e misteriosi mezzi tecnologici che costano ai contribuenti milioni e milioni in tasse, e tu già sai le risposte prima ancora che ti facciano le domande.»

«Fammi un favore, Angus. Tientelo per te.» Già non gli andava giù che Jonathan Okolo e Sally Dent fossero entrati negli annali come assassini, quando invece erano stati probabilmente solo delle pedine inconsapevoli del gioco malato di Spenser. Non voleva assolutamente creare ulteriori ansie alla famiglia di Andy Peters.

«Certamente.» Cadwallader finalmente notò il fegato gocciolante e lo posò su un carrello d'acciaio immacolato perché venisse pesato. «Sarebbe imbarazzante dover ammettere che non me n'ero accorto.»

Tornò a frugare nel petto del cadavere, estraendone parti non identificabili, osservandole da vicino, pesandole e mettendole in contenitori separati. Sembrava felice come un bambino. Peccato che dopo sarebbe toccato alla povera Tracy rimettere tutto a posto e ricucire il cadavere.

«Ti andrebbe di azzardare una causa di morte?» chiese McLean.

«Arresto cardiaco per la grande perdita di sangue, direi. Il coltello è sceso abbastanza in profondità nella gola da danneggiare la carotide e intaccare le vertebre del collo. Abbiamo l'arma del delitto, giusto?»

Tracy estrasse un sacchetto di plastica contenente il coltello da caccia. Cadwallader lo soppesò, ispezionando la lama e tenendola all'altezza del collo del cadavere.

«Sì, è probabile. E spiegherebbe anche questi segni su sterno e costole. L'assassino l'ha aperto per togliergli il cuore. È un organo difficile da raggiungere, a meno di non essere molto esperti o, come in questo caso, fare un macello.»

«Ora del decesso?»

«Dalle trentasei alle quarantotto ore fa. Era seduto su quella poltrona da un bel po'. Mi sorprende che il tuo uomo non abbia cercato di fuggire oltre confine. Avrebbe potuto tranquillamente arrivare in un altro paese prima che il corpo venisse ritrovato.»

McLean fece un po' di calcoli. Spenser era stato ucciso non molto tempo dopo David Brown. Morto tra i cespugli al limitare del giardino dello stesso Spenser. Massacrato dalla furia omicida di Jethro Callum.

«Ci stava aspettando nella stanza dove l'abbiamo trovato.» McLean indicò con il mento l'uomo eviscerato che giaceva sul tavolo. «Ha tentato di uccidersi, proprio sotto i miei occhi.»

«Ah, vedo un filo conduttore, allora.»

Anche McLean. Ma prima che potesse dire altro, la tasca della sua giacca cominciò a vibrare furiosamente. Era una sensazione così inusuale che gli ci volle un po' prima di capire che il suo telefono stava squillando. Lo aprì e vide che la batteria era quasi al massimo.

«Vai avanti senza di me» disse a Cadwallader. Uscì dalla stanza e rispose. «McLean.»

«MacBride, signore. C'è stato un incidente all'ospedale. Si tratta di Callum, è collassato.»

Solo violenza. McLean ricordò cosa gli aveva scritto Jonas Carstairs in quella lettera. E poi i nomi: Andrew Peters aveva visto Jonathan Okolo morire di morte violenta in un pub del centro; Sally Dent era stata testimone dei suicidio di Peter Andrews; David Brown aveva visto il corpo di Sally piombare dal soffitto di vetro della stazione di Waverley e infrangersi sul parabrezza del suo treno; Jethro Callum aveva rotto le ossa a David Brown, uccidendolo; Callum aveva preso a testate il vetro specchiato, cercando di uccidersi. Che gli aveva detto? «Presto capirai»? Quella voce, così diversa, così strana.

Nonostante il caldo dell'estate, gli vennero i brividi. Forse aveva capito. E forse sapeva cosa doveva fare. Se si fosse sbagliato gli sarebbe stato difficile dare una spiegazione, ma se avesse avuto ragione? Be', non valeva neanche la pena pensarci.

65

L'ospedale gli era tristemente familiare. Aveva fatto visita a sua nonna troppe volte per poterle contare. Le infermiere gli sorridevano e lo salutavano mentre percorreva i corridoi; le conosceva quasi tutte per nome. Accanto a lui, il detective MacBride arrossì per quelle attenzioni. Un giovane medico, dall'aria stanca e stressata, venne verso di loro.

«Ispettore McLean?»

McLean annuì. «Che cosa è successo?»

«È difficile da dire. Non ho mai visto niente del genere in vita mia. Il signor Callum è un uomo in gran forma, e anche giovane. Ma i suoi organi stanno collassando uno dopo l'altro. Se non riusciamo a fermare il processo, o almeno a stabilizzarlo, morirà entro poche ore.»

«Poche ore? Ma ieri stava benissimo. Più che benissimo.» McLean si toccò le costole, ricordando l'uomo muscoloso con cui aveva lottato meno di ventiquattro ore prima. Ecco che un'altra tessera del puzzle andava al suo posto, dando forma a un'immagine che non aveva alcun desiderio di vedere.

«Stiamo lavorando sull'ipotesi che sia una qualche forma di reazione agli steroidi. Non è certo diventato così robusto solo facendo pesi, e qualsiasi cosa abbia assunto potrebbe averlo reso ipersensibile a un medicinale che gli abbiamo somministrato. Ma non ho mai visto una cosa del genere accadere così velocemente. Gli ho curato l'occhio ieri pomeriggio e, a parte una leggera iperventilazione, sembrava tutto a posto.»

«Le ha parlato?»

«Oh, no. Non ha detto una parola.»

«Non ha lottato, o tentato di uccidersi?»

«No. Ma era ammanettato e con lui c'erano tre agenti che non l'hanno mai perso di vista.»

«Dov'è adesso?»

«L'abbiamo messo in una delle stanze singole vicino alla lungodegenza.»

«Quindi, se dovesse diventare troppo rumoroso, non disturberebbe nessuno.»

«Be', sì. Ma lì possiamo anche monitorarlo come in terapia intensiva. Venga, le faccio vedere.»

«Non si preoccupi, so la strada. Sono certo che avrà mille cose da fare, più importanti che preoccuparsi di un assassino.»

Si lasciarono alle spalle il dottore, che sembrava leggermente confuso. McLean percorse con sicurezza l'intrico di corridoi tutti uguali, mentre MacBride lo seguiva come un'ombra.

«Che ci facciamo qui, signore?»

«Sono qui per interrogare l'unico sospetto ancora in vita prima che questa misteriosa malattia ce lo porti via» rispose McLean mentre si avvicinavano alla stanza di Callum. «E tu sei qui solo perché Bob è diventato bravissimo a nascondersi quando capisce che sto per fare qualcosa che non piacerebbe al sovrintendente capo.» Accanto alla porta c'era un agente dall'aria annoiata, seduto su una scomoda sedia di plastica a leggere un romanzo di Ian Rankin. Alla vista del superiore si mise sull'attenti, cercando di nascondere il libro dietro la schiena. «Ispettore, signore. Nessuno mi ha detto…».

«Niente panico, Steve. Voglio solo parlare con il prigioniero. Perché non vai a prenderti un caffè, eh? Ci pensa il detective MacBride, qui.»

«Cosa vuole che faccia?» chiese MacBride appena il poliziotto, sollevato, se ne fu andato.

«Stai di guardia» McLean aprì la porta ed entrò «e non fare entrare nessuno.»

La stanza era piccola e asettica, con un'unica, stretta finestra che si apriva su edifici di cemento e vetro su cui picchiava il sole. Due sedie di plastica erano allineate alla parete e un piccolo schedario era stato messo accanto al letto a mo' di comodino. Jethro Callum giaceva su un lettino circondato da una sorprendente quantità di macchinari. Diversi tubi pompavano liquidi malsani da e verso il suo corpo. Non aveva affatto l'aspetto della montagna di muscoli con cui aveva lottato appena il giorno prima. Adagiato su un mucchio di cuscini, aveva il volto emaciato e pallido, gli occhi due cavità scure. Gli erano caduti quasi tutti i capelli, alcuni dei quali erano ancora ammucchiati sul cuscino. La pelle del cranio era macchiata di un rosso vivo. Le braccia enormi non avevano più il tono muscolare di prima. Era sempre imponente, ma la sua stazza adesso gli rendeva difficile il respiro e lo teneva inchiodato al letto in maniera ancora più efficace delle cinghie di cuoio con cui era legato.

«Sei venuto. Lo sapevo.» La voce di Callum era a malapena udibile sopra il rumore dei macchinari. Ma non era la sua. Era l'altra voce, quella che aveva minacciato, che aveva fatto promesse. La voce dallo strano potere ipnotico.

McLean prese una delle sedie e la incastrò sotto la maniglia. Allontanò dal paziente il cordino per le chiamate d'emergenza e si chinò per studiare le macchine. Alcuni cavi collegavano il monitor dell'elettrocardiogramma a un piccolo sensore attaccato al dito di Callum. McLean glielo tolse e se lo mise al dito. La macchina lanciò qualche *bip*, poi tornò a mormorare a un ritmo normale. Cercò i pulsanti e li spense tutti, uno a uno. La scienza medica teneva in vita quel corpo, ma Jethro Callum era morto nel momento in cui aveva ucciso David Brown. Qualsiasi cosa si fosse impadronita della sua anima stava anche divorando la sua carne, lentamente.

«Parlami della ragazza.» McLean si accomodò sull'altra sedia.

«Che ragazza?»

«Sai di chi sto parlando. La ragazza uccisa in quella cerimonia malata.»

«Ah, sì. Lei.» Callum sembrava stranamente lontano, come il pupazzo di un ventriloquo con l'enfisema, ma il piacere che si percepiva nel suo tono era sconcertante. «La piccola Maggie Donaldson. Una ragazzina carina. Non doveva avere più di sedici anni. Era pura, ovviamente. È questo che mi ha attratto in lei. Ma loro l'hanno insozzata, tutti loro. Uno dopo l'altro. Il vecchio, lui sapeva cosa stava facendo. Mi ha intrappolato dentro di lei e poi l'ha aperta. Ognuno di loro ha preso una parte di me.»

«Perché l'hanno fatto?»

«Quando la vostra razza fa qualcosa, perché lo fa? Volevano vivere per sempre.»

«E tu? Che ti succederà, adesso?»

«Io andrò avanti. Dentro di te.»

McLean guardò la figura patetica che gli stava morendo davanti. Era lui la causa di tutto. Era lui la causa di tutta la merda che gli era piovuta addosso da quando avevano scoperto la ragazza morta nella cantina di Farquhar House. Era lui che aveva ucciso persone innocenti, piegandole al suo volere senza la minima ombra di rimorso. Per colpa sua Alison Kydd era morta. Fu invaso dalla voglia di strangolare quell'uomo. Sarebbe stato facilissimo stringergli la gola tra le mani e togliergli la vita. O, ancora meglio, infilargli qualcosa nell'occhio cieco, fino al cervello. Aveva una penna in tasca, sarebbe stata sufficiente. Bastava solo entrare con la giusta angolazione, con la giusta leva. C'erano così tanti modi per uccidere un uomo. Così tanti…

Oh, no, non lo farai, si disse. Scacciò quella tentazione. Barnaby Smythe, Buchan Stewart, Jonas Carstairs, Gavin Spenser. Tutti erano rimasti seduti tranquilli, senza essere legati in alcun modo, mentre venivano macellati e uccisi. Anche Fergus McReadie: si era tolto la vita per una sola parola. Ora McLean sapeva perché. Erano schiavi di quella voce, legati a essa da un atto feroce a cui tutti avevano preso parte. Ma lui non aveva ammazzato quella ragazza, non aveva pianificato di uccidere Chloe. Nulla lo legava a quel mostro.

«Oh, sì invece, ispettore. Hai chiuso il cerchio. Fai parte di tutto questo, come ognuno di loro. Anzi. Hai una forza d'animo che mancava a ciascuna di quelle persone. Il suo sangue scorre nelle tue vene. Sei perfetto per contenermi.»

Callum tentava nuovamente di persuaderlo, e quella volta gli sembrò che una cappa oscura stesse per avvolgerlo, inesorabile. McLean vide alcuni flash di scene raccapriccianti: il viso di Smythe contorto dal dolore mentre il coltello gli penetrava nel petto; il cuore di Jonas Carstairs che ancora batteva tra le costole esposte; Gavin Spenser seduto tranquillo, gli occhi che mostravano il suo vero stato d'animo mentre gli veniva tagliata la gola. E dopo ogni immagine si sentiva potente. Provava un'indomabile sensazione di eccitazione e gioia. Avrebbe potuto avere tutto questo. Essere tutto questo. Avrebbe potuto vivere per sempre.

«Non credo proprio» disse ad alta voce McLean, alzandosi dalla sedia e avvicinandosi al letto. Afferrò il tubo della flebo, piegandolo fino a bloccare il flusso del liquido al suo interno. «Ora capisco. Non volevo crederci, ma suppongo di esserci costretto. A te serve la violenza per passare da un corpo all'altro. Senza violenza, sei bloccato. E quando questo corpo se ne andrà, ti riporterà con sé nel luogo dal quale ti hanno evocato con la loro stupida cerimonia.»

«Che stai facendo? Ti ordino di uccidere questo corpo.» Callum lottò contro le cinghie e i lenzuoli che lo tenevano bloccato al letto, ma era debole e subito dovette fermarsi per un accesso di tosse.

«Stai già facendo un ottimo lavoro da solo.» McLean assistette a un altro tentativo di liberarsi, più debole, più disperato. Si risedette, osservando la figura devastata sul letto. «Suppongo che non desiderassi restare così a lungo nel povero Jethro, ma hai dovuto nascondere le tue tracce, e ti ci è voluto del tempo. Non è mai stato abbastanza forte per contenerti, vero?»

«Uccidimi.» Adesso la voce era poco più di un respiro incerto. «Liberami.»

«Non stavolta.» McLean si rilassò sulla sedia. Osservò e attese, fino a quando gli ultimi respiri uscirono dalla bocca di Callum come insetti in fuga.

«Stavolta, morirai per cause naturali.»

Epilogo

Christopher Roberts era seduto a testa bassa. Puzzava di troppe notti passate in cella e il suo abito, di pregevole fattura, era tutto rovinato. McLean era in piedi con la schiena poggiata alla parete della sala interrogatori e lo guardò per un attimo, cercando di provare un minimo di compassione per quell'uomo. Non ci riuscì.

«Gavin Spenser è morto, e anche Jethro Callum.»

Roberts alzò lo sguardo a quelle parole, con una luce di speranza negli occhi. Ma, prima che potesse dire qualcosa, McLean parlò ancora.

«Il fatto è, signor Roberts, che sono quasi certo che lei sia stato costretto a fare ciò che ha fatto, e questo è da considerare. Chloe è salva, anche se dubito che si scorderà mai di essere stata rinchiusa in una cantina per giorni insieme a un cadavere mutilato. Mi sarà difficile convincerla a non sporgere denuncia contro di lei.»

«Lo farebbe?» Roberts lo guardò con aria da cucciolo. McLean gli si avvicinò, prese una sedia e si accomodò.

«No. Non lo farò. Non adesso. Ha avuto la sua possibilità, signor Roberts, quando abbiamo messo sotto protezione sua moglie. Avrebbe potuto aiutarci e avremmo potuto prendere Callum prima che uccidesse Spenser. Tutte le persone che volevo accusare di rapimento e omicidio sono morte. Tranne lei.»

«Ma... ma... sono stato costretto. Mi hanno fatto fare...»

«No, signor Roberts. Ha fatto tutto da solo. Aveva tutto, e voleva di più. E adesso finirà in galera per molto, molto tempo.»

Un cimitero grigio e spazzato dal vento, vicino al Forth. L'estate era finita; raffiche di pioggia cadevano sul fiume e il piccolo gruppo di persone se ne stava lì, al riparo dall'acqua ma non dal freddo. McLean era piacevolmente sorpreso di vedere quanta gente fosse venuta al funerale. C'erano il detective MacBride e Bob il Burbero, con Emma Baird. Il sovrintendente capo McIntyre aveva trovato il tempo per fare un salto, anche se sembrava irrequieta e continuava a guardare l'orologio. Angus Cadwallader aveva creato scalpore portando con sé la sua assistente Tracy. Forse, però, era più sorprendente che Chloe Spiers avesse insistito per partecipare. Se ne stava sul ciglio della fossa, attaccata al braccio della madre, osservando la bara mentre veniva ricoperta di terra. C'era voluto un po' di lavoro di indagine, ma McLean era riuscito a rintracciare la tomba di John ed Elspeth Donaldson e adesso voleva essere sicuro che la figlia Maggie fosse sepolta accanto ai genitori. Sperava che nessuno venisse mai a sapere che aveva pagato il funerale di tasca propria.

«Ancora non capisco come sei riuscito a identificarla» disse la McIntyre quando tutto fu finito.

«Abbiamo rintracciato l'operaio di Sighthill scomparso nel 1945. In questo modo ci siamo fatti un'idea del periodo della morte. I rapporti sulle persone scomparse di quel periodo sono un po' confusi, perciò il detective MacBride ha frugato negli archivi dello *Scotsman*. Ha trovato un trafiletto su una ragazza svanita nel nulla. È venuto fuori che la madre faceva la governante a Farquhar House. Abbiamo rintracciato un parente, in Canada, e il test del

DNA ha fatto il resto.» Era una piccola bugia, ma non eccessiva. Aveva dato a MacBride tutti gli indizi a disposizione, dicendogli di partire da quelli. McLean stesso era restio ad ammettere da chi, in realtà, avesse avuto il nome della ragazza.

«La maggior parte dei detective si sarebbe accontentata di aver trovato gli assassini.»

«Mi conosce, signora. Non mi piace lasciare un lavoro a metà.»

«Credi che abbia funzionato? Credi che siano riusciti a intrappolare un qualche demone, usandolo per allungarsi la vita?»

«A volte dovrebbe ascoltarsi quando parla, Jayne. Certo che non ha funzionato. Sono tutti morti, giusto?» McLean scosse la testa, come a voler scacciare la verità. «I demoni non esistono.»

«Ma erano tutti in formissima per la loro età.»

«Tranne Bertie Farquhar e Toby Johnson, che sono morti giovani. No, hanno vissuto a lungo perché erano fermamente convinti di riuscirci. Andiamo, non potevano fare una cosa del genere senza neanche crederci. Erano tutti uomini di successo perché erano nati da famiglie ricche e avevano ricevuto la migliore delle istruzioni.»

«Speriamo tu abbia ragione, Tony. La città è già abbastanza malvagia senza che ci si metta il sovrannaturale a complicare la vita di noi poveri poliziotti.»

«Gavin Spenser è morto senza fare testamento.» Era un'informazione che McLean aveva letto sui giornali e che gli era rimasta in testa per tutta una serie di motivi poco piacevoli. «Non si è mai sposato, non aveva famiglia. Gli avvocati impazziranno per trovare qualcuno che erediti la sua fortuna. Chiunque abbia un motivo anche solo decentemente valido per reclamarla si farà avanti. Scoppierà un vero casino, mi creda. Eppure, questo è l'unico modo che aveva Gavin Spenser per vivere in eterno.»

«Forse, in fondo, erano tutti demoni. Ma solo qui.» La McIntyre si picchiettò l'indice sulla tempia.

Raggiunsero l'ingresso del cimitero e la fila di auto parcheggiate in attesa di riportarli alle loro vite. Un sergente in uniforme aspettava sull'attenti accanto all'auto del sovrintendente capo, stretta tra la vecchia Volvo color ruggine di Phil e la Jaguar verde tenue di Cadwallader. L'Alfa Romeo rosso brillante di McLean era parcheggiata in disparte. La McIntyre guardò con orrore mentre lui apriva lo sportello e faceva salire Emma dal lato del passeggero.

«Buon Dio, Tony. È tua?» chiese.

Per un attimo, McLean si chiese se intendesse l'auto o Emma. Decise che neanche la McIntyre poteva essere così scortese, perciò scosse la testa, tentando invano di sopprimere un sorriso.

«Non è mia, no» disse. «È di mio padre.»

Era in piedi nella camera da letto di sua nonna e guardava il comò, con la sua collezione di spazzole, trucchi e fotografie. Il sacchetto della spazzatura nero che teneva in mano, già pieno per metà, sembrava pesantissimo. I resti di un'intera vita. Andati. Avrebbe dovuto farlo mesi prima, quando era diventato ovvio che sua nonna non avrebbe mai più ripreso conoscenza e non sarebbe mai tornata a casa. Non le sarebbero più serviti rossetti, fazzolettini, un pacchetto mezzo vuoto di mentine extra-forti, né le sarebbe servito il contenuto del suo guardaroba. Né gran parte delle vecchie foto che costellavano la stanza. In particolare una.

Era appesa alla parete, vicino alla porta del bagno. In bianco e nero, ritraeva due uomini e una donna. Bill McLean, Esther Morrison e un uomo senza nome. Quando l'aveva vista la prima volta, aveva notato con stupore quanto poco suo padre somigliasse a suo nonno, mentre invece gli sembrava identico all'altro uomo. Era questo il piccolo, osceno segreto che sua nonna aveva mantenuto per anni e che non doveva essere rivelato se non dopo la sua morte? Qualcosa che aveva ritenuto di poter confidare all'avvocato invece che al nipote? Che diceva la lettera? «Sei diventato sicuramente un uomo diverso da quello che temeva potessi essere.» E poi c'era Jethro Callum: «Il suo sangue scorre nelle tue vene». Le parole di un pazzo, o di un demone, ma in qualche modo impossibili da ignorare. Be', non era poi così difficile capire cos'era successo.

Staccò la cornice dalla parete, la girò per vedere se c'era qualcosa scritto sul retro. Solo il marchio del negozio che aveva stampato la foto, l'indirizzo di un edificio ormai raso al suolo da anni. Era un lavoro professionale, perché il retro della foto era stato sigillato alla cornice. Avrebbe potuto estrarla, vedere se c'era scritto qualcosa, ma tutto sommato non gli importava più di tanto.

Se la rigirò fra le mani e osservò attentamente la fotografia. A vent'anni, sua nonna era proprio bella. Sedeva tra i due uomini, abbracciandoli entrambi, anche se si vedeva che aveva occhi solo per William McLean. L'altro uomo sorrideva ma aveva lo sguardo freddo, nel quale si leggeva un desiderio per qualcosa che non poteva avere. Qualcosa che, magari, era pronto a prendersi con la forza. Stava lavorando troppo di fantasia? McLean scrollò le spalle, aprì il sacchetto della spazzatura e ci buttò dentro la fotografia.

Ringraziamenti

Per scrivere questo libro ho impiegato moltissimo tempo, ma non avrei neanche cominciato se non fosse stato per Stuart MacBride. È stato lui a consigliarmi di smettere di scrivere fantasy e cimentarmi con un thriller, perciò, in un certo senso, è tutta colpa sua. Grazie, Stuart.

Sono anche in debito con Allan Guthrie – il primo ad avermi parlato delle immense possibilità degli eBook e dell'autopubblicazione – e con la mia agente, Juliet Mushens, un piccolo tornado di energia e fantasie leopardate. Grazie anche alla squadra della Michael Joseph.

In molti hanno letto le bozze di questo romanzo, ma un grazie speciale va a Heather Brian, Keir Allen, John Burrell e Lisa McShine. Non posso non ringraziare anche Graham Crompton, per avermi fatto notare che le vene non pulsano, né palpitano o ticchettano.

E per ultimo, anche se non meno importante, un grazie va alla mia compagna Barbara, che non solo mi ha sostenuto per tutti questi anni, ma che non si è neanche lamentata quando le ho rubato il cognome per darlo al mio ispettore.

Il capitolo iniziale

Nel nome del male ha visto la luce per la prima volta sotto forma di racconto, grazie alla rivista *Spinetingler* che l'ha pubblicato nel 2006. All'epoca ero un novellino nel campo del thriller, poiché scrivevo da anni libri comici, scientifici e fantasy. Le mie conoscenze sul genere le avevo accumulate leggendo la serie degli *Hardy Boys* e della *Banda dei cinque* da bambino, Agatha Christie da adolescente e, in seguito, qualche romanzo di Ian Rankin sgraffignato a mio padre, quando non avevo nient'altro da leggere. E, ovviamente, i gialli di Stuart MacBride con protagonista il sergente Logan McRae, tutto materiale in cui mi sono imbattuto solo in anni recenti.

Conosco Stuart da parecchio tempo ed è stato lui a convincermi a smettere di scrivere di draghi e passare a qualcosa di più contemporaneo e realistico. Di conseguenza, ho scritto una dozzina di racconti, che avevano tutti come protagonista un detective che avevo creato come personaggio secondario per un copione comico che avevo tentato, senza successo, di piazzare su *2000 AD* all'inizio degli anni Novanta.

Non essendo abituato a scrivere gialli, non ero a conoscenza dell'esistenza della Crime Writers Association (CWA) e della loro gara annuale per autori esordienti, finché non mi è stata segnalata dall'editore di *Spinetingler*, Sandra Ruttan. È stato allora che ho cominciato il processo di trasformazione di *Nel nome del male* da racconto a romanzo, con il quale intendevo partecipare alla gara del 2007.

Le opere vengono giudicate in base alle prime 3.000 parole e a una sinossi. Il mio romanzo esordiva esattamente come il racconto, ma pensavo che ci fosse bisogno di qualcosa di più scioccante per attirare l'attenzione dei giudici. Dato che la vicenda ruota attorno a un omicidio rituale, ho deciso di descrivere l'assassinio consumato sessantacinque anni prima delle vicende narrate nel libro. E quale modo migliore per scioccare il lettore se non raccontare tutto dal punto di vista della vittima?

Ovviamente ha funzionato, perché il libro è stato selezionato per la pubblicazione. Io, però, ho sempre avuto sensazioni contrastanti su quel primo capitolo. Da un lato è indubbiamente un incipit potente, che crea un efficace sfondo alla storia. Dall'altro, è una descrizione lunga e dettagliata di un brutale stupro con omicidio.

Anche i lettori hanno espresso sentimenti contrastanti in proposito. Alcuni hanno abbandonato subito la lettura, altri invece hanno commentato che il tono del capitolo iniziale è marcatamente diverso da quello del resto della storia. Ne sono soddisfatto a livello stilistico, e in particolare trovo efficace l'ultima frase, ma ritengo che abbia più senso se inserito in un romanzo horror.

Perciò ho deciso di aprire il libro con il primo capitolo scritto quando avevo cominciato a buttare giù il racconto, nel 2005. Non credo che la storia perda qualcosa per l'omissione di quel brano, ma se volete giudicare di persona, potete leggerlo qui di seguito. Attenzione, però: non è per i deboli di stomaco.

L'originale capitolo 1

Emette un grido quando il primo chiodo le penetra nella carne.

Un dolore acuto le trafigge la mano mentre tenta di lottare contro l'uomo, bloccata sul pavimento dal peso di quel corpo. Non è possibile. Lui non dovrebbe farle del male. È una brava persona, un bell'uomo. Un uomo gentile. Ha aiutato la sua famiglia durante la guerra.

«Ti prego. No.» Tenta di urlare, ma una mano le tappa la bocca. Alcune figure si muovono nell'ombra; la palpeggiano, la tengono bloccata a terra, respirano pesantemente nel buio opprimente. Qualcuno le prende il polso e le tira il braccio. Le dita sbattono sul pavimento. Un martello colpisce un chiodo, dilaniando pelle e cartilagine, strappandole un altro grido attraverso il naso. Scalcia, lottando contro il peso dell'uomo sopra di lei e contro i freddi chiodi d'acciaio che le penetrano nella carne. Crocifissa, cerca disperatamente di liberare le mani dai chiodi contorti, piantati in profondità nel pavimento di legno.

L'uomo si alza e, per un attimo, lei ne vede il volto nel buio. I suoi occhi brillano, quella figura resa sfocata dalle lacrime sembra distorta, come se qualcosa stesse tentando di uscire dal suo corpo. Scalcia quando lui le solleva il vestito, strappandole via le mutandine e le calze di nylon. Qualcosa luccica nella pallida luce che filtra da sotto la porta. Sente la pressione di un oggetto freddo e piatto che le accarezza la pelle del ventre nudo, facendole venire i brividi mentre scende verso il basso. Un liquido caldo le gocciola tra le cosce e l'odore acre dell'urina invade l'aria. Sarebbe morta lì, violata dall'uomo di cui si era fidata per tutta la vita.

Mani rudi le afferrano le caviglie, aprendole le gambe e straziando le ferite sanguinolente che le tengono i palmi inchiodati a terra. Con forza le bloccano le piante dei piedi sul pavimento. Sente il rumore di ossa spezzate, quello dell'acciaio che sbatte contro l'acciaio mentre vengono piantati altri chiodi. Il dolore la invade a ondate, annebbiandole la vista.

Lui si fa largo tra le sue gambe, sbattendole la testa contro il pavimento scheggiato, con mani incuranti. Ruvide dita le aprono la bocca. Viene sopraffatta dai conati di vomito mentre si spingono in profondità dentro di lei. Sente il gusto freddo e metallico dell'acciaio, poi un lampo di dolore e la gola che si riempie di liquido tiepido e salato. Soffocando, tossisce e sputa, vomitando in faccia al suo assalitore. Lui arretra, pulendosi le guance. Sorride, mostrando denti bianchi. Piccole gocce del suo stesso sangue le corrono lungo il viso, imbrattando il pavimento già lurido.

La possiedono, uno dopo l'altro, facendosi strada con forza dentro di lei, infrangendo senza pietà l'ultimo dei suoi sogni. Il dolore è ovunque: sulle punte dei chiodi; nell'ammasso bruciante della lingua; nella carne ferita e nelle ossa rotte. Non può fuggire. È impotente. E all'improvviso lui la taglia. Lui, l'uomo che era suo amico. Sottili lame le aprono sul corpo ferite che le coprono la pelle bianca di viscido sangue rosso.

La morte la reclama solo dopo molto tempo. E neanche allora riesce a trovare pace.

Nella stessa collana

James Carol

Anatomia di un incubo

**LA SUSPENSE DEL *SILENZIO DEGLI INNOCENTI*.
LA MORSA OSSESSIVA DI *PSYCHO*.
UN THRILLER UNICO.**

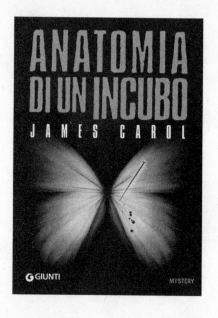

JAMES CAROL, nato in Scozia nel 1969, vive da anni in Inghilterra. *Anatomia di un incubo* è il primo romanzo di una serie che ha per protagonista il geniale *profiler* Jefferson Winter. I diritti del libro sono stati venduti in 5 Paesi e dal romanzo sarà tratta una serie televisiva.

Brossura - pp. 368 - euro 14,90

Mentre su Londra si abbatte una violenta bufera di neve e tutti sono impegnati nei preparativi natalizi, un folle criminale rapisce le donne, le tortura per giorni, ma non le uccide: prova piacere nello spegnere in loro ogni scintilla di vita, prima di lasciarle andare. La polizia brancola nel buio e l'ispettore Hatcher sa che solo una persona è in grado di aiutarli: Jefferson Winter, il miglior *profiler* americano. Figlio di uno spietato serial killer, Winter è ossessionato dal suo passato, che però gli ha regalato un intuito infallibile: nessuno come lui riesce a penetrare la psicologia delle menti criminali. Ma questo caso è diverso: perché mutilare una donna imprigionandola nel suo corpo per sempre, rendendola insensibile al mondo esterno e totalmente dipendente dagli altri? Un destino più atroce della morte. Le vittime aumentano e il maniaco è sempre più assetato: tra poco toccherà alla numero cinque e non c'è un attimo da perdere. Con l'aiuto dell'affascinante Sophie Templeton, la caccia all'uomo ha inizio...

Elisabetta Cametti

Ӄ - I guardiani della storia

AVIDITÀ, CORAGGIO, PASSIONE, TERRORE: UN THRILLER MAGISTRALE, IPNOTICO, CON UN RITMO E UNA TENSIONE DAVVERO RARI.

ELISABETTA CAMETTI è nata nel 1970 in una piccola località ai piedi del Monte Rosa. Laureata in Economia e Commercio, dopo circa vent'anni di esperienza in importanti multinazionali, ha scelto di dedicarsi alla sua passione per la scrittura.

Volume rilegato - pp. 640 - euro 14,90

È bionda, combattiva, dorme quattro ore per notte e divide il suo appartamento londinese con un bellissimo gatto nero. È Katherine Sinclaire, direttore generale della 9Sense Publishing, una delle più potenti case editrici mondiali. Ancora per poco però, perché quell'impero sta per crollare. Convocata d'urgenza da Bruce Aron, l'amministratore delegato, Katherine si trova di fronte a una scena raccapricciante: Bruce si è sparato un colpo in testa. E prima di morire le ha lasciato una chiavetta USB con scritto "Fighter", il nome con cui amava chiamarla. È il primo di una serie di indizi inquietanti che da Londra condurranno Katherine al lago di Bolsena, un sito archeologico tra i più misteriosi. Accompagnata dall'enigmatico Jethro Blake, Katherine si ritroverà nelle viscere della Terra, al centro di un cerimoniale oscuro appartenuto alla civiltà etrusca. Ma cosa lega la 9Sense Publishing a quel sito inesplorato? Qual era il segreto di Bruce? E quale terribile sacrificio sta per essere compiuto?

Harry Bingham
Il cerchio dei morti

**AVVINCENTE, INQUIE-
TANTE, AL LIMITE DEL
PARANORMALE: UN
THRILLER CHE NON VI
FARÀ CHIUDERE OCCHIO.**

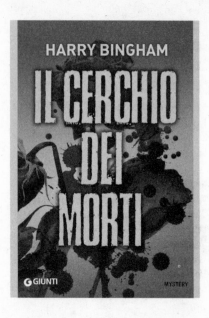

HARRY BINGHAM, nato in Inghilterra nel 1967, ha lavorato dieci anni nel
campo dei fondi d'investimento per poi
dedicarsi a tempo pieno alla scrittura.
Per Giunti è uscito anche *Parla con i
morti*, il primo episodio della serie di
Fiona Griffiths.

Volume rilegato - pp. 528 - euro 16,00

In un assolato pomeriggio autunnale a Cardiff, l'agente Fiona Griffiths riceve una telefonata che promette seccature: un'impresa di traslochi ha scoperto dei "rifiuti illegali" nella villetta di un'anziana signora. Normale routine,
insomma. Ma ciò che si presenta ai suoi occhi è a dir poco agghiacciante: in
un congelatore, tra barattoli di marmellata e tranci di agnello, compare la
gamba di una donna. E gli orrori non sono finiti. Gli altri resti della vittima
vengono rinvenuti nei luoghi più strani: un capanno degli attrezzi, un garage, il bagagliaio di un'auto. La Scientifica rivela che appartengono al corpo
di una studentessa scomparsa anni prima, ma a complicare le indagini si
aggiunge la scoperta di un altro cadavere, un uomo dalla pelle scura, fatto
a pezzi nei dintorni del lago. Non può essere una coincidenza, e Fiona fa
ricorso al suo particolare talento: cosa vogliono dirle quei corpi straziati?
Chi erano le due vittime e cosa le collega? E mentre il mistero si infittisce,
il passato oscuro di Fiona riemerge gettando un'ombra sulla sua vita...

Keigo Higashino

L'impeccabile

UNA TRAMA DI FERRO CHE INCANTERÀ ANCHE IL LETTORE PIÙ ESIGENTE E SOFISTICATO.

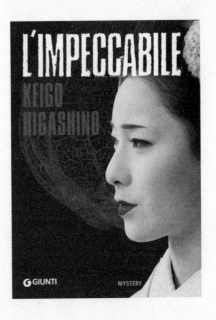

KEIGO HIGASHINO (Osaka, 1958) è uno dei più famosi scrittori giapponesi. A 27 anni ha vinto l'Edogawa Rampo Award per il miglior mystery, e con *Il sospettato X* (Giunti 2012), che ha venduto oltre 2 milioni di copie ed è stato tradotto in 14 Paesi, si è aggiudicato il prestigioso Naoki Prize ed è stato finalista all'Edgar Award.

Volume rilegato - pp. 336 - euro 12,90

Yoshitaka Mashiba, manager di successo, confessa alla moglie Ayane che sta per lasciarla perché non è in grado di dargli dei figli. Libero da quel legame, potrà ottenere ciò che vuole da Hiromi, la giovane amante, assistente e amica di Ayane. Ma una domenica mattina viene trovato morto, avvelenato da un caffè. Appare subito evidente che non si tratta di suicidio. Tutti i sospetti ricadono sulla moglie, che però ha un alibi di ferro: al momento dell'omicidio si trovava a centinaia di chilometri di distanza. Altri sospettati? Hiromi non ha un movente e per di più è in attesa del bramato erede di Yoshitaka. Nonostante il brillante contributo della giovane agente Utsumi, le indagini non portano a niente, anche perché l'intuito del detective Kusanagi sembra irritato dal fascino raffinato della bellissima, impeccabile Ayane... Perfino il professor Yukawa, lo scienziato che tante volte ha impresso il marchio della razionalità sulle indagini di Kusanagi, fatica a far luce sui torbidi e letali segreti della coppia. Che si tratti davvero del delitto perfetto?

MISTO
Carta da fonti gestite
in maniera responsabile
FSC® C023532
FSC
www.fsc.org

Stampato presso Giunti Industrie Grafiche S.p.A.
Stabilimento di Prato